T. Jefferson Parker

Bloedgeld

A.W. Bruna Uitgevers B.V., Utrecht

Oorspronkelijke titel
The Renegades
© 2009 by T. Jefferson Parker
Vertaling
Hugo Kuipers
Omslagbeeld
Christophe Dessaigne/Trevillion Images
Omslagontwerp
Studio Jan de Boer
© 2011 A.W. Bruna Uitgevers B.V., Utrecht

ISBN 978 90 229 9646 1
NUR 332

MIX
Papier van
verantwoorde herkomst
FSC
www.fsc.org
FSC° C013683

Dit boek is gedrukt op papier dat het keurmerk van de Forest Stewardship Council (FSC) mag dragen. Bij dit papier is het zeker dat de productie niet tot bosvernietiging heeft geleid. Een flink deel van de grondstof is afkomstig uit bossen en plantages die worden beheerd volgens de regels van FSC. Van het andere deel van de grondstof is vastgesteld dat hiervoor geen houtkap in de laatste resten waardevol bos heeft plaatsgevonden. Daarom mag dit papier het FSC Mixed Sources label dragen. Voor dit boek is het FSC-gecertificeerde Munkenprint gebruikt. Dit papier is 100% chloor- en zwavelvrij gebleekt en wordt geleverd door Arctic Paper Munkedals AB, Zweden.

Voor mijn vader en moeder, Robert en Caroline,
die brood op de plank hebben gebracht
en verhalen in onze hoofden.
Dank jullie wel.

1

Hood had die avond patrouilledienst met Terry Laws, de zoveelste late dienst in de woestijn, de zoveelste tweehonderdvijftig kilometer rijden over asfalt, de zoveelste Crown Victoria-politiewagen die aanvoelde alsof je erin woonde.

Ze waren zwijgend naar het parkeerterrein van het bureau gelopen. Hood was lang en slungelig en Laws had het postuur van een gewichtheffer, zodat zijn jasje strak om zijn schouders spande. Secties van het parkeerterrein waren afgebakend met borden waarop de namen van omgekomen agenten stonden. Er waren ook secties die nog geen naam hadden.

Hood noteerde de kilometerstand en controleerde de druk en conditie van de banden, terwijl Terry de vloeistofniveaus nakeek. Omdat het wagenpark van de Los Angeles Sheriff's Department, het politiekorps van Los Angeles County, oud en versleten was, moesten ze zelfs dingen controleren die voor anderen vanzelfsprekend waren. Twee dagen geleden was bureau Lancaster van de LASD weer een patrouillewagen kwijtgeraakt. Die had meer dan vierhonderdduizend kilometer op de teller gehad en was uiteindelijk op een halve kilometer afstand van het bureau met een doodsrochel van kletterend metaal bezweken. De agent had hem langs de kant van de straat gezet en een sleepwagen laten komen.

Hood reed. Hij hobbelde van het parkeerterrein af de boulevard op en genoot van het rijden, dat hem deed denken aan het rijden van de vorige avond, dat hem weer deed denken aan het rijden van de avond daarvoor en van de week en de maanden daar weer voor. Er ging niets boven rijden, want dat zou hem, zo geloofde hij, leiden naar datgene waarnaar hij op zoek was. Het had te maken met een vrouw die was gestorven, en met een stukje van hem, misschien zijn ziel, dat ontbrak.

Het was winderig en het werd al donker, en de woestijnkou was scherp en gewichtloos als een scheermes. Een bolletje *tumbleweed* dwarrelde over Avenue J. Het verkeerslicht in Division Street bungelde aan zijn kabels. Er was sneeuw op komst en Hood had dat in deze woestijn nog nooit meegemaakt.

Hij reed, keek en luisterde naar Terry, die over zijn jonge dochters praatte; basketbalspeelsters, goede leerlingen. Terry's vrienden noemden hem Superman, omdat hij al twee keer bodybuildingkampioen van de L.A. Sheriff's Department was geworden en daarnaast een toegewijde vader was en zich elke kersttijd weer inzette voor speelgoedacties. Hij had een markante kin, een open gezicht en een gulle lach. Bijna twee jaar geleden had hij de publiciteit gehaald met de arrestatie van iemand die van twee moorden werd verdacht, en dat had hem veel prestige in het korps opgeleverd. Hij was negenendertig, tien jaar ouder dan Hood. Die was wel vaker met Laws op patrouille geweest en had toen altijd gedacht dat de grote man iets dwarszat, maar Hood geloofde dat de meesten van ons iets dwarszat.

Ze reden in noordelijke richting over Division Street en vervolgens in oostelijke richting over Avenue I, voorbij het kermisterrein. Op dinsdagavonden in de winter gebeurde er niet veel.

Hoods wereld was Antelope Valley ten noorden van Los Angeles. Die vallei is het nieuwe pioniersgebied, het laatste deel van de county dat nog niet tot intensieve ontwikkeling is gebracht. Het is echte woestijn, gloeiend heet of juist koud, en droog. De steden groeien snel, maar komen niet tot bloei. Duizenden huizen daar zijn nieuw. Ze zijn betaalbaar. De steden hebben mooie namen als Palmdale, Rosamond, Pearblossom en Quartz Hill. Er waren geen antilopen in Antelope Valley tot in de twintigste eeuw, toen er een stel werd vrijgelaten om de vallei zijn naam eer te laten aandoen. Typisch Californië: eerst de grote droom en later de details invullen. Voorbij Antelope Valley ligt de onmetelijke Mojave Desert.

'Wat vind je na zes maanden van Antelope Valley?' vroeg Laws.

'Ik vind het prettig dat je zo ver kunt kijken.'

'Ja, je hebt hier de ruimte. Niet iedereen bevalt het hier. Als er straks sneeuw ligt, vind je het nog mooier.'

Antelope Valley was in feite het Siberië van de LASD, maar Hood had zelf om overplaatsing gevraagd nadat hij in Los Angeles in de problemen was gekomen. Hij wilde dingen vergeten en zelf onzichtbaar zijn. Hij was ongeveer vier weken bij Moordzaken geweest, maar dat was niet goed gegaan. Daarna had hij met Interne Zaken gepraat over een chef die hij ten onrechte voor eerlijk had aangezien en die binnenkort terecht moest staan voor acht ernstige misdrijven. Hood zou als getuige à charge worden opgeroepen, en daar zag hij erg tegen op.

Ze dronken koffie en reden verder over Avenue I, om Eastside Park heen. Aan de westelijke horizon bezweek het laatste streepje geel onder het zwarte gewicht van de duisternis. Hood keek naar de nieuwe ommuurde wijken die zich kilometers ver uitstrekten, blok na blok. Huizen die dicht tegen elkaar aan stonden alsof ze de kou buiten de deur probeerden te houden. Hood had gedacht dat hij van Siberië zou houden en dat bleek inderdaad het geval te zijn. Hij was een jongen uit Bakersfield, gewend aan weidse verten, warmte en wind, snelle auto's en goede muziek.

'Ik heb de pest aan die acties voor Huisvesting,' zei Terry. 'Ik voel me dan net een ingehuurde gangster.'

'Ik ook,' zei Hood. Tijdens het appel was hun verteld dat ze op een opdracht konden rekenen om de dienst Huisvesting van Los Angeles County te assisteren in Legacy, in het oosten van Lancaster. Daar stonden huizen met subsidie van de federale overheid, zogeheten sectie 8-woningen. Als de eigenaren een probleem hadden met huurders, gingen ze naar de dienst Huisvesting, maar de onderzoekers daarvan hadden eigenlijk geen gezag; ze waren niet gewapend, konden niemand arresteren en konden geen dagvaardingen uitreiken. Huurders hoefden hen niet eens in hun huis toe te laten. Daar stond tegenover dat de dienst Huisvesting de hulp van de LASD kon inroepen, en angst opent vele deuren. Hood had een hekel aan dat werk, dat altijd een strikte scheiding naar ras en stand liet zien: eigenaar en huurder, rijk en arm, blank en zwart.

De centrale meldde een geval van openbare dronkenschap bij de Orbit Lounge en een wagen aan de westkant ging eropaf. Hood was er al snel achter gekomen dat Antelope Valley in het teken van de luchtvaart stond; van de luchtmachtbasis Edwards tot Chuck Yeager en de film *The Right Stuff*, en van de Skunkworks van Lockheed, waar vroeger de Stealth-vliegtuigen werden gebouwd, tot de gigantische fabrieken van passagiersvliegtuigen die hier ooit tot grote bloei waren gekomen. Hij wist dat het meeste van dat werk tegenwoordig ergens anders werd gedaan, maar de cafés hadden nog namen als Orbit, Firing Range of Barrier.

'Ik heb het gevoel dat er vanavond actie op komst is, Charlie. Dat is goed. Ken je Mouse Washington? Heb je hem gezien? Groot, lid van de Eight Tray Crips, gebouwd als een Hummer. Woont met zijn moeder en een stel pitbulls in een sectie 8-woning. Hij heeft gisteren twee Bloods verrot geslagen bij de supermarkt. Twee van zijn honden hielden ze vast en daar hebben ze diepe wonden in hun benen aan overgehouden. Eentje ligt nog in het ziekenhuis.'

Hood had in zijn zes korte maanden hier in de woestijn geconstateerd dat de bendes goed gedijden. De week daarvoor was er weer een moord gepleegd, ditmaal op een zeventienjarige jongen van de Eighteenth Street-bende die op een straathoek met een groot piepschuimen NIEUWE HUIZEN-bord in de vorm van een pijl stond te zwaaien. Hood had gehoord dat die personen door de projectontwikkelaars die hen in dienst namen, 'menselijke wegwijzers' werden genoemd, maar de meeste mensen noemden hen gewoon 'bordenzwaaiers'. Hij had gezien dat sommigen van hen er heel goed in waren; ze draaiden en zwaaiden met de borden en haalden er trucs mee uit op het niveau van een profbasketballer. Ze konden je een tijdje vermaken als je voor een stoplicht stond. Maar toen de auto met de Blood-schutter voorbij was, had de menselijke wegwijzer met het NIEUWE HUIZEN-bord zes kogels in zijn lijf, en later overleed hij in het ziekenhuis.

'Over hondenbeten gesproken,' zei Laws. Hij maakte de knopen van zijn uniformoverhemd met lange mouwen los en liet Hood zijn linkeronderarm zien, die opengehaald was en blauw aanliep, maar ook aan het genezen was. 'Dat was mijn loon toen ik iemand een handje hielp.' Hij deed het interieurlampje even aan en keek naar de wond alsof die een raadsel was dat hij nog niet had opgelost.

'Had die hond zijn prikken gehad?'

'Ja. Maak je geen zorgen: ik heb geen rabiës.'

Ze reden de woonwijk Legacy in. Grote huizen, twee verdiepingen, schuine daken, dakkapellen, lamellen voor de ramen. De wijk was tien jaar oud en sommige huizen zagen er al uit alsof ze onbewoonbaar verklaard moesten worden. In de woestijn worden huizen en mensen twee keer zo snel oud als elders.

1411 Storybook had een dood, bruin gazon, onkruid op het betonnen pad en een gebroken ruit die met triplex was opgelapt tegen de kou. Er waren ook tekenen dat de bewoners er iets van probeerden te maken: twee glanzende kinderfietsen op de veranda, een vogelvoederbakje dat aan een citroenboom midden in het dode gras hing, een perk verwaaide rozenstruiken naast de garage.

Op het pad was een busje van de dienst Huisvesting geparkeerd, en bij het portier aan de bestuurderskant stonden twee mannen. Hood en Laws stopten aan de overkant bij een peperboom die in de wind heen en weer zwaaide. Toen Hood uitstapte en de straat overstak, hoorde hij het knerpen en knappen van bessen.

De ambtenaren van de dienst Huisvesting waren Strummer en Fernandez. Ze waren allebei midden veertig en droegen een spijkerbroek, sportschoenen, een jack met de opdruk van hun dienst en een honkbalpet. Strummer had sluik, blond haar en een lange neus. Fernandez, die een klembord in zijn handen had, was klein en had afhellende schouders.

Strummer vertelde dat ze klachten over marihuanagebruik en harde muziek hadden gekregen. Ook waren er geruchten dat de jongens die hier woonden bij buren hadden ingebroken, een flatscreen-plasma-tv hadden gestolen en de chihuahua van het gezin in de ijskast hadden gestopt voordat ze weggingen. De hond was bijna dood toen het gezin hem vond, maar hij had het overleefd. Niemand had aangifte gedaan.

'Alleenstaande moeder, Jacquilla Roberts,' zei Strummer. 'Zoons zestien en achttien, lid van de Southside Crips. Ook nog twee kleintjes. Ze heeft natuurlijk een vriend, een kerel uit Lynwood die dacht dat hier in de woestijn zijn kostje gekocht was. Hij mag hier eigenlijk niet wonen, maar is hier meestal wel. Al met al een fraai stel.'

'We zullen zien,' zei Hood.

Laws en hij liepen achter de onderzoekers aan over het pad. Het verandalicht was aan.

'Als jullie een schietijzer trekken, maken we meer kans dat ze ons binnenlaten,' zei Strummer.

'Trek je eigen schietijzer,' zei Laws.

'Dat zou ik doen, als het mocht.'

'Dat is precies de reden waarom niemand jou een wapen geeft.'

'Ik probeer mijn werk te doen.'

'Doe dat dan.'

Strummer bonkte op de voordeur en wachtte. Toen bonkte hij opnieuw.

Een vrouw vroeg wie daar was en Strummer zei dat ze verdomme moest opendoen.

Het was een lange, zwarte vrouw, stevig gebouwd en woedend. Hood schatte haar achter in de dertig. Ze droeg een witte trainingsbroek, witte sportsokken en een wit sweatshirt. Haar haar was recht vanaf haar knappe gezicht naar achteren getrokken. Ze keek beide mannen met nonchalante vijandigheid aan.

'Ik hoef jullie niet binnen te laten.'

'We hebben meldingen gekregen van drugsgebruik en harde muziek,' zei Strummer. 'We willen graag met u en uw zoons praten.'

'Kom maar terug met een machtiging.'

'In plaats daarvan hebben we de politie,' zei Fernandez. 'Dit zijn agenten Laws en Hood. We hebben geen machtiging, want we willen u niet arresteren. We willen alleen maar vaststellen in hoeverre u nog voldoet aan de sectie 8-bepalingen. We kunnen morgen met de machtiging terugkomen, maar als we dat gesprek nu hebben, is het achter de rug.'

Ze schudde haar hoofd en duwde de deur open. In het huis was het warm en rook het naar vis, azijn en mentholsigaretten. Jacquilla Roberts had de deur nog maar amper dichtgedaan of Strummer liep al het huis in, gevolgd door Fernandez.

'Dat mogen ze niet,' zei ze toen ze hen haar keuken in zag lopen. 'Ik weet dat ze dat niet mogen.'

'Als ze eenmaal binnen zijn, mogen ze rondkijken,' zei Laws. 'Ze mogen niet binnenkomen als u ze niet uitnodigt.'

Ze keek hem kwaad aan.

'Zijn uw zoons thuis?' vroeg Hood.

'De twee jongsten zitten boven tv te kijken. De twee oudsten zijn weg; ik weet niet waar ze zijn. Ik ben ongeveer een halfuur geleden thuisgekomen uit de fabriek. Ik had amper de tijd om mijn werkkleren uit te trekken en toen stonden jullie al voor de deur. Dat verhaal over die hond in die ijskast is niet waar. Iedereen heeft het erover. Mijn oudsten gaan weleens in de fout, maar ze stoppen geen honden in ijskasten.'

'Zegt u dat tegen die ambtenaren van Huisvesting,' zei Laws.

'Die hebben niets over mij te zeggen.'

'Maak ze niet kwaad,' zei Hood. 'Ze kunnen u het leven zuur maken.'

Laws en hij liepen achter haar aan een gangetje door en langs de trap. Twee jongens keken zwijgend toe vanuit de schaduw van de overloop. Hood knikte naar hen en hoorde de wind om het huis gieren.

De keuken kwam uit op de huiskamer. Pannen en borden in de gootsteen. Snijbloemen op het aanrecht. Onder de kastjes grote dozen ontbijtvlokken voor kinderen en een pot instantkoffie. Een stapel kranten naast een rode afvalbak. Een roestvrijstalen kommetje kattenbrokken en net zo een met water. Hood zag dat de boel rommelig maar niet vuil was.

Strummer porde met een blauwe pen in een grote, rode, glazen asbak bij de bloemen op het aanrecht.

Fernandez keek in een groot imitatieslangenleren tasje dat open en in elkaar gezakt op de eettafel stond. Hij haalde een kartonnen pakje mentholsigaretten uit het tasje, trok de bovenkant omhoog, keek erin en schudde ermee. 'We hebben gehoord dat een paar jongens hier in de buurt hebben ingebroken, in een huis aan Shady Lane. Ze zouden een flatscreen-tv hebben gestolen en een hond in de...'

'Dat is onzin, meneer.'

'Goede wiet is niet goedkoop,' zei Strummer. 'Misschien hebben die jongens – wie het ook waren – daar ingebroken voor geld om dit spul te kopen.'

Hij hield de pen omhoog, die eigenlijk geen pen maar een vulpotlood was, zo'n ding met een klemmetje aan het eind om de stift vast te houden. Of om iets vast te pakken. In dit geval een kleine zwarte joint.

Jacquilla keek eerst Hood en toen Strummer aan. 'Die is niet van mij.'

'Maar hij is hier,' zei Strummer. 'En wat drugs betreft hebben we een beleid van zero tolerance. Dat betekent echt zero. Dit is al genoeg om u uit uw huis gezet te krijgen. Vijftig procent van onze onderzoeken leidt tot uitzetting, mevrouw Roberts. Vijftig procent.'

'Hij is niet van míj. Er komen hier vrienden, en we hebben weleens een feestje. Ik heb twee oudere jongens die nu en dan in de problemen komen. Dat geef ik toe. Maar dát is niet van mij en ík heb de sectie 8-papieren getekend om hier te wonen en ik ga níét terug naar South Central vanwege iets wat niet van mij is.'

'Laten we hier weggaan,' zei Laws. 'Dit levert niets op.'

De wind zwol aan en beukte tegen de muren.

'Hoeveel kinderen hebt u?' vroeg Strummer.

'Vier.'

'Van hoeveel mannen?'

Ze keek hem fel aan en zei niets.

'Waar zijn uw twee oudste zoons?'

'Die zijn afhaaleten aan het halen. Ik had vanavond geen zin om te koken, niet na acht uur in de fabriek.'

Fernandez keek op zijn klembord. 'Keenan en Kelvin. We moeten hun kamers zien.'

De twee jongere kinderen stoven weg toen de vier mannen de trap op kwamen. Een deur klapte dicht en daarachter werd gelachen. De gezamenlijke kamer van de twee oudere jongens was benauwd en rommelig en rook naar bleekmiddel en sigaretten. Tegen een van de muren stond een tweepersoonsbed en langs een andere muur lag een dun matras met een slaapzak. Een kast met hangende kleding stond open, een berg kleren lag op de vloer. In een hoek stond een oude televisie op de vloer, met labyrinten van snoeren die naar een dvd-speler, een satellietontvanger en een Xbox leidden. De vloerbedekking was vuil en bezaaid met games op cd. Uit de zee van plastic gamehoesjes verhief zich een opdrukbank met honderd kilo op de halter.

Sterke jongens, dacht Hood. Aan de muren hingen posters van Suge Knight en Tupac, Mary Blige en Ludacris, Wesley Snipes als Blade, Will Smith als Ali, en het oude Death Row Records-logo met de gemaskerde man die aan de elektrische stoel zit vastgesjord.

Fernandez liep naar de kast, boog zich naar binnen en snoof. Jacquilla keek naar hem.

'Zijn Keenan en Kelvin met de auto dat eten aan het halen?' vroeg Strummer. 'Of zijn ze lopend?'

'Ze zijn met mijn auto vertrokken zodra ik thuis was.'

'Zijn ze al die tijd weg om eten te halen?'

Ze probeerde Strummer weer fel aan te kijken, maar Hood zag dat ze verzwakte. 'Misschien wordt het laat.'

'Ja, dat denk ik ook,' zei Strummer. 'U weet niet eens waar ze zijn, hè?'

'Ergens in de stad.'

Strummer schudde zijn hoofd en zuchtte. 'U hoort nog van ons. Kom mee, Al. Ik weet genoeg.'

Laws en Hood bedankten Jacquilla op weg naar buiten en ze gooide de deur achter hen dicht. Strummer startte zijn wagen en reed al met grote snelheid door Storybook.

'Idioten,' zei Laws.

Hood stapte in de politiewagen. Terwijl Laws ook instapte, keek Hood naar de peperboom in de wind en vroeg zich af hoe laat Keenan en Kelvin die avond nog op straat zouden zijn. Terry trok zijn portier dicht.

Hood draaide de sleutel om en er gebeurde niets.

Lege accu, dacht Hood.

'Laten we gaan kijken,' zei Laws.

Hood tastte naar de hendel van de motorkap toen hij de zwaaiende peperboom in een ander soort beweging zag overgaan: iets wat massief, geconcentreerd en doelbewust was.

Er kwam iemand aan.

Er bleef iemand voor de auto staan, aan Laws' kant.

Zwarte man. Capuchontrui van de Detroit Tigers. Zonnebril, rode halsdoek om zijn hoofd, zoals piraten ze droegen, glimmende zwarte handschoenen. Een vaag bekende verschijning. En een M249 SAW-machinegeweer dat op Laws gericht was.

Hood greep nog naar zijn wapen toen het machinegeweer al ratelde. De voorruit werd verbrijzeld en Laws gaf een schreeuw. Hood duwde het portier met zijn schouders open en rolde de straat op terwijl de kogels in metaal en vlees sloegen. Toen hoorde hij een metalen gekletter en hield het salvo even op, zodat hij zich in schuttershouding kon oprichten, maar net op dat moment hamerde er een nieuwe kogelregen in het portier vlak voor hem en sloeg er iets heets tegen zijn gezicht. Hij kroop om de achterkant van de auto heen en richtte zich weer met zijn pistool in beide handen op, maar de schutter sprong al over een hek in iemands achtertuin. Achter hem zag Hood het licht in een huis aangaan, en een gezicht in het raam. Hij schoot niet en rende vloekend naar de bestuurderskant van de wagen.

Hij trok Terry plat op de voorbank en voelde zijn hals. Geen hartslag. Een straat verderop werd een auto gestart. Hood keek naar Terry's slappe lichaam, nam toen de microfoon van de radio en gaf door dat er een agent was neergeschoten.

Toen pakte hij het geweer uit de auto en rende naar de straathoek, een afstand van maar vijftig meter. De auto was al weg. Er was niets meer, behalve de wind die langs een lantaarnpaal floot, lichten die aangingen in de huizen van mensen die van het machinegeweervuur waren geschrokken, en het oorverdovende bonken van zijn hart.

Hood rende terug naar de politiewagen en zette het zwaailicht aan. Hij keek naar Laws en legde zijn jasje over hem heen. De kou sloeg meteen tegen zijn rug en tegelijk voelde hij een scherpe pijn in zijn rechterwang. Hij veegde het bloed weg, keek in het zijspiegeltje en zag een donker scherfje metaal, misschien lood, in zijn huid zitten.

Inmiddels kwamen er mensen de straat op, gehuld in jacks en ochtendjassen. Hood zei tegen hen dat er een agent was doodgeschoten en dat de schutter nog vrij rondliep, dus dat ze maar beter naar binnen konden gaan. Enkelen van hen deden dat, maar de meesten bleven naar de met kogels doorzeefde politiewagen kijken alsof ze gehypnotiseerd werden door het zwaailicht. Hood zag de damp uit hun mond en neus komen en hield hen bij de auto en zijn dode collega vandaan. Huiverend van de kou wachtte hij op hulp.

2

Hood probeerde met de rechercheurs van Moordzaken te praten die op zijn melding af waren gekomen, maar toen doken er twee mannen uit het donker op. Ze lieten hun insignes zien en zeiden dat ze van de 'sectie Schietincidenten' van Interne Zaken waren en dat zij dit zouden afhandelen.

De rechercheurs vloekten en de mannen van IZ vloekten terug, maar een kale, zwarte IZ-man in een vlot gesneden pak leidde Hood bij de rechercheurs vandaan en de ander, een blanke man met een versleten bomberjack, liep met hen mee. Een half huizenblok verder, op een donker stuk tussen twee straatlantaarns in, stond een zwarte burgerwagen, een Mercury, langs de stoeprand te wachten.

Vlot Pak ging achter het stuur zitten en Bomberjack hield het achterportier aan de bestuurderskant open. In het zwakke licht van het interieurlampje zag Hood een grote man met een ruig gezicht en grijzend gemillimeterd haar. Hij droeg een metalen bril met ronde glazen. Achter in de vijftig, veel kilometers op de teller, dacht Hood. Hij droeg cowboylaarzen, een spijkerbroek en een wit overhemd met daaroverheen een mouwloos leren vest.

'Ik ben Warren,' zei hij. 'Stap in.'

Hood nam plaats en Bomberjack deed het portier dicht, liep om de auto heen en ging op de passagiersplaats voorin zitten.

Niemand sprak een woord tot ze op Twentieth Street waren, op weg naar luchtmachtbasis Edwards. De airco stond hoog en Hood voelde dat zijn spieren rilden van de kou. Hij dacht aan zijn jasje, dat straks met Terry mee zou gaan in de lijkwagen.

'Vertel eens,' zei Warren. Zijn stem klonk ruw en diep. Hij plaatste een kleine recorder tussen hen in op de bank en zette hem aan.

Hood deed er twintig minuten over. Inmiddels waren ze ten noorden van de bebouwde kom en reden ze over Avenue E evenwijdig aan de luchtmachtbasis. Ondanks de koude lucht rook Hood nog steeds de vage, zoete geur van de naderende sneeuw. De yucca's zwiepten in de wind.

'Beschrijf de schutter nog eens. Zorgvuldig. Alles aan hem.'

'Zwarte man, een meter tachtig, slank tot normaal postuur. Zonnebril en een rode halsdoek om zijn hoofd, zoals piraten hebben. Zijn gezicht was smal, niet breed. Zijn neus en mond hadden niets bijzonders. Zijn huid was erg donker. Zijn capuchontrui was zwart, met het logo van de Detroit Tigers. Hij gebruikte een M249 SAW. Hij schoot met zijn rechterhand, met de kolf tegen zijn middel en zijn linkerhand op de lade om te voorkomen dat de loop omhoogging. Ik herkende die houding uit mijn maanden in Irak. Toen was hij weg. Hij kon zestien zijn, maar ook veertig. Ik zou zeggen jong, want hij sprong wel erg gemakkelijk over dat hek.'

Warren knikte, maar Hood zag dat hij langs hem heen keek.

'Niet slecht, Hood, voor iemand op wie met een machinegeweer is geschoten.'

'Ik denk dat het ding vastliep.'

'God en zijn ondoorgrondelijke wegen?'

'Ik weet niets van God, maar mijn leven was afhankelijk van zijn vinger. Ik weet niet waarom ik nog leef.'

'Vertel het me als je daar ideeën over krijgt.'

'Ja.'

'Hoe lang werk je al hier in de woestijn?'

'Zes maanden.'

'Op Interne Zaken in Los Angeles hebben ze een hoge dunk van je. Ik heb een hoge dunk van hén. Van sommigen van hen.'

'Ik ben blij dat te horen.'

Bomberjack draaide zich om, keek even naar hem en richtte zijn blik toen weer op de weg.

'Weet je wie ik ben?'

'Nee. Alleen dat u van Interne Zaken bent.'

Ze sloegen 110th Street in, terug richting Lancaster.

'Wat heb je Laws beloofd, Hood?' vroeg Warren. 'Voordat hij doodging.'

'Hij was al dood voordat ik een gedachte kon formuleren.'

'Wat heb je hem dan beloofd toen je zag dat hij dood was?'

'Dat ik degene zou vinden die hem heeft doodgeschoten.'

'Geloof je dat, Hood?'

'Zonder enige twijfel.'

'Goed. Je wordt op deze zaak gezet als agent van Interne Zaken. Hoe minder mensen dat weten, des te beter dat is voor iedereen. Je superieuren worden ingelicht en morgen e-mailt iemand je een IZ-nummer voor je urenkaart.'

Hood dacht daarover na. Hij had in Irak bij de NCIS, de Navy Criminal Investigative Service, gezeten en wist wat het was om gehaat te worden. En niet alleen door de vijand, maar vooral door je eigen mannen. 'Meneer Warren, ik wil niet voor Interne Zaken werken.'

'Je hebt een belofte gedaan en dit is de enige manier om je daaraan te houden.'

'U hebt mensen met meer ervaring.'

'Die hebben het bloed van hun collega niet op hun overhemd.'

Iemand voorin drukte op een knop en er ging een plafondlamp aan. Hood keek naar de voorkant van zijn wollen winteroverhemd en naar het schildje dat hij daarop droeg en wist dat er meer bloed op zat dan van de scherf die nog in zijn wang zat afkomstig kon zijn.

'Ik heb respect voor wat je in Los Angeles hebt gedaan,' zei Warren.

'Een collega kapotmaken was wel het laatste wat ik wilde.'

'Voor iemand met een goed functionerend moreel kompas was dat onvermijdelijk. Hood, ik wil je bij ons hebben. Ik wil dat je op de oppassers past, dat je de beschermers beschermt. Er is geen hogere roeping bij de politie, daar kom je na verloop van tijd wel achter. Morgenvroeg ligt Laws' dossier op je bureau.'

'Ik heb geen bureau,' zei Hood.

'Nu wel. Het is in de gevangenis. We noemen het voor de grap het Hol. Ik heb mijn mensen graag bij de rest vandaan. Meld je om zeven uur bij het kantoor van de directeur. Zijn secretaresse heet Yolanda.'

Hood zag de donkere woestijn langs de ramen trekken; zand waaiend over zand, yucca's stijf tegen de wind in.

'Je kunt nee zeggen, Hood. Maar je kunt het maar één keer zeggen, en dat is nu.'

Hood was niet iemand die plannen maakte. Hij was een man van het heden, gewend zich door zijn gevoel te laten leiden, iets wat soms wel en soms niet goed uitpakte.

'Ik doe mee.'

'Als je het slachtoffer kent, vind je de dader. Die komen samen als strand en golf. Ik wil dat je me het strand brengt. Breng me Terry Laws. Breng me alles wat hij ooit in dit korps heeft gedaan. Hij is van ons. Hij is van mij.'

De mannen van IZ zetten Hood bij het wijkbureau af, waar twee rechercheurs van Moordzaken bij de hoofdingang wachtten. De een was groot en blank en de ander groot en zwart.

'Ik ben Craig Orr en dit is Oliver Bentley,' zei de grote blanke. 'We hebben veel vragen en we hebben de koffie klaar.'

'Loop maar voorop, Buldogs.' Hood gebruikte de bijnaam voor rechercheurs van Moordzaken in de LASD, want hij had een paar weken in Los Angeles met hen samengewerkt en hij had heel graag een Buldog willen zijn.

'Wil je iets aan je gezicht doen, Hood? Het ziet er niet mooi uit.'

'Later.'

Toen ze in een kleine vergaderkamer zaten, vertelde hij hun wat er gebeurd was, en daarna vertelde hij het opnieuw. Orr gebruikte een digitale recorder en Bentley maakte aantekeningen. Het was slechte koffie en hij dronk er een heleboel van.

'Nou,' zei Orr, 'heeft Warren je zojuist gerekruteerd voor Interne Zaken?'

'Ik sta aan Terry's kant.'

'We stellen het op prijs dat je eerlijk tegen ons bent,' zei Orr. 'We moeten hier allemaal ons werk doen.'

Bentley keek Hood even aan en tikte toen met zijn vingers op het bureau. 'Iemand heeft de accukabels in je wagen doorgesneden, terwijl Terry en jij bij Roberts waren. Het portier was geforceerd om bij de motorkaphendel te komen.'

En ik heb het niet gehoord door de wind, dacht Hood.

Een uur later trok Hood een canvas jasje met een wollen voering aan, knoopte het helemaal dicht, stapte in zijn oude Camaro en reed terug naar de Legacy-wijk.

Het was twee uur 's nachts. De politie was weg en de met kogels doorzeefde politiewagen was afgevoerd. Het gele afzettingslint was losgescheurd van de peperboom en flapperde in de wind alsof het probeerde te ontsnappen.

Hood ging met zijn zaklantaarn op onderzoek uit. Hij pakte enkele stukjes glas uit de voorruit op, wreef met zijn duim over de randen en liet ze in een zak van zijn jasje vallen. Hij zag waar de technische recherche in het asfalt had gespit om er kogels en kogelfragmenten uit te halen.

Hij scheen met de zaklantaarn in de peperboom en zag de takken heen en weer zwaaien in de straal. Hij liep door de voortuin naar het hek waar de schutter zo gemakkelijk overheen was gesprongen, en telde zijn stappen: tien. Toen scheen hij met de zaklantaarn op het hek en langs de bovenrand, omdat het altijd mogelijk was dat de man met iets aan het ruwe hout was blijven haken. In dat geval hadden de technisch rechercheurs het al ontdekt.

Hij reed het blok rond naar de plaats waar hij de auto had horen starten en bleef daar even zitten, met open ramen en met de kachel op de hoogste stand.

Toen hij thuis was, nam Hood een douche, verbond zijn wond en keek hij op de alleen voor bevoegden toegankelijke Gangfire-site van de LASD. Hij kon zich het gezicht dat hij zocht goed voor de geest halen, en nu de adrenaline langzaam weer uit zijn aderen was verdwenen, kwam ook de naam bij hem op. Het was een Antelope Valley Blood en hij heette Londell Dwayne.

Hood had hem een paar keer opgepakt en toen had Dwayne zich onvoorspelbaar gedragen. Hij was een keer op de vlucht geslagen. Hij had een keer geglimlacht en Hood een sigaret aangeboden. Hij had een keer tegen Hood gezegd dat als zijn janneman even groot was als zijn oren, de dames wel tevreden over hem zouden zijn. Hood had tegen hem gezegd dat zijn oren nog niets waren in vergelijking met zijn janneman, en Dwayne had dat wel grappig gevonden. Bij die gelegenheid had Dwayne een capuchontrui van de Detroit Tigers gedragen.

Toen Hood naar de foto van Dwayne keek, ging er een huivering door hem heen. Hij noteerde Dwaynes gegevens in een notitieboekje dat hij altijd bij zich had.

Hood dacht na. In Los Angeles County waren vijftigduizend bendeleden wist hij, en meer dan tweehonderd bendes. De rode halsdoek om het hoofd van de moordenaar wees op de Bloods, maar soms droegen schutters vijandelijke kleuren om getuigen op het verkeerde been te zetten en rivalen verdacht te maken.

Hij keek naar de foto van Keenan Roberts en zag dat hij de dader niet was. Kelvin was het ook niet. Ze waren te groot en te zwaar. Trouwens, Hood kon zich moeilijk voorstellen dat een van hen de hand zou kunnen leggen op een wapen als de M249 SAW. In Anbar had hij de verwoestende kracht van die wapens gezien. Een goed werkende SAW spuwde duizend kogels per minuut uit.

Hij liep de veranda op en keek naar zijn straat in Silver Lake, waar het nu stil was. Toen Hood zich naar de woestijn had laten overplaatsen, had hij zijn appartement in Los Angeles aangehouden, omdat hij van de stad hield en dan telkens een uur kon rijden als hij naar het bureau in Lancaster of weer naar huis ging.

Hood rook regen. Hij streek met zijn vingers over de scherpe stukjes autoglas die hij nog in zijn zak had en vroeg zich voor de honderdste keer die nacht af waarom Terry Laws was vermoord.

Het was geen impulsieve daad geweest. Het was een executie. Een executie van een politieagent die onder zijn vrienden bekendstond als Superman.

Strand en golf.

Toen vroeg hij zich voor de honderdste keer die nacht nog iets anders af. Had de dader hem met opzet in leven gelaten? Of was zijn M249 echt vastgelopen? In Irak liepen ze vaak vast door stof en ouderdom, het was een onbetrouwbaar wapen.

Als het was vastgelopen, had hij geluk gehad.

Als de schutter hem had laten leven, waarom dan?

Hij kon maar één verklaring bedenken: Londell Dwayne – of wie het ook maar was geweest die zich achter die zonnebril en doek had verscholen – had gezien willen worden.

Hij had gewild dat een getuige zijn verhaal kon vertellen.

3

'Luister nu goed en val me niet in de rede. Ik heb je hier uitgenodigd om je een verhaal te vertellen. Het gaat over een vriend van me die we Superman noemden, en de dingen die hem zijn overkomen, en de redenen waarom ze hem moesten overkomen. Je vriend Hood speelt ook een rol in dit verhaal. Maar het gaat verder dan hen beiden. Het gaat over chaos en kansen.'

We zitten in La Cage, een sigarenbar op het dak van een gebouw aan Sunset Boulevard, met op ooghoogte een reclamebord waarop twee enorme modellen een beetje pruilend naar beneden kijken. Hun lichamen zijn beschilderd met een goudverf die glinstert in het van beneden komende licht. Het is reclame voor een geur die zowel mannen als vrouwen kunnen gebruiken, en inderdaad, je kunt niet zien of die mensen mannen of vrouwen of wat dan ook zijn. Het zijn tieners, net als de jongen die tegenover me zit, al lijkt hij ouder dan zij.

Er komen sceptische rimpels in zijn voorhoofd, en hij kijkt of iemand ons kan horen, maar we hebben deze hoek van de bar voor ons alleen. Hij buigt zich naar me toe. Ik heb zijn onverdeelde aandacht. Terry Laws is groot nieuws in Los Angeles. Iedereen weet wat er met hem is gebeurd, of denkt dat te weten. De jongen tegenover me wil iets zeggen, maar ik schud mijn hoofd en leg mijn vinger op mijn lippen.

'Stel je een woestijnnacht in Antelope Valley voor, in augustus twee jaar geleden. Ik zal je daarbij helpen, mijn vriend. Het is donker en heet en er staat veel wind. De tumbleweeds dwarrelen over de straat en de yucca's zien eruit als gekruisigde dieven. Terry Laws en ik hebben patrouilledienst vanuit het bureau in Lancaster in het noorden van Los Angeles County. De wind stoot tegen de politiewagen en laat hem een beetje schommelen. Het zand sist tegen het raam en je ziet geen enkele ster. En dan zien we het busje. Het staat op de afrit van Avenue M, halverwege tussen Los Angeles en nergens. Precies waar de tipgever zei dat hij het had gezien. Als ik het portier van onze wagen openmaak, probeert de wind het weg te slaan, en ik heb beide handen nodig om het dicht te krijgen, en daarna trek ik mijn pistool en volg ik Terry naar het busje. Ik fluit iets, want dat doe ik als het gevaarlijk wordt. Het is goed tegen de zenuwen, nietwaar? Al voordat ik bij het busje ben, zie ik dat het helemaal niet pluis is: ramen open, voorruit besmeurd, laadklep omhoog. Als we dichterbij komen, zien we het. In het busje zitten twee mannen die zijn doodgeschoten, een en al zand en bloed. Natuurlijk gaan we na of ze nog leven, maar dat heeft geen enkele zin; dat weten we allebei. Dat alles is minuten geleden gebeurd. Geen uren, maar minuten...'

'Lopes en Vasquez, de koeriers van het Baja-kartel. Het heeft in alle kranten gestaan, Draper.'

'We wisten niet wie het waren. We melden het en wachten op de recherche, de technische jongens en de lijkschouwer. We zetten kegels neer voor een omleiding en sluiten de afrit. Er zijn toch bijna geen auto's die midden in de woestijn om twee uur 's nachts van die afrit gebruikmaken. Een uur later hebben ze ons niet meer nodig en stappen we weer in de wagen om de rest van onze patrouille te rijden. Niet lang daarna zien we een pick-uptruck, een rode Chevrolet halftonner, precies zoals de beller zei, en hij had het grootste deel van het kenteken ook goed. We geven die pick-up een stopteken bij de ruïnes aan Pearblossom Highway, waar vroeger Utopia was.

De getuige zei dat hij een oudere, rode pick-uptruck met grote snelheid had zien wegrijden vanaf de Avenue M-afrit, waar het busje stond. We denken dat er een goede kans is dat de man in de truck heeft geschoten. Maar die kerel hangt de brave burger uit en stopt meteen als we een teken geven. Hij komt tot stilstand bij de riviersteenzuilen van de Llano-commune. Terry en ik stappen uit en blijven een paar meter bij elkaar vandaan. We hebben allebei onze zaklantaarn aan en onze hand op ons pistool.

De bestuurder geeft Terry een rijbewijs, maar hij ziet er high uit, stijf van de methamfetamine, met een ruige haardos en baard en een zwart T-shirt. Ik zie bloedspatjes op zijn linkerbovenarm, en als Laws me aankijkt, weet ik dat hij ze ook ziet. In de Chevrolet hangt een ammoniaklucht, je weet wel, methamfetaminezweet. Terry beveelt hem uit de auto te stappen. Als hij dat doet, zie ik dat hij een meter vijfennegentig of twee meter is; Laws is een meter vijfentachtig en klein vergeleken met die kerel. De man kijkt naar ons alsof hij ons wil opvreten.

"Ik heb vannacht niks verkeerds gedaan," zegt hij.

"Een hele nacht niet?" zegt Laws. "Gefeliciteerd."

Dan geeft Terry me het rijbewijs van die kerel. Shay Eichrodt, vierendertig, twee meter, honderdveertig kilo. Zodra we hem handboeien hebben omgedaan, zal ik gaan kijken of hij gezocht wordt.

Ik kijk in de laadbak van de pick-up en zie vier koffers, van die grote dingen met wieltjes, plat op de bodem liggen. Alsof die kerel op weg was naar het vliegveld om vakantie te houden. Terry geeft Eichrodt opdracht zich om te draaien, zijn handen op de wagen te leggen en zijn benen te spreiden. Eichrodt draait zich om. Hij wankelt en verliest zijn evenwicht, en ik zie dat hij niet alleen high is, maar ook dronken. De klootzak valt op zijn knieën, kreunt even, zakt dan met zijn gezicht in het zand en komt weer voor ons overeind. Terry pakt zijn handboeien en wil ze hem omdoen, maar dan schopt Eichrodt tegen zijn schenen, zodat Terry tegen de grond smakt. Eichrodt staat bliksemsnel op, en ik heb mijn pistool in mijn hand en roep naar hem, maar Terry en hij gaan elkaar al te lijf. Omdat ik daardoor niet kan schieten, steek ik mijn pistool in de holster, trek mijn wapenstok en stort me in het strijdgewoel. Ik sla hem hard tegen zijn knie, en hij pakt me op en gooit me tegen de politiewagen. Ik weeg tachtig kilo, en daar zit geen grammetje vet bij, maar hij gooide me weg alsof ik een pop was. Zelfs Eichrodt was niet sterk genoeg om Terry met al zijn spiermassa's van de grond te tillen, maar ik zag hen in het licht van de koplampen met elkaar vechten, Terry met de wapenstok en Eichrodt met zijn vuisten. Ze sloegen als vechtende reuzen op elkaar in. Ik ging er weer uit alle macht op af en sloeg tegen zijn benen en knieën voordat hij me kon slaan, schoppen of weggooien. Maar die schoft wilde gewoon niet vallen. Hij zat onder het bloed. Wij trouwens ook. Een tijdje dacht ik dat hij zou winnen.

Toen Terry hem misschien wel voor de tiende keer met de wapenstok op zijn hoofd sloeg, ging Eichrodt met een dreun tegen de vlakte en bewoog hij niet meer.

"Hij ziet er dood uit," zegt Terry.

"Hij haalt nog adem," zeg ik. "Hij leeft."

We doen twee paar handboeien om zijn polsen, en ook twee om zijn enkels. Dan kijken Terry en ik naar onze wonden. Terry heeft een diepe snee boven zijn oog en een gescheurd oor, en door de dreun tegen de auto heb ik een bult ter grootte van een honkbal op mijn voorhoofd. Maar het valt mee; we hebben niets ernstigs. Terry geeft aan de centrale door wat er gebeurd is. Ik kniel bij Eichrodt neer, controleer de boeien en kijk naar de auto's die op maar enkele meters afstand voorbijrijden. Op dat moment dringt het tot me door hoe weinig het had gescheeld of ik was door die kerel vermoord.'

Ik zwijg even en neem een slokje van mijn tequila. De jongen drinkt bier. Ik steek mijn sigaar weer aan en geef hem de aansteker, en hij steekt die van hem weer aan. Op Sunset Boulevard krioelt het op de trottoirs van de mensen. De auto's rijden langzaam. Achterlichten twinkelen en remlichten flitsen. Al die harten, al die haast.

'Ik lees de krant, Coleman,' zegt hij. Hij gaapt. Zoals veel tieners doet hij zijn best om niet onder de indruk te zijn. 'Laws en jij vonden een pistool en 4.800 dollar in een gereedschapskist in die wagen. Jullie vonden patronen die bij het pistool pasten, en de kogels waarmee de koeriers waren doodgeschoten. Dat had voldoende moeten zijn om Eichrodt te veroordelen, maar hij kwam niet voor de rechter.'

'Precies.'

Ik kijk naar de mensenmassa's op Sunset Boulevard. De politie heeft een zwarte Suburban aangehouden en ik denk aan alle Suburbans die ik heb gezien in Jacumba, waar ik ben opgegroeid. Jacumba ligt aan de Mexicaanse grens, ten oosten van San Diego. Niemandsland. Suburbans zijn de favoriete auto van voetbalmoeders en Mexicaanse drugssmokkelaars, en er waren geen voetbalmoeders in Jacumba.

'Ik heb je al één ding verteld dat niet in de kranten heeft gestaan,' zeg ik. En ik ben er zeker van dat hij weet wat het is.

'Die koffers,' zegt hij.

'Ja.'

'Nou, wat zat erin? Wat hebben jullie ermee gedaan? Waarom zijn ze niet in het nieuws gekomen?'

'Voordat ik daar antwoord op geef, wil ik je iets vertellen. Het is iets wat jonge mensen niet begrijpen. Het is het belangrijkste wat ik tot nu toe heb geleerd en ik wil het nu aan je doorgeven. Luister! In het leven gebeuren dingen maar met twee snelheden: snel, of helemaal niet. Daarom moet je weten wat je wilt. Want als je dat weet, kun je het verschil zien tussen chaos en kansen. Die vormen een tweeling. Mensen zien steeds het een voor het ander aan. Je krijgt ongeveer een halve minuut om een beslissing te nemen over wat je ziet. Misschien nog minder. Dan moet je een keuze maken.'

'Nou, wat zat er in die koffers?'

De jongen kijkt me nu aan. Ik ga hem iets vertellen wat ik nooit aan iemand heb verteld. Het is iets gevaarlijks, iets wat me de kop kan kosten en wat ik nooit kan intrekken. Ik ga dit vertellen omdat ik grote mogelijkheden in deze jongeman zie. Hij is begiftigd met geschiedenis en wordt geïnspireerd door zijn bloed. Ik denk dat hij degene is die ik zoek.

Ik wenk hem met mijn vinger. Hij buigt zich voorover en ik fluister in zijn oor.

'Het geld van de koeriers dat op weg naar Mexico was. Vier koffers. 347.800 dollar.'

De jongen leunt achterover en er komen rimpels in zijn voorhoofd. Hij kijkt uit het raam en richt dan zijn blik weer op mij. Hij wil glimlachen, maar wil daar niet op betrapt worden. Liefde heeft een gezicht. Dat geldt ook voor angst, jaloezie, verbazing en alle andere emoties die er maar zijn. Zijn gezicht is er een van blijdschap.

'Ongelooflijk.'

'Eigenlijk niet.'

'Laws en jij hebben het ingepikt.'

'O ja?'

'Jullie moesten wel. Daar draait het verhaal om: chaos die een kans werd.'

'Ik ben blij dat je het begrijpt. Want nu begint het verhaal interessant te worden. Nog een biertje en een sigaar?'

'Ja.'

Ik knik de serveerster toe en ze knikt terug.

4

Yolanda liep met Hood door een gang achter in het administratie-
gebouw van de Mira Loma-gevangenis, en vervolgens gingen ze een
trap af die half schuilging achter een stel automaten. De deur naar de
kamer van Interne Zaken had geen raam, alleen een plastic bord met
het getal 204. Je had geen elektronische kaart nodig om binnen te komen. Ze maakte de deur open met een gloednieuwe sleutel en legde
die in zijn hand.

Het kantoor was klein en koud. Vier kamertjes en een gemeenschap-
pelijke ruimte. De vloerbedekking was zeegroen. Er was één raam in
het kantoor, verticaal, smal en versterkt met kippengaas. Door dat
raam zag Hood de betonnen muur rondom het souterrain, en boven
die muur kon hij nog net iets zien van het westelijke gevangenister-
rein: de zeven meter hoge draadgazen omheiningen met scheermesprikkeldraad langs de bovenrand, en de door de zon gebleekte
wachttorens.

Hood keek naar de steriele, onpersoonlijke kamertjes.

'Dit is je werkplek,' zei ze. Ze had een vriendelijk gezicht en grove
handen.

Hoods kamertje was kleiner dan een gevangeniscel. Yolanda gaf hem
haar kaartje. Op de achterkant had ze met de hand een telefoonnum-
mer van de county opgeschreven. Hij zou een lijn van de staat gebruiken en moest interlokale gesprekken voor rekening van dat nummer
laten komen. De telefoon op het bureau was zwart en zwaar, had een
spiraalsnoer en zag er even oud uit als Hood. Terry Laws' personeelsdossier lag plompverloren in het midden van Hoods nieuwe wereld.

'De staat let op elke cent,' zei Yolanda, 'dus doe alsjeblieft het licht uit
als je weggaat. De thermostaat wordt centraal geregeld. Je hoeft dus
niet te proberen de verwarming hoger te zetten.'

'Er is geen verwarming.'

'Er is verwarming. Maar je kunt er niet bij.'

Op weg naar buiten deed ze het licht uit en weer aan. Toen de deur
achter haar dichtzwaaide, maakte het slot een hard klikgeluid.

Hood ontdekte al gauw dat Terry Laws een bekwame agent was geweest. Hij had football gespeeld en was op zijn drieëntwintigste afgestudeerd aan de Long Beach State University, een jaar na de rellen in Los Angeles. Een jaar later had hij zijn opleiding aan de L.A. Sheriff's Academy voltooid en was hij in de Twin Towers-gevangenis in Los Angeles gaan werken.

Laws had zich opgewerkt tot agent III, en na twee jaar had hij de gevangenis verlaten om patrouilledienst te rijden. Daarna had hij aanhoudingsbevelen uitgevoerd, om vervolgens weer patrouilledienst te doen. Zijn basissalaris was 4.445 dollar per maand. Hij had een eervolle vermelding gekregen voor het reanimeren van een kind na een ongeluk in een zwembad. Hij werd LASD-bodybuildingkampioen in 2001, toen hij eenendertig was, en het jaar daarna opnieuw.

Hij was nooit berispt voor buitensporig gebruik van geweld, en het aantal klachten dat door burgers tegen hem was ingediend lag rond het gemiddelde. Hij had maar één keer onder diensttijd met zijn wapen geschoten, en dat was op een vluchtende verdachte van mishandeling die op hem had geschoten. Beide schoten waren mis geweest.

Zijn collega Coleman Draper en hij hadden in de zomer van 2007 de moordenaar van twee *narcotraficantes* gearresteerd. Hood kon zich dat verhaal herinneren. De moordenaar was Shay Eichrodt, een gangster van de Aryan Brotherhood. Hij was later in de gerechtelijke psychiatrische inrichting Atascadero opgenomen. Laws en Draper hadden allebei een eervolle vermelding gekregen vanwege de arrestatie.

Laws was op zijn vierentwintigste getrouwd, had een jaar later een dochter gekregen, en het jaar daarna weer een. Hij scheidde toen hij vierendertig was en verzocht toen om overplaatsing van Los Angeles naar het bureau Lancaster in de woestijn. Net als ik, dacht Hood. Waarom de woestijn? Hood vroeg zich af of Laws ook van de kilometers hield, van het rijden, het vlakke, weidse land, de spichtige yucca's en de warme, oranje zonsondergangen. Hood las dat Laws anderhalf jaar geleden was hertrouwd. De afgelopen vier jaar had hij meegewerkt aan de speelgoedacties die het politiekorps in kersttijd organiseerde.

Hood keek naar de foto's. Op Laws' personeelsfoto zag je een man met hoekige kaken, golvend, donker haar en een gulle glimlach. Er was een foto van hem waarop hij een bodybuildingtrofee in ontvangst nam, met de mouwen van zijn colbertje strak om zijn spieren. *The Daily News* fotografeerde hem met twee andere LASD-agenten. Ze droegen kaboutermutsen en stonden achter drie grote dozen boordevol nieuw speelgoed.

Hood zag dat hij in juni veertig zou zijn geworden.

Hij herinnerde zich wat Laws de vorige avond had gezegd over die assistentie die ze aan de dienst Huisvesting verleenden om Jacquilla Roberts aan te pakken: 'Dit levert niets op.'

Hij herinnerde zich het geluid van kogels die door Terry Laws' prijswinnende lichaam gingen.

Hij liet een boodschap voor een van Terry's vaste collega's achter: hij wilde met hem praten.

Hij belde een andere collega van Laws, reserveagent Coleman Draper, die bijna meteen opnam. Hood vertelde hem wie hij was en wat hij wilde. Draper zei dat Terry Laws een van de beste mensen was die hij ooit had gekend en dat hij zo gauw mogelijk over hem wilde praten, vooral wanneer ze dan ook konden ontbijten. Hij wilde heel graag de schoft vinden die hem had vermoord.

Het was begonnen te sneeuwen toen Hood het parkeerterrein van de gevangenis verliet. De sneeuw kwam tevoorschijn uit een eindeloze zilvergrijze wolk die niet meer dan dertig meter boven de grond leek te hangen. Hood bleef even staan en liet de lichte, droge vlokken om hem heen vallen. Ze vielen koud in zijn nek, maar op zijn verhitte, beschadigde wang voelden ze aangenaam verkoelend aan. De sneeuw bleef op de spitse bladeren van de yucca's liggen en gaf ze een witte rand. De sneeuwbui volgde hem over Highway 14, maar veranderde bij Agua Dulce in een regen die hard op het dak van de politiewagen trommelde.

Hood ontmoette Draper in Santa Clarita tussen Lancaster en Los Angeles. Hij was een pezige man met een normaal postuur, een gladgeschoren gezicht en lichtblond haar, dat van achteren kort was maar van voren een golvende lok had. Hood schatte hem op zijn eigen leeftijd: achter in de twintig. Draper had een sluw glimlachje en een fonkeling in zijn grijze ogen. Zijn handdruk was krachtig en zijn kleren waren duur.

Hij zei tegen Hood dat hij eigenaar was van een reparatiebedrijf voor Duitse auto's in Venice en dat hij daar om de hoek woonde. Hood zag dat Draper schone handen had.

'Oké,' zei Draper. 'Ik doe dat werk niet meer. Zeven jaar was genoeg. Tegenwoordig ben ik alleen nog de gemanicuurde baas.'

Draper glimlachte naar de serveerster en bestelde een grote omelet met extra kaas en met koekjes en jus.

Hood had zijn twijfels over reserveagenten. Hij wist dat er goede bij zaten die wilden helpen en het spannend vonden om soms in gevaar te verkeren. Maar hij wist ook dat sommige een minderwaardigheidscomplex hadden en dat er bullebakken bij zaten. Sommige waren rijk; andere waren arm. Wat ze ook waren, Hood wist dat ze, eenmaal toegelaten, een pistool, een insigne en één dollar per jaar kregen voor minimaal vijf uur werk per week. Sommigen werkten fulltime voor die ene dollar per jaar.

'Terry was een beste kerel,' zei Draper. 'Hij kwam een keer zijn Volkswagen brengen en zei dat hij veel goeds over mijn bedrijf had gehoord. We konden zijn wagen goed repareren en Terry en ik konden prima met elkaar overweg. Een paar maanden later haalde hij me bij de reserves. Dat was vier jaar geleden, in 2005. We gingen samen op patrouille en werden vrienden. Goede vrienden.'

Hood zag Draper uit het raam kijken. Hij knipperde twee keer vlug met zijn ogen en zuchtte. 'Een zwarte kerel met Blood-rood, heb ik gehoord. Een M249 SAW-machinegeweer.'

Hood knikte.

'Hoe vaak is Terry geraakt?'

'Vaak.'

Draper keek hem aan. 'Moord op een politieman is een inwijdingsritueel. Nieuwelingen verwerven prestige op die manier. De beesten.'

'Werd Terry bedreigd?'

Draper knikte. 'Nou, hij had zijn portie boeven en gangsters opgepakt. Aryans, zwarte gangsters, Mexicanen, Eme, MS-13. Ze dreigen allemaal. Zelfs de dronken boerenkinkels uit de woestijn dreigen. Wat zou je in Antelope Valley anders verwachten? Van die mensen krijg je alleen maar de gebruikelijke rottigheid.'

'En een Blood met rancune?'

'We hebben een maand geleden een zekere Londell Dwayne opgepakt voor autodiefstal. Tenminste, daar leek het voor ons op. Het bleek de wagen van het vriendje van de zus van zijn vriendin te zijn. Of zoiets. Toen we het hadden uitgezocht, had Londell achtenveertig uur in de cel gezeten. Hij is een brutaal stuk vreten. Misschien hebben ze hem hard aangepakt. In elk geval was hij niet blij. Hij is lid van de Antelope Valley Bloods, en die hebben banden met Los Angeles, omdat de meesten van hen uit South Central komen.'

Bij het horen van Dwaynes naam ging er een schok van adrenaline door Hood heen.

'Na de arrestatie probeerde Terry iets voor Londells hond te doen, natuurlijk een pitbull. Uiteindelijk raakte de hond zoek en gaf Londell hem de schuld. Londell is een heethoofd. Hij heeft geen zelfbeheer-sing. Maar ik weet niet of hij zoiets zou kunnen doen.'

'De schutter zag eruit als Londell,' zei Hood.

'Wees maar voorzichtig. Toen we hem oppakten, had hij een .25 ACP bij zich.'

De serveerster bracht weer koffie. Hood keek door het raam naar de afnemende regen en de drijfnatte oleanders rondom het parkeerter-rein.

'Het zag er gepland uit,' zei hij.

'Het klinkt gepland.'

'Vertel eens wat meer, Coleman.'

Terwijl ze aten, vertelde Draper hem dat Terry Laws een gemoede-lijke vent was, gek op fitness en niet iemand die op zijn strepen stond. Intelligent. Hij deed nooit moeilijk en was bereid hard te werken. Een van de goeden.

Hood vroeg naar zijn negatieve eigenschappen. Draper dacht even na en zei toen dat Terry niet genoeg ego had om tegen sommige men-sen in het geweer te komen. Hij zei dat Terry het liefst zijn goede kant liet zien, bijvoorbeeld dat hij fit was en met die speelgoedacties hielp, maar wilde verbergen dat hij geneigd was tot drankgebruik en depres-sies. Maar wie zou dat niet verborgen willen houden?

Draper zei dat Terry's ex-vrouw een kreng was, maar dat zijn twee tienerdochters prima meiden waren, die zielsveel van hem hielden. Zijn tweede vrouw was gescheiden, een leuk jong ding dat van luxe hield.

'Hij koos altijd precies de verkeerde vrouwen,' zei Draper. 'Dat was een groot talent van hem en we maakten er vaak grappen over. Maar hij was hun altijd trouw.'

Draper keek de regen in en knipperde weer twee keer met zijn ogen, waarin vocht opkwam. Toen zag Hood dat die ogen weer droog en rustig werden.

'Wat kan ik doen?' vroeg hij.

'Me namen en laatst bekende adressen geven van zwarte gangsters die hij heeft opgepakt.'

'Die geef ik je vanmorgen nog. Als ik jou was, zou ik naar Londell kijken. Doe hem de groeten van me. Hoe gaat het met jezelf, agent Hood?'

'Ik kan niet geloven wat er is gebeurd.'

Draper knikte. 'Hoe ben je op Interne Zaken terechtgekomen?'

'Ze kwamen bij mij. Weet je, ik doe dit voor Terry.'

'Als je weer op patrouille gaat, laten we dan eens samen rijden, Charlie. Ik kan van je leren.'

'Als ik op mijn ervaringen mag afgaan, rij ik over drie weken weer patrouilles.'

Draper glimlachte. 'Daar heb ik alles over gehoord. Je hebt een corrupte smeris opgepakt. Dat was goed.'

Hood dronk zijn koffiekopje leeg en haalde zijn portefeuille tevoorschijn. 'Draper, waarom doe je dit? Je zet je leven op het spel voor één dollar per jaar. Jij had ook naast Laws kunnen zitten.'

Draper keek Hood aan. 'Hood, ik wilde dat ik naast Terry had gezeten. Dat is niet bedoeld als kritiek op jou. Ik geef veel om het politiewerk. Mijn vader was ook reserveagent. Zijn vader was een echte agent. In Jacumba aan de grens.'

'Ruig land.'

'Het ruigste ter wereld.'

Hood belde Orr en vertelde hem wat hij over de problemen tussen Terry Laws en Londell Dwayne had gehoord, en dat er genoeg aanwijzingen tegen Londell waren om hem eens aan de tand te voelen.

Een uur later ontmoette hij Orr en Bentley op het parkeerterrein bij Londell Dwaynes adres in Palmdale. Het sneeuwde niet meer, maar de lucht was nog donker en onrustig. Overal lag een laagje witte sneeuw. Besneeuwde tumbleweeds lagen opgehoopt tegen een bord met DE OASIS – TE HUUR. Londell woonde boven.

Hood maakte het riempje van zijn holster los en liep achter de Buldogs aan de betonnen stoep op. De metalen trap trilde onder hun gewicht, en de sneeuwvlokken op de leuning vielen door die trillingen omlaag. De ramen aan de voorkant van Londells woning waren verduisterd met aluminiumfolie, en Hood hoorde binnen een baslijn stampen. Bentley klopte een aantal keren op de deur, precies tussen de beats in.

De deur ging open, de muziek werd harder en ze stonden oog in oog met Londell. Hij was een slanke man met ontbloot bovenlijf en veel blingbling. Zijn korte broek reikte tot net onder zijn knieën en hij droeg schone, witte sokken. Hood zag hem naar het insigne kijken dat Bentley hem voorhield. Zijn ogen waren in het midden donkerbruin en geel aan de buitenkant. Hij keek Bentley, toen Orr en toen Hood aan. Hoods zenuwen trokken zich samen, Londell leek verdomd veel op de dader. Hetzelfde soort gezicht. Hetzelfde postuur. Zijn houding.

'Bentley,' zei Dwayne. 'De witste nikker van Antelope Valley.'

'We willen graag met je praten,' zei Bentley.

'Praat maar.'

'Binnen heb je meer privacy.'

'Jullie komen hier niet binnen zonder machtiging.'

'Je kent Terry Laws, de politieman,' zei Bentley.

'Ik weet dat hij op kamertemperatuur is.'

'Wat weet je nog meer?'

'Ik weet dat hij me heeft opgepakt voor iets wat ik niet had gedaan, en toen heeft hij mijn hond gestolen en is hij haar kwijtgeraakt. Ze heet Delilah, als je haar ziet. Ze loopt nu ergens los rond.'

'Was je erbij toen agent Laws werd doodgeschoten?'

'Nee, man.'

'Wel, man. We hebben een getuige die zegt dat de dader op jou leek. Hij pikte je portret er zo uit.'

'Ik was hier bij Latrenya.' Hij draaide zich om naar de kamer. 'Lattie, kom eens hier en vertel die kerels de waarheid die ze willen horen.'

Ze kwam naast hem staan, een vrouw met vlechten en grote oorringen. Ze was ouder en groter dan Londell. 'We waren hier. Mijn zus ook. We hoorden vanmorgen over die moord. We weten er niks van. Niks.'

'Zo,' zei Dwayne. 'Kunnen jullie die waarheid aan?'

'Je was hier de hele avond?'

'De hele avond, alleen zijn we om zeven uur even naar de Little Caesar geweest voor pizza's. Ik, Latrenya, Tawna en Anton. Daarna zijn we hier de hele avond geweest.'

'Ze kunnen je niks maken, Lonnie. Ze doen alsof, maar het is niet zo.'

'Jullie hebben gehoord wat ze zei,' zei Londell.

'Geef ze Tawna's nummer,' zei ze. 'Laat hen maar met háár praten. Ik ga het opschrijven.'

Even later was ze terug met een luciferboekje. Londell griste het uit haar hand en gaf het aan Bentley.

'Zie je dit? Dit is een Pep Boys-luciferboekje en dit zijn de Pep Boys. Als je dat nummer hebt gebeld en weet dat ik onschuldig ben, kun je gaatjes in hun kruis prikken en de lucifers er vanaf de achterkant doorheen steken. Kun je lachen. Jullie moeten meer lachen. Dat zie ik aan jullie gezicht.'

De deur klapte dicht.

De drie agenten stonden op het parkeerterrein. Terwijl de besneeuwde tumbleweeds tegen het bord met TE HUUR probeerden op te klimmen, belde Orr het nummer en zette hij zijn telefoon op de speaker.

Tawna Harris, een beleefd en vriendelijk meisje, zei tegen hem dat ze de zus van Latrenya was, en dat zij en haar vriend Anton op maandagavond van zes uur tot kort na twaalven bij Londell en Latrenya waren geweest. Tv, bier en pizza, en daarna nog meer bier en tv. Dat was de hele waarheid, zei ze, en niets dan de waarheid.

Orr stelde haar een paar vragen, probeerde haar een tegenstrijdigheid te ontlokken, maar dat lukte hem niet. Ten slotte bedankte hij haar en verbrak de verbinding.

De Buldogs reden weg. Hood keek hen na. Hij had zelf ook een Buldog willen worden, maar hij had in Los Angeles zijn kans gehad en die was nu verkeken.

Hij reed weg, maar ging terug en parkeerde aan de overkant van de straat, een half blok bij de ingang van de Oasis vandaan. Hij kon de voordeur en de met folie bedekte ramen zien.

Een halfuur later kwam Londell de trap af. Hij had een schoon wit T-shirt aangetrokken en een zonnebril opgezet. Hij reed in een door de zon verbleekte Chevrolet Impala naar een 7-Eleven. Hood volgde, parkeerde aan de overkant en keek toe. Even later kwam Londell met een kratje bier en iets in een tas naar buiten. Hij stak zijn middelvinger naar Hood op en stapte weer in zijn auto.

En dus reed Hood naar de Little Caesar. Het meisje achter de toonbank zei dat ze net met twee rechercheurs over Londell Dwayne had gepraat en dat ze hun dit had verteld: ze had de vorige avond van zes tot twaalf uur gewerkt en ze had geen pauze genomen, behalve om naar het toilet te gaan, en ze had Londell met zijn lelijke hond, lelijke Detroit-capuchontrui en verwaande vriendin Latrenya niet één keer gezien, en dat terwijl ze toch op iedereen lette die daar binnenkwam, want het was de saaiste baan van de wereld en je moest iets doen om de tijd te verdrijven. En Londell ging proberen Tawna te versieren; dat kon ze Hood verzekeren.

5

Draper maakte een martini klaar en liep ermee naar zijn kleine achtertuin in Venice, vanwaar hij door de doorgebogen telefoonlijnen naar de koude, heldere hemel keek. De sneeuwbui was overgetrokken en de sterren zagen eruit alsof ze gepoetst waren. Zoals altijd was er ergens muziek.

Zijn schoenen maakten bijna geen geluid op het beton toen hij over het oude pad liep en de code van het houten hek intoetste. Hij liep tien meter over het trottoir van Amalfi Street en kwam toen op het parkeerterrein van Prestige German Auto. Hij maakte de deur van het kleine gebouw open, zette het alarmsysteem uit en liep door het donkere gangetje langs zijn kantoor naar de garage. De vertrouwde geuren van benzine, olie, staal en rubber kwamen hem tegemoet. Hij deed de tl-buizen aan en zag de vijf werkplekken, elk met een Duitse auto die was opgetakeld of dwars over een reparatieput stond. Hij nam een slokje uit zijn glas en deed het licht weer uit.

Terug in zijn kantoor keek hij op de computer naar de bedrijfsresultaten van de afgelopen dagen. Zijn bedrijfsleider Heinz regelde alles tot in de puntjes. Draper hield van Duitsers, omdat ze hardnekkig genoeg waren om het gevecht aan te gaan met de auto's die door hun trotse landgenoten veel te ingewikkeld waren gemaakt, en intelligent genoeg om dan ook nog de overwinning te behalen. Ze waren eerlijk tegen de klanten – *en diet sain de oude sjokdempers die wai hebben vervangen* – en dus ook eerlijk tegen hem. Hij betaalde hen goed. Prestige German had de afgelopen week een omzet van bijna 20.000 dollar gedraaid. Dat betekende dat er na aftrek van loonkosten, overheadkosten en verzekeringen 3.500 dollar in Drapers zak verdween.

Hij sloot af, zette het alarm weer aan en belde Alexia terwijl hij naar zijn huis liep.

'Ik ben terug,' zei hij.

'Gaat het goed met je?'

'Ja, alles is zoals het moet zijn.'

'Daar ben ik blij om. Ik heb je gemist. Ik kan alleen maar goed ademhalen als jij er bent.'

'Ik ben over een uur thuis.'

'Ik zal op je wachten, Coleman. Ik heb je heel erg gemist. En Brittany mist je ook heel erg.'

Hij pakte zijn – grotendeels vuile – kleren bij elkaar en ging naar de Mexicaanse markt om daar snijbloemen, een fles zoete riesling waar Alexia van hield en een zoete *churro* voor het meisje te kopen.

Een halfuur later reed Draper de garage van zijn huis in Azusa binnen. Alexia stond in de deuropening van het huis, met achter haar het warme licht van de keuken. Ze was tenger en perfect gebouwd, en haar zwarte haar glansde als dat van een geroskamd renpaard.

Draper stond met zijn rozen in de hand naar haar te kijken. Ze droeg een nieuwe, witte jurk, afgezet met rood, een rode ceintuur en rode schoenen met hoge hakken. Al dat rood stak prachtig af tegen haar jonge, bruine huid. Hij had haar een week niet gezien en zijn hart bonkte toen ze de trap naar de garage af kwam en haar armen om hem heen sloeg. Hij omhelsde haar en drukte zijn neus tegen haar glanzende, geurige haar.

'Ik help je wel met je bagage,' zei ze.

'Dat kan wachten.'

Alexia streek met haar lippen over de zijne en maakte zich toen van Draper los. Samen keken ze door de deuropening het huis in, waar de tweejarige Brittany naar hen toe kwam dribbelen. Ze was een mollige miniatuurversie van haar moeder, met een roze, satijnen jurk en roze sportschoenen.

'Zij heeft ook een nieuwe jurk aan omdat jij komt.'

'Ik ben de gelukkigste man op de wereld.'

Draper had Alexia bijna twee jaar geleden voor het eerst gezien. Ze was moe, vuil en ziek geweest en had haar baby over een stoffig terrein in de buurt van Palmdale gedragen. Het was die dag meer dan veertig graden en ze stak dat terrein over om eerder bij de bushalte te zijn, zag Draper. Hij had zijn ogen niet van haar kunnen afhouden. Er waren meteen allerlei mogelijkheden bij hem opgekomen, en de meeste daarvan waren daarna werkelijkheid geworden.

'Voel je je goed, Cole?'

'Nu wel.'

Hij gaf Alexia de rozen, tilde Brittany bij haar middel op en zette haar op zijn arm. Toen gingen ze met zijn drieën het huis in.

Na het eten ging Drapers mobiele telefoon. Voordat hij antwoord gaf, keek hij naar de nummerherkenning. Hij liep de logeerkamer in en deed de deur dicht. Het was Hood, met nog meer vragen over

Londell Dwayne, diens hond en Terry Laws.

Draper vertelde hem wat hij wist en ging toen naar de knusse eetkamer terug.

Hij keek Alexia aan. Brittany glimlachte, kwijlde en sloeg met haar bijtring op de tafel.

'Wat is er gebeurd, Cole?'

'Een collega van me is gisteravond doodgeschoten. De dader is weggekomen. Er wordt een officieel onderzoek ingesteld. Ze hebben me vragen gesteld.'

Ze ging achter hem staan en masseerde zijn schouders en hals met haar kleine, sterke handen. Coleman liet zijn hoofd hangen en veegde een kleine traan uit zijn oog. Hij vroeg zich steeds weer af wat Terry aan Laurel had verteld. Niets? Alles? Waarom kon hij die vraag niet uit zijn hoofd zetten?

'Wat erg, Cole. Ik vind het zo erg voor je.'

'Het gaat alweer.'

'Wanneer moet je weer weg? Nee. Sorry. Dat wilde ik niet vragen. Ik weet het. Het spijt me.'

Tegenover het kleine beetje dat Alexia wist, stond de onmetelijkheid van alles wat ze niet van hem wist. Draper vond dat beter dan vertrouwen.

'Een beetje naar links. Ja. Daar.'

6

Officier van justitie Ariel Reed ontving Hood in de hal van het gerechtsgebouw in de binnenstad. Ze hadden elkaar een paar keer door de telefoon gesproken, maar het was nog niet tot een ontmoeting gekomen. Ze was tenger en had een lichte huid, met donker haar dat net boven de ogen en onder haar kin recht was afgeknipt. Haar schouders waren ook recht. Ze was ongeveer net zo oud als Hood en liep vlug. Ze leidde hem door een gang naar haar kamer en praatte al toen ze de deur nog niet goed en wel dicht had.

'We pakken corrupte politiemensen hard aan,' zei ze. 'De jury is samengesteld en we zijn er helemaal klaar voor. We staan over twee weken op de rol, rechtszaal 8, rechter William Mabry. Ik ga je als getuige oproepen. Dat betekent dat je beschikbaar moet zijn.'

'Dat zal ik zijn.'

De verdachte was een politieman die het jaar daarvoor in Los Angeles was gearresteerd. Hood had daarbij geholpen. De man had gestolen goederen verhandeld vanuit een pakhuis in Long Beach. De officier van justitie had hem officieel beschuldigd van diefstal en het kopen en verkopen van gestolen goed. Hij kon op acht tot tien jaar rekenen.

Ariel keek Hood rustig aan. Haar ogen waren bruin. Ze typte nu iets in op haar computer.

'Ik heb vergeten je koffie aan te bieden,' zei ze.

'Nee, dank je.'

'Ik ga soms te snel.'

'Ik vergeet soms mijn veters te strikken,' zei hij.

'We zijn hopeloos overbelast. Als we daar te lang bij stilstaan, drijft het ons tot waanzin. Maar daar weet je als rechercheur alles van.'

'Waanzin.'

Haar glimlach was zuinig en vluchtig. 'Overbelast.'

'Oké dan.'

Ze keek hem weer strak aan. 'Agent Hood, ik wil op de rechtbank twee dingen van je. Ten eerste het verslag van wat je in dat pakhuis in Long Beach hebt gezien. Ik heb hier je processen-verbaal en die zijn erg helder en gedetailleerd. Ik zal je een beschrijving van de gestolen goederen laten geven. Ik zou ook willen dat er een beetje emotie in doorklinkt. Soms maken juryleden zich niet zo druk om gestolen goederen. Maar deze agent had voor 800.000 dollar aan gestolen goederen. Ik wil onze jury laten weten hoe dat eruitzag. Wat voor gevoel het was om ernaar te kijken.'

Hood herinnerde zich precies wat voor gevoel dat was geweest en hij beschreef het voor haar. Hij herinnerde zich dat hij in het pakhuis had gestaan op de dag dat Interne Zaken de arrestatie verrichtte. Het was een grote, hoge ruimte vol pallets met nieuwe elektronica, computers en randapparatuur, bouwmaterialen, alcoholische dranken, frisdrank, meubelen, gereedschap, speelgoed, kleding; zo ongeveer alles wat Hood zich kon voorstellen. Het waren allemaal nieuwe spullen, de meeste nog in krimpfolie, en de stapels reikten bijna tot het plafond. Er zat nauwelijks systeem in. Er stonden plateauwagens en elektrische vorkheftrucks om alles te verplaatsen.

'Het leek net een kerstfeest in de fantasie van een krankzinnige,' zei Hood. 'Alleen al de enorme hoeveelheid was indrukwekkend.'

Ze knikte. 'Goed.'

Ze keek op haar monitor en keek toen Hood weer aan. 'Die brief die Allison Murrieta je stuurde, waarin ze je vertelde waar je het pakhuis kon vinden, ga ik niet als bewijsmateriaal indienen. Ik moet weten hoe en waarom ze je die brief schreef.'

'We kenden elkaar van een zaak die ermee in verband stond,' zei Hood. 'Ze dacht dat ze me een dienst bewees door me een corrupte politieman toe te spelen.'

'De verdediging zal proberen je met haar in verband te brengen.'

'Dat zal niet moeilijk zijn.'

'Om je geloofwaardigheid aan te tasten zullen ze erop zinspelen dat je ook een corrupte politieman was, iemand die onder één hoedje speelde met een crimineel.'

'Ik zal de waarheid vertellen.'

Reed zweeg even en keek Hood aan. 'Dan hoef je je nergens zorgen over te maken.'

Terwijl hij voelde dat haar blik op hem gericht was, keek hij om zich heen naar haar kamer. Haar werkplek was heel ongewoon. De wanden waren licht goudkleurig geverfd. Ze had een erg mooi bureau van suikeresdoornhout, geen dienstmeubel. De archiefkasten achter haar waren afgewerkt met vuurrood email. Op een lage kast stonden drie ingelijste foto's, schuin geplaatst van hoog naar laag. Ze waren niet goed te zien vanaf de plaats waar Hood zat, maar hij kon ongeveer zien wat erop stond. Op de bovenste zag je een *dragster* die een *wheel stand* op de startlijn deed. Op de foto daaronder zag je een dragster waarbij de vlammen uit de uitlaten kwamen. De onderste was een foto van een rood-met-goudkleurige dragster die voor de 'kerstboom', de startlichtinstallatie, stond te wachten. De bovenste foto was in zwart-wit. Drie generaties van dragsters, dacht hij. Maar hij kon zijn gedachten niet bij dragraces houden.

'Ik wilde dat je hem kon pakken op opdracht tot moord.'

Reed keek hem scherp aan. 'Ik kan geen opdracht tot moord bewijzen. Allison is dood. De man die haar zou hebben vermoord, is dood. Het is net Shakespeare. Wat kan ik met zo'n cast doen, agent?'

'Oké.'

Ze glimlachte. 'Ik ga hem voor tien jaar achter de tralies zetten. Is dat goed genoeg voor jou?'

'Ik ga je helpen.'

'Vertel me over die brief van Murrieta. Ik moet begrijpen waarom ze hem schreef en waarom ze hem aan jou heeft gegeven.'

Hood moest door de ruwe zeeën van de herinnering manoeuvreren, maar hij vertelde het haar.

Even later liep Ariel met hem naar buiten. Het was een koele, heldere dag en de palmbladeren glinsterden in de zon. Ze zette een zonnebril op.

In First Street bleven ze staan en keken elkaar aan. 'Een Blood met een machinegeweer op de volautomatische stand? Van dichtbij?'

'Ja.'

'Je bent een levend wonder.'

'Dat weet ik zo net nog niet.'

'Wat bedoel je?'

'Het geweer liep vast of de schutter liet me in leven. Beide mogelijkheden zitten me niet lekker.'

'Mis je de grote stad?' vroeg ze.

'Ik woon hier nog.'

'Bedankt voor het maken van de lange rit hierheen.'

Ze stak haar hand uit. Die voelde glad en koel aan.

'Als ik ooit iets voor je terug kan doen, moet je het me laten weten,' zei ze. 'Ik heb geholpen bij de voorgeleiding van Shay Eichrodt, dus ik heb Terry Laws een beetje leren kennen. Misschien kan ik iets doen. Trouwens, ik heb het zaakdossier, als je denkt dat je daar iets aan hebt.'

'Dat denk ik inderdaad.'

'Ik weet dat je er voor Interne Zaken aan werkt. Jim Warren is een goede, oude vriend van me. Maak je geen zorgen. Hij heeft me geheimhouding laten zweren.'

Ze zette haar zonnebril af en keek Hood met dezelfde strakke blik van haar bruine ogen aan als in haar kamer. Hood, nog maar negenentwintig, was niet goed in het interpreteren van de onuitgesproken taal van vrouwen. Ariel zette de zonnebril weer op en sloot zich aan bij de mensenstroom in First Street.

7

'Dus we stoppen bij de controlepost van de douane in Tijuana. Het is de vrijdag nadat we Eichrodt hebben gearresteerd. Laws en ik kijken uit het raam naar de plaats waar het Amerikaanse grondgebied eindigt en het principe van 'schuldig tot je onschuld bewezen is' begint. We maken de sprong. We hebben 347.000 dollar in twee koffers achterin liggen en Laws schijt zowat in zijn broek van angst. Ik zeg tegen hem dat hij moet ontspannen. Haal nou maar rustig adem, het komt wel goed.

Iemand van de Binnenlandse Veiligheid houdt ons aan. Een klein, zwart mannetje; hij ziet eruit als Sammy Davis junior. Hij kijkt naar onze identiteitskaarten van de LASD en onze insignes en wil weten waarom we naar Mexico gaan. Ik zeg dat we gaan vissen in Baja, een trip van twee dagen. Hij kijkt naar onze gekneusde gezichten en wil weten waar we logeren. Ik vertel hem dat we in het Rosarito Beach Hotel verblijven. We hebben drie doorzichtige plastic bakken met visgerei op de achterbank liggen, en zes korte, dikke hengels in de bergruimte van de BMW voor golfclubs en ski's. In een van die bakken zitten erg dure, nieuwe werpmolens voor gebruik in zout water. Sammy Davis duwt er wat tegen, maar maakt de kofferbak niet open. Dan wenst hij ons veel succes.

Daarna stellen de Mexicanen ons dezelfde stomme vragen. Ik geef antwoord in het Spaans. Drie jonge Federales leunen tegen het hokje, jongens niet veel ouder dan jij, en ze kijken dwars door ons heen, alsof we er niet zijn...'

'Hebben jullie hun ook jullie insignes laten zien?'

'Natuurlijk niet, man. Politieagenten hebben pistolen en niets maakt Mexicaanse ambtenaren zo bang als vuurwapens. Ze kunnen in handen van ontevreden burgers komen, en daar heeft Mexico er genoeg van. Vuurwapens zijn het enige waarvoor Mexicaanse ambtenaren bang zijn. Drugs? Ach, kom maar op, breng maar naar het noorden. Drugsgeld? Allicht, iedereen wil Amerikaanse dollars. Maar vuurwapens zijn in Mexico een heel ander verhaal.

Ze laten ons doorrijden. Tijuana is een puinhoop, maar ik ben gek op de tolweg en al die stadjes langs de kust; Rosarito, Puerto Nuevo, Cantamar, El Descanso, La Fonda, Bajamar. Brandende vuilnis en autobanden; voor mij een hemelse geur. Bij El Sauzal nemen we de weg naar het oosten. Drie kilometer bij de afslag vandaan zien we een onverharde weg met een buizenhek. Het is precies zoals Herredia's man in Los Angeles zei...'

'Hector Avalos.'

'Val me niet in de rede. Nou, we stappen allebei uit en blijven in het warme stof staan wachten. Een paar minuten later hoor ik een auto aankomen. Twee mannen duiken op uit het donker. Opeens zijn ze er gewoon. Ze dragen camouflagepakken en hebben machinegeweren. Ze maken het hek open en geven ons een teken dat we kunnen doorrijden. Eenmaal aan de andere kant zie ik een gepantserde Humvee zoals ze die in Irak hebben, en die volgen we; tien kilometer geribbeld pad, zo hobbelig dat de vullingen zowat uit onze kiezen springen, met kuilen tot aan de poort van de hel toe. Ik weet niet hoe de M5 daardoorheen is gekomen, maar het is gelukt.

"Dit staat me niet aan," zegt Terry.

"Kalm blijven en je hand op je pistool houden," zeg ik tegen hem.

"Dit zou soepel moeten verlopen."

"Voor Mexico ís dit soepel."

Twee mannen op de weg geven ons aanwijzingen. Ze zwaaien als grondpersoneel op een vliegveld om ons over een houten brug te laten rijden. We gaan een steile zandheuvel af en dan weer omhoog naar een brede keerplaats, waar de weg ophoudt. Voorbij die keerplaats staat een drie meter hoge muur van betonblokken. Er steekt betonbewapening boven de rand uit en er staat een wachttoren achter.

"Allemachtig," zegt Laws. "Wat hebben die verrekte criminelen een bescherming!"

"Ik denk dat je later nog meer onder de indruk bent," zeg ik.

"Als ze ons niet vermoorden."

"Ze vermoorden ons niet. We zijn Amerikaanse politiemannen. Herredia ziet heus wel in dat hij goede zaken met ons kan doen."

In het licht van het dashboardlampje zie ik Terry's gezicht, nog gezwollen en gekneusd door de hardhandige arrestatie van Shay Eichrodt. Hij voelt zich helemaal niet op zijn gemak. Dan gaat de muur open. Een compleet deel zwaait opzij om ons door te laten. Als we doorrijden, kijkt Laws er reikhalzend naar om.

"Hij gaat gewoon open, als een toverkasteel of zoiets," zegt Terry. "Als in een film."

Dan verschijnen er weer vier mannen met machinegeweren op de weg, eentje met zijn hand omhoog, en plotseling boort het oogverblindend witte licht van een schijnwerper zich in mijn auto. Ik hoor dat er op de ruit wordt getikt en stap uit. Ik zeg tegen Terry dat hij ook moet uitstappen. Ik word half verblind door het licht van de wachttoren en voel handen die zich over me heen bewegen, omlaag en omhoog, voor en achter. Die kerel mompelt iets in het Spaans tegen zijn vrienden, maar ik kan hem niet goed horen. Mijn ribben doen nog verschrikkelijk pijn van Eichrodt, maar ik geef geen krimp; dat is een kwestie van eer. De man haalt mijn pistool uit mijn heupholster en het .38 pistooltje uit mijn laars. Hij haalt de .22 achtschots Smith uit de zak van mijn Abboud-blazer en de stiletto uit de zak van mijn spijkerbroek. Hij neemt zelfs mijn autosleutels in beslag.

Ze maken de kofferbak open en houden hun wapens erop gericht als ze erheen lopen, alsof ze verwachten dat er iets uit wil ontsnappen. Terry blijft kaarsrecht staan als ze hem fouilleren en zijn wapens weghalen. Ik fluit, want dat helpt me denken. Op dat moment begrijp ik één ding: we zijn nu volkomen aan de genade van Herredia overgeleverd. Ze hoeven hier aan niemand verantwoording af te leggen. Eén hoofdknikje, en Terry en ik worden gemarteld en geëxecuteerd en nooit gevonden. Nooit. Maar ik heb dit soort mensen en dit soort wetteloze macht ook in Jacumba al meegemaakt, toen ik nog een jongen was, en ik voel me er goed bij. Ik kan niet zeggen waarom. Ik begrijp het. Het is simpel, fysiek, voorspelbaar. Ik zeg tegen mezelf dat er leven is en dood en dat je tot elke prijs voor het leven moet kiezen.

Dan zitten we weer in de BMW en volgen de Humvee over een veel betere zandweg, die geëgaliseerd en met grind bestrooid is. Verderop, in de heuvels, zien we de lichten van wat Herredia's complex moet zijn. Ik zie een geïrrigeerde weide met vee, iets wat blijkbaar een golfbaan is en een vliegveldje... Hoe smaakt het bier, jongen?'

'Ik wil er nog wel een.'

Ik trek de aandacht van de vrouw en ze komt naar ons toe. We bestellen weer ieder een glas bier. Ik bel een uitstekende sushibar aan de boulevard en geef opdracht een grote schaal sashimi te bezorgen. Het verkeer op Sunset Boulevard is nu drukker: meer mensen die op zoek zijn naar seks, drugs en rock-'n-roll. Ik steek mijn sigaar weer aan, rol hem in de dikke butaanvlam, neem de rook in mijn mond, stuur er wat van door naar mijn longen en blaas dan een blauwgrijze wolk de Los Angeles-nacht in.

Ik zie dat de jongen aandachtig naar me kijkt. Ik geef hem de aansteker en hij voltrekt hetzelfde ritueel. Als hij iets wil zeggen, ben ik hem voor.

'De muur om Herredia's complex heen was tweeënhalve meter hoog, en van beton en natuursteen. Ik rij door een gelakte houten poort, nog steeds achter de Humvee aan. Binnen staan weer twee mannen met machinegeweren. Ik zie de woorden EL DORADO in smeedijzer op de poort; de reliëfletters zijn met elkaar verbonden als de letters van een koeienbrandmerk. Ik herinner me dat ik als kind het gedicht *Eldorado* van Edgar Allan Poe heb gelezen.

Het huis is een haciënda van balken en pleisterwerk in Spaanse stijl, laag en met een plat dak onder een baldakijn van palmen. Ik zie kleinere bijgebouwen op de helling in het westen. Aan de oostkant van het huis zie ik een groepje *palapas* met strodaken, glanzend in het licht dat er van onderen op schijnt. Lichtblauwe weerspiegelingen van water bewegen zich over de onderkant van de daken. En ik denk: zwembad, haciënda, golfbaan, vliegveldje, honderd stuks vee en een klein leger; Herredia doet het helemaal niet zo gek in zijn rustieke kantoortje hier in Baja.

Dan wijst de bestuurder van de Hummer naar een parkeerplaats die met puntige woestijnkeien is afgezet. Ik parkeer, en als we uitstappen, staan we weer tegenover zo'n kerel met een geweer, ditmaal een oude man in boerenkleren, met een bos wit haar en een zwart ooglapje. Hij heeft een automatisch geweer met verkorte loop aan een schouderriem hangen, en dat wapen is op mij gericht. Ik buig me in mijn auto en haal de plastic bak met nieuwe zoutwatermolens tevoorschijn. Ik zeg tegen de man dat we geschenken voor meneer Herredia hebben meegebracht. Hij kijkt naar Laws, die aan de andere kant van de auto staat, en geeft hem opdracht de bagage uit de kofferbak te halen. Terry doet wat hem gezegd wordt. Dan wijst de oude man met het geweer naar de bijgebouwen en ik loop voor hem uit over een grindpad. Bij elk van de twee eerste gebouwen blaft de man "*Ándale*" en loop ik gewoon door. Ik zie de maan nu in het noordwesten en ruik de weide en het vee. Het derde gebouw is laag en vierkant, en er schijnt een zwak licht door lichtgekleurde dekens die over de ramen zijn gehangen. De deur staat op een kier. Ik kijk achterom naar de oude man, en hij maakt duidelijk dat ik moet doorlopen. Ik loop knerpend het pad op, stoot de deur open met mijn voet en ga naar binnen. Tegels op de vloer. Lege witte muren. Een zwarte kroonluchter. De geur van sigaren. Een grote ijzeren tafel, die eruitziet als iets wat van de schroothoop van een scheepswerf of spoorwegmaatschappij is gered, met stukken boomstam als poten. Ik hoor Terry en de oude man achter me binnenkomen.'

'Is het echt Herr...'

'Herredia zit achter de tafel. Hij heeft een .50 Desert Eagle-pistool in zijn hand en kijkt strak naar mijn gezicht. Ik buk me om de plastic bak naast me op de vloer te zetten. Dan pak ik Terry's koffers bij hun handgrepen vast en rol ze op hun wieltjes tot ze naast de bak staan. Ik ben nu aan het improviseren, jongen, geloof me, maar ik heb een begin.

Ik fluit een lied voor Herredia: *Ik heb een lange reis gemaakt op zoek naar El Dorado.*

"In het gedicht zingt hij het lied."

"Ik vergeet woorden, maar een melodie vergeet ik nooit."

"Ik vergeet niets. Vertel me wat dit alles voorstelt."

"Ik heet Coleman Draper. Dit is Terry Laws. We komen ons respect betuigen en u om een dienst vragen. We hebben geschenken meegebracht."

Herredia kijkt naar de plastic bak met visgerei. Hij is een grote man, dik en breed, met krullend zwart haar en een rond, gladgeschoren gezicht. Zijn wenkbrauwen zijn borstelig en staan schuin omhoog naar elkaar toe, waardoor hij er weemoedig en lijdzaam uitziet, alsof hij zielsveel begaan is met het lot van de mensheid. Zijn bijnaam is *El Tigre*, en daar zit wel wat in: hij ziet eruit als een grote, luie kat, maar je weet dat zijn houding kan omslaan wanneer hij maar wil. Hij draagt een wit overhemd en een gouden horloge. Zesenveertig jaar oud, weet ik. Wat weet ik nog meer? Dat hij aan het hoofd staat van het Baja Norte-kartel, dat naar schatting een half miljoen dollar winst per week maakt. En dat hij zijn vijanden vaak en theatraal vermoordt. En dat hij miljoenen dollars aan Mexicaanse politici, politiemensen en militairen geeft, op alle niveaus. Dat hij al meer dan tien jaar regionale verkiezingen in Nayarit, Sinaloa en Baja California beïnvloedt. En dat hij twee broers, een vrouw en twee kinderen aan de drugsoorlogen heeft verloren. Dat hij van diepzeevissen en Amerikaans fastfood houdt. Dat laatste heb ik van Avalos in Los Angeles gehoord. Herredia kijkt me aan en vraagt me met zachte stem hem de geschenken te laten zien. En dus kniel ik neer, trek het plastic deksel van de bak en leg het neer. Ik haal er een doos uit en maak hem open.

Ik zeg: "Dit is de nieuwe Accurate Platinum TwinDrag. De kogellagers zijn geïmpregneerd met teflon, en hij heeft ook speciale antireversekogellagers en een verwijderbare spoelknop. Die dingen kunnen niet oververhit raken, hoe snel de lijn er ook doorheen gaat. En ze

46

zijn prachtig om te zien. Dit is de ATD-130, voorzien van duizend meter monofilament met een trekkracht van zestig kilo. Voor grote tonijn en marlijn."

Ik kijk in Herredia's zwarte ogen, die diep in hun kassen liggen. Ik hou de open doos in beide handen, leg hem bij de grote baas op de ijzeren tafel en stap dan naar de plastic bak terug en pak er nog een doos uit.

"We hebben ook de nieuwe Tanaco Bull TB100 met powermotor meegebracht," zeg ik. "Die is rank en sterk, heel anders dan commerciële werpmolens en apparaatjes die je erop kunt zetten. Hij heeft veel kracht. Er zit een batterijclip bij, maar hij kan ook op het lichtnet worden aangesloten. Gelooft u me: hij bespaart u kracht. Ik dacht eerst dat die molens met motortje alleen voor mietjes waren, maar echt waar, als je driehonderd meter lijn wilt uitgooien en weer wilt inhalen, komt die elektrische hulp goed van pas. Laat u me weten hoe hij bevalt."

Herredia's wenkbrauwen komen omlaag, tot hij er nors uitziet. Zijn peinzende gezicht lijkt nu op imploderen te staan. Ik doe een stap naar voren, leg de Daiwa naast de Accurate en ga dan naar mijn cadeautjes terug. "Deze kent u wel," zeg ik tegen hem. "De Penn International V 80vsw, voorzien van vijftienhonderd meter lijn met een trekkracht van negentig kilo. Hij wordt als een klassieker beschouwd omdat hij echt een klassieker ís. Ik heb een zwak voor deze molens," zeg ik. Dan leg ik hem op zijn bureau en ga naar de bak terug.'

'Wat denkt hij?' vraagt de jongen. Hij blaast een rookpluim de lucht in.

'Hoe kan ik dat nou weten? Op welk lichaamsdeel hij met de Eagle moet schieten? Waar hij met die Penn gaat vissen? Van zijn gezicht kun je net zomin iets aflezen als van een standbeeld. En dus ga ik verder. "Meneer Herredia," zeg ik, "we hebben ook deze Shimano Stella FA gekocht, voorzien van vijfenzeventig meter lijn met een trekkracht van zeven kilo. Het is maar een eenvoudig molentje, maar met die trage oscillatie heb je een perfecte lijnligging op de spoel, en het magnesium frame weegt bijna niets. Waterdichte pakkingen, sluitring van pure wol voor een lage inertie in het begin. Daar komt nog bij dat ik de naam mooi vind: Stella. Ik heb eens een Stella gekend en ontzettend veel plezier met haar beleefd."

Ik glimlach en zet de doos naast de andere op de tafel neer. Herredia brengt zijn pistool naar zijn andere hand, pakt de Accurate op en draait het aluminium frame uit één stuk, met platinumglans, enkele keren rond in het licht van de kroonluchter. Er ligt voor zevenduizend dollar aan spullen vóór hem op de tafel. Dan legt hij de Accurate neer en pakt hij de Daiwa op. Hij heeft de handen van een sportman, donker en verweerd aan de bovenkant en bleek aan de onderkant. Ik wacht.

"Ik heb al deze dingen al," zegt hij. "Behalve deze elektrische molen."

"Geeft u ze dan aan uw vrienden," zeg ik. "Of aan uw kerk. Het zijn tekenen van respect."

"Maar wat heb je nog meer voor mij?"

Ik grijp in het borstzakje van mijn overhemd. De Desert Eagle wijst meteen naar het midden van mijn borst. Daarom laat ik allebei mijn handen zien en steek dan heel langzaam twee vingers in het borstzakje. Er zit een kaart in. Op de envelop staat een cartoonhamburger met een lachend gezicht.

"Ik weet dat u graag in deze restaurants komt, meneer Herredia. Hier in Mexico zijn er een heleboel van. Je kunt deze kaarten tegenwoordig in verschillende muntsoorten opladen, dat is iets nieuws. Deze is opgeladen met vijftigduizend pesos. De nieuwe Angus Thunder van anderhalf ons is goed. Misschien hebt u hem nog niet geprobeerd."

Ik doe een stap naar voren, beweeg de geschenkkaart heen en weer en leg hem op de dozen met werpmolens.

"Ga me niet vertellen dat u ook al zo'n kaart hebt," zeg ik voor de grap.

Dan drukt Herredia het kolossale pistool tegen mijn borst en haalt hij de trekker over. De Desert Eagle maakt een ontzaglijk hard geluid. Ik hoor elk bewegend onderdeel klikken en rammelen zodra de hamer de slagpin tegen de lege cilinder laat slaan. Terry duikt naar de vloer en de oude man richt het geweer op hem, kakelend van het lachen. Herredia glimlacht, en ik glimlach terug.

"Nee, zo'n kaart heb ik nog niet," zegt hij.

"En dat is nog niet alles," zeg ik.

Ik help Terry overeind en voel aan zijn hand dat hij beeft. Ik vraag hem de koffers dichterbij te brengen en op de grote tafel te leggen. Hij brengt ze en heeft moeite om de uittrekbare handgrepen terug te schuiven. Hij is nu meer dan nerveus; hij is doodsbang. Als ze voor Herredia op de tafel liggen, maakt hij de ritssluitingen los en vouwt hij de bovenkanten weg. Herredia kijkt ernaar en slaat dan zijn ogen op naar Terry en mij.

"We hebben dit twee dagen geleden op een plaats delict in de buurt van Lancaster gevonden," zeg ik tegen hem. "We arresteerden daar de man die uw vrienden heeft vermoord. Hij was gewapend, het kwam tot een vechtpartij, en die eindigde in ons voordeel. Maar het leek ons niet goed dat uw zuurverdiende geld in een magazijn op het politiebureau in Los Angeles terecht zou komen, en dus brengen we het naar u terug. Het zit er allemaal in, behalve 7.200 dollar. Een kilo vijfjes van u is in de auto van de moordenaar aangetroffen en dus als bewijsmateriaal in beslag genomen. We hebben ook een pond geld in de bagage achtergelaten om te bewijzen dat de verdachte met de koeriers in verband stond. Verder is er niet één dollar verloren gegaan. We hebben het gewogen. Twee keer. Het is 347.800 dollar."

Herredia leunt achterover en kijkt me vanonder die dikke wenkbrauwen aan. Ik draai me om en zie de oude man een sigaar roken, het geweer dwars over zijn schoot.

"Wat willen jullie?" vraagt Herredia.

"We willen uw koeriers worden," zeg ik tegen hem. "We willen elke vrijdagavond deze rit maken en uw geld naar u toe brengen. We hebben onze eigen auto's en wapens, uniformen en insignes, en zo nodig ook onze contacten. Wij zijn Amerikaanse politieagenten met een goede reputatie. We verlangen alleen dat we met respect worden behandeld en vierenhalf procent krijgen. Dat is, denk ik, anderhalf procent meer dan wat uw vroegere werknemers verdienden, maar die waren duidelijk onbekwaam. Gaat u maar eens na hoe goed ze uw bezit hebben beschermd. Zoals u ziet zijn wij uiterst bekwaam. We zijn het extra geld waard, want we zijn punctueel en betrouwbaar en kunnen u de zekerheid bieden dat uw bezit door beëdigde politiemannen wordt overgebracht."

"Jullie hebben hen vermoord en mijn geld ingepikt."

"We hebben de moordenaar gearresteerd, en hij zal worden veroordeeld."

Herredia knikt. Ik zie een heel klein beetje wit rondom de irissen van El Tigre en vraag me af wat dat betekent. Hij brengt zijn rechterhand omhoog, wijst naar ons en maakt dan een cirkelbeweging met zijn vinger in de lucht.

We draaien ons om, met de klok mee, in de richting van Herredia's vinger. Ik luister of ik het geluid hoor van het Desert Eagle-pistool dat omhoogkomt, en weet dat als ik het hoor, het meteen ook het laatste geluid is dat in mijn leven tot me doordringt. Ik blijf me omdraaien; muren, ramen, de oude man met het stompje sigaar in zijn mond en zijn beide handen op het geweer. Als ik me helemaal heb omgedraaid, kijk ik El Tigre weer in de ogen en zie ik daar iets lichts en nieuws in.

"Ik betaal jullie vier procent," zegt Herredia. "Jullie krijgen alleen te maken met Avalos in Los Angeles. Ik reken de percentages uit en betaal jullie hier in Mexico. Avalos zal altijd precies weten hoeveel jullie hebben als jullie uit Los Angeles vertrekken. Als jullie ooit te weinig hebben of te laat komen, is jullie leven voorbij. Als jullie iemand anders naar mijn wereld brengen, is jullie leven voorbij. Als jullie mijn naam ooit tegenover iemand anders noemen dan Avalos, is jullie leven voorbij."

Ik haal diep adem en knik plechtig. Ik heb zojuist een contract gesloten waardoor ieder van ons meer dan zevenduizend dollar per week gaat verdienen voor acht uur werk. Dat is dertigduizend per maand, belastingvrij, maand na maand na maand. En als de dingen gaan zoals ik denk – als Herredia's bloedige kartel de overhand blijft houden in de oorlogen, en als zijn aandeel op de hunkerende Amerikaanse drugsmarkt blijft groeien – zal het loonzakje alleen maar dikker en dikker worden. Ik kijk Laws aan. Hij is bleek, maar hij glimlacht.

Dan staat Herredia op, en met één beweging gooit hij de Daiwa-werpmolen met powermotor in de lucht boven mijn hoofd en schiet er met de Desert Eagle op. Alleen al de geluidsgolf gooit me bijna om. Stukjes metaal regenen op mijn hoofd neer. Er zitten gaten in het plafond. Mijn oren bulderen, maar toch hoor ik Herredia lachen, en de oude man lacht met hem mee.

"Je brengt me een molen voor mietjes!" roept Herredia uit.

Laws' gezicht is gekneusd en zijn ogen zijn heel groot, maar ik zie dat hij enorm opgelucht is, bijna uitbundig. Herredia steekt het grote wapen in een holster aan zijn riem en wijst naar de deur.'

De jongen kijkt me sceptisch aan. Hij zegt eerst niets, schudt dan zijn hoofd en glimlacht.

'Leuk,' zegt hij. 'Dertigduizend dollar per maand om één keer per week een vakantiereisje naar Mexico te maken.'

'Dat hangt ervan af wat je onder een vakantiereisje verstaat.'

'Jij hebt ballen, Coleman. En geluk.'

'We bleven daar die avond eten,' zeg ik. 'Herredia stond erop. De oude man at ook mee. Hij heette Felipe. De eetkamer in het huis zag er heel anders uit dan Herredia's kantoor. De wanden waren van adobe, met vrijliggende balken van douglasspar langs het plafond. De vloer was van walnoothout, met zoveel laklagen dat het hout een diepe harsgloed had gekregen. De raamkozijnen waren ook van walnoothout, en de ramen stonden onder het eten open om de warme Baja-lucht binnen te laten. Het was het beste Mexicaanse eten dat ik ooit had gehad:

ceviche tostado, chile relleno, carnitas en kommetjes *pico de gallo.*
We dronken Californische wijn en Mexicaanse tequila. Na het eten
gingen we naar de *cabana* bij het zwembad, waar vier jonge vrouwen
op ons wachtten. Ze waren mooi, relaxed en duur gekleed, en ze wilden graag met ons praten.

Toen ik de volgende morgen laat wakker werd, bracht mijn metgezellin me sterke *café con leche* en de *Los Angeles Times.* Ze heette Megan en was een meisje uit Californië. Ze miste Redondo Beach. Mijn
oren galmden nog van het pistoolschot, maar ik zag dat ik was doodgegaan en naar de hemel was opgestegen, en ik kon bijna niet wachten
tot ik het opnieuw en opnieuw zou doen.'

8

Laurel Laws maakte die ochtend de deur van haar huis in San Fernando open, en Hood hield zijn insigne omhoog. Ze keek ernaar terwijl hij naar haar keek: een blondje van in de twintig in een zwart satijnen ochtendjas over een lange, zwarte pyjama die in schapenvachten laarzen was gestoken tegen de kou. Ze had een grote mok koffie in haar hand. Haar vingers waren slank en haar diamant was groot. Naast haar stond een zwarte pitbull met een bedroefd gezicht.

Hood liep achter haar aan door de hal, langs een huiskamer en een eetkamer. Het was een huis in ranchstijl, open en licht, met koele, olijfgroene wanden die van helderwit lijstwerk waren voorzien, en lichtgekleurde esdoornhouten vloeren. Laurel zei dat de hond door Terry was gered en dat hij Blanco heette.

De keuken zelf was donkerder groen, en de apparaten waren allemaal nieuw en wit. Een binnenmuur was gedeeltelijk gesloopt. De betimmering was weggehaald en je zag de spijkers.

'Aan verbouwingen komt nooit een eind,' zei ze.

Ze drukte op een knop van een ingewikkeld apparaat. Het sloeg aan het malen en filteren en zette een erg goede kop koffie voor Hood.

Ze gingen in een zonnige ontbijtkamer zitten. Laurel zei dat Terry een geweldige man was, vanbinnen en vanbuiten, en dat haar hart gebroken was. Ze waren door vrienden met elkaar in contact gebracht. Op dat moment was ze twee jaar gescheiden van een producer die haar mishandelde. Terry en zijn eerste vrouw waren twee jaar gescheiden toen ze hem ontmoette.

'Je weet waarom een scheiding zo duur is, hè?' vroeg ze.

'Nee, dat weet ik niet.'

'Omdat een scheiding het wáárd is.'

Nu, na acht maanden van huwelijksgeluk met Terry, moest ze dat kleine stukje van het paradijs afsluiten en opnieuw beginnen.

'Het huis is maar het huis,' zei ze. 'Kom maar mee.'

Blanco en zij leidden Hood naar buiten, en Laurel liet hem de stal, de schuur, de paardenbak en de stapmolen zien. Het was geen groot terrein, zei ze, ruim tweeduizend vierkante meter, maar volgens het bestemmingsplan mochten er paarden worden gehouden en die had ze nodig. Ze hadden hier samen maar zes maanden gewoond. Het huis was bij executie verkocht omdat de vorige eigenaren de hypotheek niet konden betalen. Ze hadden het gekocht voor 900.000 dollar en het was al getaxeerd op een miljoen. Gelukkig had Terry een hypotheekverzekering genomen die honderd procent van de lening zou uitbetalen nu hij dood was. Ze zei dat ze weliswaar parttime op een manege werkte, maar niet genoeg verdiende om de hypotheek te kunnen betalen en geld over te houden om van te leven.

Hood zag dat er twee paarden waren, een merrie en een ruin. Laurel gaf ze wortels en kuste ze. 'Mijn kinderen,' zei ze tegen ze. Hood voelde zich onzichtbaar. Laurel werd op haar mobieltje gebeld en liep weg, en Hood keek naar de paarden en herinnerde zich dat hij met zijn vader door het ruige boerenland van Bakersfield had gereden, door de hitte en het stof, over zandwegen en langs oliepompen. Hij herinnerde zich het voorjaar, met wilgen en populieren, en het geluksgevoel dat hij dan vaak had gehad. Laurel klapte haar telefoon dicht, liep naar Hood toe en zei tegen hem dat ze weg moest.

Hij liep met haar terug naar het huis en vroeg of Terry bang of bezorgd was geweest, of hij bedreigd was of geldproblemen had. Nee, zei ze, Terry was een eenvoudige man, en een goede. Hij vroeg haar of Terry meer dan gewoonlijk had gedronken en ze zei dat hij nooit meer dan twee glazen per avond dronk; hij was bezeten van fitness. Hood vroeg haar of Terry gelukkig was, en Laurel bleef staan en keek hem aan.

'Hij was gelukkig.'

'Heeft hij ooit de naam Londell Dwayne genoemd?'

'Ja, natuurlijk. Terry arresteerde hem en probeerde voor de hond van de man te zorgen terwijl hij gevangenzat. Die hond beet Terry en liep weg, en Londell nam het hem kwalijk dat de hond was weggelopen.'

'Zei Terry ook dat Londell hem had bedreigd?'

'Londell bedreigde hem echt.'

Ze gaf Hood de namen en telefoonnummers van Terry's bankier en huisarts, en de rekeningen van de laatste drie maanden voor hun vaste lijn en Terry's mobieltje.

Toen hij wegreed, zag Hood het nieuwste model Range Rover, de zilverkleurige Mercedes Kompressor cabriolet en de rode Ford F-250 met verlengde cabine en camperopbouw.

Hij vond het vreemd dat Laurel geen vragen over Terry had gesteld. Niet één.

Adam Grimm was de accountmanager die voor de bankzaken van de heer en mevrouw Laws had gezorgd. Het bankfiliaal stond aan San Fernando Boulevard. Hood identificeerde zich en gaf Grimm een nummer van de LASD dat hij kon bellen om te verifiëren dat Hood onderzoek deed naar de moord op agent Laws. Grimm belde het, stelde een paar vragen en hing daarna op. Toen typte hij iets in op zijn computer, verschoof de monitor en keek Hood aan.

'Terry en Laurel Laws deden veel zaken met ons,' zei hij. 'Ze hebben hier twee spaarrekeningen, twee betaalrekeningen en een eerste hypotheek. Ze hebben een aandelenportefeuille die door deze bank wordt aangeboden en twee pensioenrekeningen en nemen deel aan een pensioenplan voor zelfstandigen. Ze hebben een doorlopend krediet en twee creditcards via ons. Wat wilt u weten?'

Hij gaf Hood de saldo's van de spaar- en betaalrekeningen en Hood zag dat deze in overeenstemming waren met wat een politieagent en een parttimemedewerkster van een paardencentrum verdienden.

Hij zag ook dat de aandelenportefeuille een jaar geleden voor 50.000 dollar was geopend en nu 51.000 waard was, en dat de pensioenrekeningen verlengd waren en bij hun inkomens pasten. Het doorlopend krediet was niet gebruikt en er was ook nooit gebruikgemaakt van de creditcards.

'Ze zijn... Ik bedoel, hij was een erg zorgvuldige cliënt,' zei Grimm. 'Ze pasten goed op hun geld.'

'Waarom twee spaarrekeningen? Waarom twee betaalrekeningen?'

'Dat is niet zo ongewoon, agent Hood. Autonomie. Onafhankelijkheid. Het waren en/of-rekeningen, zodat ieder van hen de gegevens kon opvragen, geld kon overboeken, cheques kon uitschrijven.'

'Is een van die rekeningen ooit gebruikt voor onroerend goed als investering, of voor een onderneming?'

'Nee. Het zijn persoonlijke rekeningen.'

Hood vroeg naar het saldo van de hypotheek en Grimm typte iets in. Het duurde even. Toen hij zei dat het 300.000 dollar was, keek Hood verrast op.

'Mevrouw Laws zei dat ze hun huis voor 900.000 dollar hebben gekocht,' zei hij. 'Dat betekent dat ze er 600.000 dollar aan eigen geld in hebben gestopt.'

Grimm typte weer, vond hun kredietgeschiedenis en knikte. '615.000.'

'Van een gezamenlijk inkomen van onder de honderdduizend per jaar.'

'Ja.'

'Hebben ze een rekening gesloten om aan dat geld te komen?'

'Niet bij ons.'

'Onroerend goed verkocht?'

Hij typte opnieuw. Hij verontschuldigde zich voor de trage computer en keek naar het scherm.

'Ja. Mevrouw Laws verkocht een huis in Studio City. Dat leverde haar 200.000 dollar op. Dat staat hier op de hypotheekaanvraag.'

'Dan blijft er dus 415.000 dollar over.'

'Ja.'

'Heeft Terry ook een huis verkocht?'

'Nee. Hij huurde.'

Grimm keek met gefronste wenkbrauwen naar het scherm, alsof het hem probeerde te misleiden. 'Ik heb hier een fotokopie van de cheque waarmee het eigen geld is voldaan. Het is een cheque van de Pearblossom Credit Union, en hij is ondertekend door Terry Laws. Misschien kwam het geld uit een erfenis of zoiets.'

'Is er een kopie van Terry's belastingaangifte die hij inleverde toen hij de hypotheek aanvroeg?'

'Ja. Tot mijn spijt mag ik u die niet laten zien en kan ik u er ook geen informatie uit verstrekken. Het zijn federale gegevens.'

'Als ik die aangifte zou zien, zou die mij dan verklaren hoe hij aan 415.000 dollar was gekomen?'

'Als u die zou zien, zou dat iets dergelijks niet verklaren. Maar u zult hem hier in mijn kantoor niet te zien krijgen.'

'Dank u,' zei Hood.

De Pearblossom Credit Union was nieuw, klein en compact. De adjunct-directeur was een slanke brunette die Carla Vise heette. Er hingen ingelijste foto's van een kat die vanaf haar bureau naar buiten keek. Door het raam van haar kantoor zag Hood een braakliggend terrein met yucca's en cactussen. Honderden verwaaide plastic draagtassen flapperden tegen de draadgazen omheining. Het was een koele, heldere dag.

Carla bood Hood snoepjes uit een plastic kommetje aan en uit beleefdheid nam hij er een paar. Ze keek hem over haar leesbril aan toen hij haar vroeg wat ze van Terry Laws' aanbetaling op zijn huis wist. Ze zei tegen Hood dat Laws een van haar favoriete cliënten was en dat ze bijna niet kon geloven dat hij vermoord was, en nog wel in Lancaster ook. Ze excuseerde zich en kwam even later terug met een dikke groene map. Ze veegde met een samengepropt papieren zakdoekje over haar oog.

'Ja, hij heeft die aanbetaling gedaan met een cheque ten laste van zijn persoonlijke rekening hier,' zei Carla. Ze sloeg de map open en zocht tussen de papieren. 'High Country Escrow.'

'Weet u waar hij die 615.000 dollar vandaan had?'

Ze knikte al. 'Ze kregen 200.000 dollar toen ze Laurels huis in Studio City verkochten. En de rest kwam uit de stichting van meneer Laws.'

Hoods zenuwen kwamen in beroering. 'Ik heb nooit eerder iets over een stichting gehoord.'

'O nee? Build a Dream? Die heeft hij in de zomer van 2007 opgezet. Het is een stichting voor een goed doel. Ze brengt geld bijeen voor kinderen in het zuiden van Californië die onder de armoedegrens leven. Terry heeft veel van dat geld bij de politie ingezameld; donaties van gewone agenten. Politiemensen zijn royaal, misschien omdat jullie zoveel armoede en misdaad te zien krijgen. Het verbaast me dat u er niet van hebt gehoord.'

'En u had het geld van die stichting op uw bank?'

'Wij hebben de rekening. Die heb ik voor hem geopend. En meneer Laws heeft 400.000 dollar uit dat fonds naar zijn betaalrekening overgeboekt op de dag voordat hij de aanbetaling op zijn huis deed. Hij heeft dat huis voor een goede prijs gekregen, mag ik er wel aan toevoegen. Ik had hem zelf getipt. We gingen tot executie over en we verkochten het voor weinig geld, zoals crediteuren soms doen.'

Hood vond het indrukwekkend dat Terry Laws in nog geen anderhalf jaar minstens 400.000 dollar had ingezameld voor arme kinderen. Dat was ongeveer zes keer het jaarsalaris dat hij als agent verdiende.

'Is het niet ongewoon dat iemand een groot geldbedrag uit zo'n fonds haalt om het op een persoonlijke rekening te zetten?'

'Hij kreeg het als salaris. Het was in overeenstemming met de statuten van het fonds.'

'Hij betaalde zichzelf.'

'Als enige beheerder van de stichting mocht hij doen wat hij wilde. Maar om eerlijk te zijn: ja. Dat was ongewoon. Ik zei tegen hem dat het ongewoon was. Hij zat daar in die stoel waar u nu zit. In uniform. Hij zei tegen me dat het geld veel sneller binnenkwam dan hij had gedacht. Het meeste gebeurde online, zei hij, maar de agenten zetten ook tafels voor supermarkten neer en gaven daar informatie en namen donaties in ontvangst. De stichting was heel goed van de grond gekomen. Maar hij had een huis nodig; hij gooide geld weg aan huur. Terry zei dat hij die ruim 400.000 dollar in korte tijd weer kon aanzuiveren. En hij zei dat zijn vrouw en hij bij testament hadden vastgelegd dat hun huis na hun dood naar Build a Dream zou gaan. En natuurlijk zou het tegen die tijd een veelvoud van die 400.000 dollar waard zijn. Wat dat aanzuiveren van het geld betreft, hield hij zich trouwens aan zijn woord. De week daarop...'

Ze typte iets op haar computer in. 'Ja. De week daarop stortte hij 7.720 dollar in Build a Dream terug. En de week daarna nog eens 7.200. Enzovoort. Altijd op maandag, tenzij we dan dicht waren. Op de dag van zijn dood stond er 140.000 dollar op de rekening van de stichting. Hij had de dag daarvoor nog een storting gedaan.'

Hood rekende het uit en veronderstelde dat er nu 180.000 in zou moeten zitten. Hij vroeg zich af of 40.000 daarvan zijn weg had gevonden naar de verbouwingen aan Laws' huis waar nooit een eind aan kwam.

'Altijd cash?'

'Ja.'

'Hebt u melding gemaakt van die stortingen?'

'Nee. De wettelijke limiet is tienduizend, daarboven moeten we het melden. Daaronder is het volkomen legaal.'

Ze probeerde Hood onbeschroomd aan te kijken, maar sloeg toen haar ogen neer. 'En om eerlijk te zijn: ja, ik verbaasde me over dat geld, zoveel als het was en zo vaak als het kwam, en over het feit dat het nooit meer dan tienduizend was. Ik vroeg me af of er iets... niet in de haak was. Maar ik stond er niet lang bij stil. Terry was van de politie. Bovendien wilde ik heel erg graag geloven in die stichting voor arme kinderen die door een politieman was opgezet en door de politie in heel Californië werd gesteund. Als ik naar agent Laws keek, kon ik het gemakkelijk geloven. Zijn... nou, alles aan hem getuigde van eerlijkheid en goedheid. Ik zag hem in de krant op een kerstfeest voor kinderen, met een kaboutermuts op. En ik dacht: nou, als hij zichzelf te hoog beloont van geld dat hij heeft ingezameld, dan moet dat maar. Het is tijdelijk. Hij heeft het verdiend. Hij verdient het om een mooi huis te hebben, en op een dag gaat het naar de stichting terug. Hij handhaaft de wet en haalt geld op voor de armen. En nu is hij dood.'

Ze keek nog steeds naar haar bureau en veegde weer met het papieren zakdoekje over haar ogen.

Hood geloofde haar redeneringen wel, vooral wanneer hij dacht aan de meer dan 30.000 dollar per maand die Build a Dream in Carla Vise' kleine bankje binnenbracht. Voor Carla was het gemakkelijk om in Terry Laws te geloven. En ook winstgevend.

400.000 dollar in nog geen anderhalf jaar, dacht Hood. 'Wanneer heeft hij Build a Dream opgericht?'

Ze bladerde in de map, nog steeds zonder Hood aan te kijken. 'Hij opende de rekening op 13 augustus 2007 met 200 dollar. Zijn volgende storting deed hij op maandag 27 augustus. Dat was 7.030 dollar.'

'En daarna elke week?'

'Ja. Elke week.'

'Kijkt u me eens aan. U weet dat u het had moeten melden.'

'Ik heb geen wet overtreden.'

'De wereld gaat een beetje dood als goede mensen niets doen.'

Ze knikte en sloeg haar ogen weer neer. Hood legde zijn kaartje op het bureau en ging weg.

Toen hij in zijn auto zat, dacht hij terug aan augustus 2007. In die tijd reed hij patrouilles in sectie I in het zuiden van Los Angeles, blij dat hij uit Irak weg was.

Intussen draaide Terry Laws hier in de woestijn zijn patrouillediensten en deed hij zijn eerste grote storting op de rekening van de liefdadigheidsstichting die hij had opgericht.

Daarna kwam hij elke week 7.000 dollar op de rekening van Build a Dream zetten. En toen er meer dan 400.000 dollar op de rekening stond, betaalde hij dat geld aan zichzelf uit en gebruikte hij het als aanbetaling voor een groot huis met paarden.

Hood keek op en zag Carla Vise over het parkeerterrein naar hem toe lopen. Ze liep met haar armen over elkaar om zich tegen de kille middagbries te beschermen. Hij liet het raampje zakken en ze boog zich naar hem toe en keek hem met betraande, woedende ogen aan.

'Op de dag dat hij de spaarrekening voor zijn nieuwe stichting opende, straalde Terry Laws van blijdschap. Het leek wel of hij licht gaf. Hij zag eruit alsof hij de hele wereld op die grote schouders van hem kon dragen. Maar twee weken later, toen hij die eerste grote storting deed, was hij bleek en wilde hij me niet aankijken. Hij zat onder de blauwe plekken. Hij had hechtingen. Ik vroeg hem of het wel goed met hem ging en hij zei dat hij een moeilijke arrestatie had gehad. Maar die arrestatie was niet de oorzaak, want hij kwam er nooit overheen. De blauwe plekken en hechtingen gingen weg, maar hij kreeg nooit meer die stralende blik. Hij keek me nooit meer op dezelfde manier aan. Zijn houding was niet hetzelfde. Ik weet niet of het andere mensen ook is opgevallen. Ik weet niet of zijn oppervlakkige en neerbuigende vrouw het heeft gemerkt. Maar ik lette altijd goed op Terry Laws, agent Hood. Hij was een ander mens geworden.'

Hood dacht even na. Hij geloofde dat mensen onmiddellijk en onherroepelijk konden veranderen door wat ze deden. Alleen echte dommeriken gingen aan zoiets voorbij.

'Ik liet me meeslepen door mijn hart,' zei Carla. 'Dat doe ik mijn hele leven al.'

'Dat doet iedereen.'

Hood reed naar de gevangenis terug en dacht intussen aan Terry Laws. De Terry Laws die hij had gekend was niet stralend geweest, en ook niet depressief. Het was een aardige vent, maar Hood had altijd gevonden dat hij te veel zijn best deed. Laws was ijdel als het om zijn spieren ging en trots op zijn glimlach. Maar hij had het fatsoen gehad om namens Jacquilla Roberts en haar onvolmaakte zoons partij te kiezen tegen de dienst Huisvesting.

Opnieuw herinnerde Hood zich wat Laws die avond had gezegd. *Dit levert niets op.* Hij wist niet waarom dat bij hem was blijven hangen. Misschien door de toepassing van het woord 'opleveren' terwijl het om een gewoon gesprek met een burger ging.

Hij vroeg zich af waardoor Terry Laws was veranderd. Toen hij bij het Hol kwam, ging hij met zijn glanzende nieuwe sleutel naar binnen, deed het licht aan en haalde Laws' dossier uit de afgesloten bureaula.

Hood wist dat Laws op 13 augustus met 200 dollar de rekening van zijn stichting had geopend. Hij was toen blij en sterk geweest. Hij straalde licht uit.

Maar nog geen twee weken later, toen hij de eerste storting deed, had hij er verslagen en gekweld uitgezien. Als je op Carla Vise mocht afgaan, dacht Hood, was Terry Laws een beetje doodgegaan.

Hood wist dat er in de tussentijd twee dingen waren gebeurd.

Eén: Laws en Draper hadden Shay Eichrodt gearresteerd; het soort geruchtmakende arrestatie van een moordenaar die iedere agent graag op zijn naam wilde hebben. Een arrestatie die telde, die mensen beschermde.

En twee: Laws had 7.000 dollar gestort.

Hood keek uit het raam naar de gevangenis, het scheermesprikkeldraad, de koude, blauwe hemel van Antelope Valley. De lucht, de wind en de kou deden hem aan Anbar denken. Als hij aan Irak dacht, kwam zijn geest in opstand en werd het hem zwaar te moede.

Hood werkte een tijdje met zoekmachines, maar kon de stichting Build a Dream van Terry Laws nergens vinden. Er waren genoeg stichtingen die Build a Dream heetten, maar die zamelden geen van alle geld in voor arme kinderen in het zuiden van Californië. De stichting stond niet in het telefoonboek van Antelope Valley, en het inlichtingennummer kon hem ook niet helpen. De Kamer van Koophandel van Antelope Valley en de Rotary hadden nooit van de stichting gehoord. Hij belde vrienden bij de politie en die hadden er ook nooit van gehoord.

Hood belde Ariel Reed. Toen reed hij naar het hoofdbureau van de LASD in Monterey Park en vroeg naar het 'moordboek', het dossier van de moord op Lopes en Vasquez.

9

'De tip kwam van een anonieme beller,' zei ze. 'Die belde kort na twee uur 's nachts vanuit een telefooncel in Lancaster. Slechte kwaliteit; wind en verkeersgeluiden. Hij zei dat er een schietpartij was geweest op Avenue M bij de snelweg. Dat iemand met een geweer in een rode pick-uptruck was weggereden. Hij wist een deel van het kenteken. Dat gaf hij aan de centrale door en toen hing hij op. Ik heb de opname gehoord. Mexicaans accent. Hij klonk dronken.'

Hood keek van zijn notitieboekje op, recht in Ariels openhartige blik.

'Laws en Draper waren de eerste agenten ter plaatse,' zei ze. 'Beide slachtoffers waren in het hoofd geschoten; beiden waren ter plekke overleden. De agenten zetten de omgeving af en droegen de zaak aan de recherche over. Om halfvier zaten ze weer in hun wagen om hun dienst af te maken. En ziedaar: die misschien dronken tipgever had dat gedeeltelijke kenteken goed. Om twintig over vier zag Laws een rode Chevrolet pick-up die in westelijke richting over Pearblossom Highway reed. Ze zagen dat het kenteken voor een deel klopte en hielden de auto aan. Dat was bij de ruïnes van Llano del Rio; je weet wel, dat oude socialistische Utopia. Nou, die nacht was het daar geen utopie, maar een bloedbad.'

Ariels kantoor had uitzicht op het westen. Het was avond en stil in het oude justitiegebouw. De zon was achter de horizon verdwenen, maar er zat nog een rode tint in de donkerblauwe lucht. Beneden flikkerden de lichten van Los Angeles. Hood dacht aan zijn uitzicht vanuit het Hol.

'Het was gewelddadig,' zei hij.

Ariel knikte en bladerde in de map. 'Shay Eichrodt, vierendertig jaar oud, twee meter lang, honderdveertig kilo. Crimineel, Aryan Brother, later enthousiast liefhebber van methamfetamine en alcohol. Laws gaf hem opdracht uit te stappen. Eichrodt deed het. Maar in plaats van het portier dicht te doen zakte hij in de berm in elkaar. Ze wilden hem handboeien omdoen, en hij verzette zich. Hij stompte en schopte en weerde hun slagen een tijdje af; hij wist iets van vechtsporten en was zo sterk als een beer. Ze sloegen hem ongeveer veertig keer voordat hij in elkaar zakte en ze hem eindelijk in de boeien konden sluiten.'

Ariel gaf Hood de foto's van Eichrodt, Laws en Draper die kort na de arrestatie door de politie waren gemaakt.

Eichrodt was een immense, bewusteloze, bloederige massa. Laws en Draper zaten onder de schrammen en blauwe plekken. Ze bloedden ook, maar dat was niets in vergelijking met Eichrodt.

'Sommige klappen kwamen niet hard aan,' zei de officier van justitie. 'Andere wel. Aan zijn hoofdwonden moesten tachtig hechtingen te pas komen. Eichrodt had een zware hersenschudding, fracturen in zijn jukbeen en scheenbeen, twee fracturen in zijn handen, een gebroken onderarm en vier gebroken ribben. Uw eigen commissie van toezicht deed er dertig dagen over om die arrestatie te onderzoeken en kwam tot de conclusie dat het een redelijke toepassing van geweld was geweest. Er kwamen niet veel reacties van het publiek of de media; er waren geen videobeelden, Eichrodt was begonnen en hij was een blanke, racistische misdadiger. Hij had weinig vrienden of familieleden om de zaak aan te zwengelen bij de pers. Hij had net twee door Eme beschermde drugskoeriers in koelen bloede doodgeschoten en hun geld afgepakt. De rechercheurs hadden nog geen week nodig om het uit te zoeken. Dat was ook ongeveer de tijd die rechter Arthur Suarez twee maanden later nodig had om te bepalen dat Eichrodt niet in staat was terecht te staan. Suarez stopte de verdachte voor onbepaalde tijd in de gerechtelijke psychiatrische inrichting Atascadero. Eichrodt zit daar nu bijna negentien maanden.'

'Hoe gaat het met hem?'

'Hij gaat iets vooruit.'

Hood vroeg zich af of het letsel dat Laws bij de arrestatie had opgelopen misschien erger was geweest dan het had geleken. Hij was blij dat Laurel hem de naam van Terry's huisarts had gegeven.

Hood keek op naar de foto's van de dragsters op de muur van Ariel Reed.

'Drie generaties,' zei ze. 'Boven oma Ruthann in zwart-wit. Dat was in 1955. Dan mijn moeder Belinda, ergens in het midden van de jaren tachtig. Op de onderste sta ik, vorig jaar. Ik deed het in 6,95 seconden, met een snelheid van driehonderdvijfentwintig kilometer per uur, en werd negende in het algeheel klassement. Ik heb niet het reactievermogen om prof te worden, en dat zou me ook meer tijd kosten dan ik eraan wil besteden. Ik doe het voor de lol. En ik vind het prettig om van iets te genieten waarvan mijn moeder en oma hebben genoten.'

'Het moet heel bijzonder zijn om zo hard te gaan en toch niet los te komen van de grond,' zei Hood.

'Er is niets mee te vergelijken.'

'Word je duizelig of raak je gedesoriënteerd?'

'Gedesoriënteerd soms wel, duizelig niet.'

'Wat voor gevoel geeft het om het licht op groen te zien springen en het gaspedaal in te trappen?'

'Je gaat al voordat het licht op groen springt. Een fractie van een seconde eerder. Je anticipeert daarop.'

'Oké, hoe voelt dat dan?'

'Er is echt niets mee te vergelijken. Ik kan dus niet zeggen hoe het is.'

'Maar ik vroeg hoe het voelt.'

'Eerst vroeg je me wat voor gevoel het geeft. Toen vroeg je me hoe het voelt.'

'Dat is haarkloverij. Net of je atomen aan het splijten bent.'

'Misschien ben ik te goed in het splijten van atomen.'

'Ik wil nog steeds weten hoe het voelt om weg te spuiten van de startlijn.'

'Het is verreweg het opwindendste gevoel op aarde. Je voelt je nederig bij al die kracht, en tegelijk voel je je goddelijk. Je bent hulpeloos, maar tegelijk beheers je je eigen lot. Ik kan het sterk aanbevelen.'

Reed glimlachte. Het was het zuinige glimlachje dat Hood eerder had gezien, zeker niet gul. Haar neus kreeg er rimpeltjes van. Het was speels, maar ook een tikje venijnig. Het was het glimlachje waarmee ze hem had aangekeken toen ze zei dat ze de corrupte hoofdinspecteur voor tien jaar achter de tralies wilde gooien.

Hood glimlachte terug. 'Terry's financiën waren interessant.'

'Geldzorgen?'

'Het tegendeel daarvan.'

Ze keek hem met haar bruine ogen aan.

Hood vertelde haar over Build a Dream en het geld dat door LASD-agenten zou zijn ingezameld en dat Terry twee jaar lang elke maandag op de rekening had gestort, over de aanbetaling voor zijn eigen huis en over de bankmedewerkster die Terry bewonderde en zijn leugen geloofde omdat ze dat zo graag wilde.

'Welke leugen?'

'Ik heb nooit van Build a Dream gehoord. En niemand van mijn collega's. Ik heb wel zes keer patrouille gereden met Terry, maar hij heeft het nooit over Build a Dream gehad. Het zit niet in de zoekmachines. Het komt niet voor op de lijsten van goede doelen die ik kon vinden.

Het bestaat alleen op papier en er komt elke maand dertigduizend dollar aan cash binnen.'

Ariel keek nu uit het raam. Haar ellebogen rustten op het bureau en ze had haar kin op haar handen laten zakken.

'Was hij rijk van zichzelf?'

'Nee. Geen erfenis, geen prijs in de loterij, geen slimme beleggingen die heel veel opleverden. Daar kan ik niets over vinden.'

'Heeft hij grote arrestaties gedaan? Ik bedoel arrestaties waarbij veel geld werd teruggevonden?'

'In dat geval heb ik er nog niets over ontdekt.'

'Nou, er zijn de voor de hand liggende dingen: drugs, gokken, woeker en prostitutie. Dat zijn in onze samenleving nog steeds de dingen waar veel geld mee te verdienen is. Wanhopigen plegen roofovervallen en degenen die net iets beter nadenken, breken automaten open. Een politieman krijgt met dat alles te maken.'

'Hij heeft nooit op Narcotica of Zeden gewerkt. Hij was patrouille-agent. Hij zat achtenveertig uur per week in die auto, maakte overuren en verdiende zijn 65.000 dollar per jaar. Als je vijf of zes diensten per week draait, wanneer heb je dan de tijd om er zevenduizend bij te verdienen?'

'Op je vrije dag,' zei ze.

'Dat is een interessant idee.'

'Ik zei het half voor de grap.'

'De andere helft interesseert me.' Hood nam zich voor nog eens wat beter naar Terry's urenkaart te kijken.

'Een bijbaantje bij een bewakingsfirma?' vroeg ze.

'Zelfs het bestbetaalde baantje zou hem in die twee dagen geen zevenduizend dollar hebben opgeleverd.'

Hood maakte nog meer aantekeningen. Hij bleef zich maar afvragen hoe Terry er zevenduizend dollar per week bijverdiende terwijl hij achtenveertig uur patrouilles reed. Toch had hij dat gedaan.

'Vertel me eens over Eichrodts voorgeleiding,' zei hij.

'We legden de bewijzen voor die we op het proces zouden indienen. Verpletterende bewijzen. Het bloed van beide slachtoffers zat op een jasje in Eichrodts wagen. We vonden een Taurus 9mm in de grote, afgesloten gereedschapskist in de laadbak van de wagen. Daarmee waren de vier kogels afgevuurd waardoor Vasquez en Lopes waren omgekomen. Eichrodt had de hulzen verzameld en ze bij het wapen in de kist gegooid. Zijn vingerafdrukken zaten erop. Hij had 4.800 dollar op de bodem van die gereedschapskist verstopt. En we hadden de anonieme getuige die ons op de schutter in de rode pick-up wees.

Eichrodts advocaat beweerde dat Eichrodt niet in staat was terecht te staan, en rechter Suarez zei: "Oké, we zullen eens zien, laat hem maar komen." En toen zat Eichrodt twee uur lang in een rolstoel bij de tafel van de verdediging en probeerde hij vragen te beantwoorden. Hij wist zijn eigen naam. Hij kon de namen van zijn vader en moeder noemen. Hij wist niet precies in welk land hij was, maar hij zei wel "Californië" toen ze hem vroegen in welke staat hij woonde. Zijn langetermijngeheugen was gebrekkig, maar zijn kortetermijngeheugen was bijna verdwenen. Hij wist niet precies in wat voor gevangenis hij zat, hij kon zich niets van zijn arrestatie herinneren, kon niet uitleggen wat hij in de rechtszaal kwam doen. Hij herinnerde zich niets van een busje, twee dode mannen of vierduizend dollar. Zijn advocaat was woedend. Hij zei dat iemand Los Angeles County kapot zou moeten procederen om wat ze die man hadden aangedaan. Suarez liet drie artsen als getuige ondervragen: een neuroloog, een huisarts en een psychiater. Suarez dacht er drie dagen over na en stuurde Eichrodt toen naar Atascadero, waar hij moest blijven tot hij voldoende was hersteld om terecht te kunnen staan.'

'Waarom heeft niemand tegen de county geprocedeerd?' vroeg Hood.

Ariel knikte. 'De ACLU heeft dat overwogen, maar liet zich weerhouden door de bewijzen voor moord. Als onze bewijsvoering wankel was geweest, hadden ze misschien een klacht ingediend, maar zelfs de ACLU wil zijn middelen niet aan een dubbele moordenaar besteden. En zoals ik al zei: Eichrodt had weinig vrienden en familieleden. Letterlijk niemand was erin geïnteresseerd om namens hem een lang en duur proces te voeren.'

'Wat is zijn medische prognose?'

'De zwelling heeft zijn hersenen beschadigd. De schedeloperatie heeft hem blijkbaar niet veel goed gedaan. Volgens de artsen in Atascadero is de kans op een redelijk herstel erg klein.'

Hood dacht dat Shay Eichrodt wel het summum van eenzaamheid moest zijn. Nu was zelfs Shay Eichrodt uit Shay Eichrodt weggehaald. Daar stond tegenover dat hij dit over zichzelf had afgeroepen, dacht Hood. We maken ons eigen geluk. Je karakter is je lot. En meer van die dingen.

Als agent zag Hood de dingen vanuit het perspectief van Laws en Draper. Een gewelddadige arrestatie is de nachtmerrie van iedere politieman. Toch was er één ding dat Hood anders zou hebben gedaan: hij zou op assistentie hebben gewacht. Laws zou dat ook hebben gedaan. Draper was niet eens een echte politieman, maar een succesvolle zakenman die als reserveagent fungeerde voor één dollar per jaar en om de kans te hebben de sensatie van het politiewerk mee te maken. Hun tegenstander was groot, sterk, vermoedelijk high van de methamfetamine, en had hoogstwaarschijnlijk net een misdrijf gepleegd dat hem op levenslang of zelfs de doodstraf kon komen te staan. Ze hadden beter moeten weten.

'Waarom wachtte Laws niet op assistentie?'

'Hij heeft niet om assistentie gevraagd. Hij zei dat hij de arrestatie van de moordenaar op naam van zijn collega en hemzelf wilde schrijven. De verdachte werkte in zoverre mee dat hij stopte en zijn motor afzette. Toen ging alles te snel. Laws gaf toe dat hij zich door zijn trots had laten leiden en dat het een stommiteit was geweest om zonder assistentie achter Eichrodt aan te gaan.'

'Daar had hij gelijk in.'

'Zijn trots. Zijn lichaamsbouw. Het was dom, maar ik kan het me indenken.'

Hood kon het zich ook indenken: Superman.

'Wat kun je me vertellen over de mannen die door Eichrodt zijn vermoord?'

'Gangsters met Eme-banden. Waarschijnlijk werkten ze voor het Baja Norte-kartel. Dat zijn Carlos Herredia en zijn firma. Beide mannen waren Amerikaans staatsburger. *Vatos* uit de East Side. Johnny Vasquez en Angel Lopes.'

'Waarom stonden ze midden in de nacht in de woestijn?'

'Goede vraag. Wachtten ze op iemand? Op Eichrodt? We weten het niet. Jullie helikopter vond koffers op een onverharde weg, ongeveer drie kilometer bij de plaats van de moord vandaan. De vingerafdrukken van de dode mannen zaten erop. Ooit heeft er bijna zeker voor 7.200 dollar aan samengeperste vijfdollarbiljetten in die koffers gezeten. Eichrodt had daar 4.800 van in een plastic zak in zijn gereedschapskist. Er lag nog zo'n 2.400 in een van de koffers die langs de weg lagen, in een plastic ritszak voor toiletspullen of natte voorwerpen. Blijkbaar had hij dat over het hoofd gezien.'

Ariel liet Hood foto's van het busje, de doden en de in de woestijn achtergelaten koffers zien.

'Jullie hebben zelf nog meer foto's,' zei ze. 'De leider van het rechercheteam was Dave Freeman. Hij heeft hard gewerkt en ons aan veel bewijzen geholpen.'

Hood keek op bij die naam. Freeman was een fervent lid van het LASD-softbalteam. Toen Hood van zijn notitieboekje opkeek, zag hij Ariel Reed naar hem kijken.

Hij glimlachte en keek naar de stad: kantoorlichten en straatlichten, koplampen en achterlichten, remlichten en verkeerslichten; dat alles fonkelend in het koele kielzog van de sneeuwbui. De eeuwige optocht. Hij bedacht hoe nietig de dood kon zijn, iets wat nauwelijks tot iemand doordrong, een heel kleine gebeurtenis waar we even bij stilstaan voordat we verder lopen. Hij keek een beetje opzij en zag Ariels spiegelbeeld in de ruit, kijkend naar het spiegelbeeld van hemzelf. Ze keken elkaar via de ruit aan.

'Zaterdag over een week heb ik een wedstrijd in Pomona,' zei ze tegen de ruit. 'Als je een pitpasje weet te krijgen, signeer ik een foto voor je.'

Hood glimlachte en knikte, en toen keken ze elkaar niet meer aan en stonden op.

10

Hood reed enkele uren door Los Angeles en luisterde in de auto naar muziek: James McMurtry & the Heartless Bastards, harde gitaren en harde teksten, countrymuziek die minder met Nashville dan met Hoods eigen dierbare Bakersfield te maken had. Hij mocht graag autorijden en kijken. Hij mocht graag dingen zien. Hood had heel scherpe ogen. Dat was een zeldzame zegen, wist hij.

Al dat rijden was een halfjaar geleden begonnen, op de avond dat Allison Murrieta was gestorven. Later die avond had hij het gevoel gehad dat er iets in hem ontsnapte. Het voelde fysiek aan, niet spiritueel of sentimenteel. Gewoon een tastbaar voorwerp dat van zijn plaats kwam, als een blad dat zich losmaakte van een boom of een vogel die opsteeg van een tak. Hij had zichzelf gewogen en ontdekt dat hij volgens de weegschaal in zijn badkamer anderhalf pond was afgevallen. Toen ging hij een eindje rijden en vroeg zich af wat er toch uit hem was verdwenen. Aan die rit was eigenlijk nooit een eind gekomen.

Hood stopte bij de Voodoo aan Sunset Boulevard, omdat Erin McKenna daar zou optreden met haar band, de Cheater Slicks. Het was leuk om haar naam op de voorgevel te zien staan. Ze speelde gitaar en keyboard, zong en schreef de nummers. Hood kende haar, maar hij wilde vooral haar vriendje Bradley Jones spreken. Jones was zeventien, op weg naar grote problemen en daar trots op. Erin was negentien. Ze waren verliefd. Hood beschouwde hen als kinderen. En hij dacht dat hij hen met hun leven zou moeten helpen, want Allison Murrieta was Bradley Jones' moeder geweest.

De Voodoo was donker en gedempt. De muren waren bekleed met zwarte vloerbedekking en de akoestiek was goed. Hood stapte binnen in de duisternis en het percussieritme. Erin stond met haar band op het podium: bleke huid, blauwe ogen en sluik rood haar dat glansde in het licht van de schijnwerpers. Ze was verrassend mooi en haar stem was sterk en delicaat als glas.

Hood zag dat Bradley een tafel aan de zijkant had, met zijn gebruikelijke bende van twee. De twee mannen waren ouder dan hij, maar Hood wist dat Bradley de leider van de bende was, omdat hij de hersenen en de ondernemingslust had, en ook wat ze op de personeelsafdeling van de LASD 'leiderschapskwaliteiten' noemden. Een van de mannen was een autodief en de ander een vervalser van papieren, en Hood wist dat ze allebei ook met computerfraude en gestolen goederen bezig waren geweest. Ze hadden allebei gezeten. Ze kleedden zich vlot, praatten snel en trokken begeerlijke, hebzuchtige vrouwen aan.

Hood nam plaats op een kruk aan de bar. Bradley zag hem, maar liet daar niets van blijken. In plaats daarvan gaf hij de serveerster een teken dat ze nog drie glazen moest brengen. Hood wist dat hij een valse identiteitskaart had, met de complimenten van een van de criminelen aan zijn tafel, maar Hood wist ook dat Bradley die kaart niet vaak hoefde te gebruiken. Hij was een meter tachtig, woog waarschijnlijk tachtig kilo en had lang haar en een keurig bijgehouden sikje, zoals Robin Hood of een dichter. Hij hield van mooie kleren en ze stonden hem goed. Allison had Bradley aanbeden en hij haar ook. Hood begreep dat Bradley het hem nooit helemaal zou vergeven dat hij bij Bradleys moeder was geweest in de dagen voordat ze stierf. Het had heel anders kunnen lopen, en hij vond dat hij de jongen iets schuldig was.

Hood nam een biertje, draaide zich met zijn barkruk om en keek naar Erin, die een cover zong. Bradley keek naar hem vanaf de andere kant van de zaal. Maanden geleden had Hood gezien dat er iets wilds in Bradley zat, iets wat de jongen niet altijd kon beheersen. Hij was emotioneel, roekeloos en soms gewelddadig. Net als zijn moeder.

Toen het nummer voorbij was, keek Erin de zaal in en glimlachte naar Hood. Toen slenterde Bradley naar hem toe en nam plaats op een kruk naast hem.

'De lange arm van de wet,' zei hij.

'Ze klinkt vanavond geweldig.'

'Ze klinkt elke avond geweldig. Laten ze smerissen extra betalen om binnen te komen?'

'Kijk maar uit, anders zeg ik tegen hen dat je nog een kind bent. Hoe staat het ermee, Bradley?'

'Vijftien vakken, allemaal achten en negens. Serieuze vakken. Geen houtbewerking. Geen autotechniek. Geen criminele psychologie of wat het ook maar is dat jij hebt gestudeerd.'

Erin liep naar de piano en de Cheaters zetten een nummer van haar in dat Hood eerder had gehoord. Het ging over een junkie die over het water bij Malibu liep. Hood vond het grappig en beklemmend.

Allison had hem verteld dat Bradley een hoog IQ had. Zijn arrogantie stond op hetzelfde peil. Hood wist dat Bradley het jaar daarvoor, toen hij in de derde klas van de highschool zat in Valley Center, football op hoog niveau had gespeeld en had kunnen blijven uitblinken zelfs wanneer hij geen huiswerk maakte en vaak spijbelde. Toen zijn moeder stierf, ging hij van Valley Center naar Los Angeles. Twee maanden geleden had hij Hood verteld dat hij van school was gegaan en op de California State in Los Angeles was toegelaten, waar hij een gedegen studieprogramma had gekozen en zich alleen voor de trainingen bij het footballteam had aangesloten.

'Gek is dat,' zei Hood. 'Op de California State in Los Angeles zeggen ze dat daar geen Bradley Jones ingeschreven staat.'

'Long Beach, Hood. Ik heb me laten overschrijven.'

'Ik heb ook met Long Beach gepraat. En met elf andere *colleges* en *junior colleges*. Je staat nergens ingeschreven, voor het geval je je dat nog afvroeg.'

'Wil je een biertje van me?'

'Ik bestel er zelf een.'

Bradley gaf de barkeeper een teken en er kwamen twee glazen bier met limoenschijfjes op de rand. 'Ik hou een tijdje op met studeren, Hood, maar ik heb een baan bij de hapkido-school waar mama vroeger trainde. Ik heb de zwarte band, de eerste dan, en ik train de kinderen, hou de boekhouding bij en neem de telefoon op.'

'Oké.'

'Wat bedoel je, oké?'

'Je kunt bij de politie solliciteren als je negentienenhalf bent. Dat betekent dat je twee jaar de tijd hebt om resultaten op een college te behalen. Maak goed gebruik van die jaren.'

'Ja, ja, ja.'

'Bij de politie zou je goed zitten. Als je eenmaal bent beëdigd, begin je met negenenveertigduizend per jaar. Met jouw cijfers en sportprestaties, en een brief van mij...'

'Dat heb je me al een miljoen keer verteld.'

'Ik wil voorkomen dat je met je eigenwijze kop in de problemen komt.'

'Ik wil je hulp niet. Alles is cool. Kick is cool.'

Hood wist dat hij daarmee bedoelde dat hij de jongen die zijn moeder had vermoord, nog niet had gedood. Hij had Hood gezegd dat hij dat op een dag zou doen. De dader heette Deon Miller en zijn straatnaam was Kick. Toen hij Allison het jaar daarvoor tijdens een overval doodschoot, was hij een zestienjarige Southside Compton Crip.

Een paar weken later had Bradley tegen Hood gezegd dat hij Kick ging vermoorden. Hood geloofde hem. De uitdrukking op zijn gezicht en de toon van zijn stem lieten niets aan duidelijkheid te wensen over.

En dus zag Hood de jongen nu als een touw: wraakzucht trok hem de ene kant op, en de politie, agent Charles Robert Hood, de andere kant.

'En Kick is cool?'

Bradley keek hem aan, haalde zijn schouders op en kneep in de limoen om het sap in zijn bier te laten vallen. 'Als Kick niet meer kickt, hoor je het wel.'

'Doe dat niet. Ik begrijp waarom je het wilt, maar doe dat niet.'

'Je begrijpt het niet en kunt het ook niet begrijpen.'

'Ik heb ook van haar gehouden.'

'Jij verdiende het niet eens dat je haar aanraakte.'

'Dat kan wel zo zijn, maar als je Kick vermoordt, verandert dat jezelf en alles in je leven.'

'Precies.'

Na het nummer namen de Cheater Slicks pauze en kwam Erin naar hen toe. Bradley gaf haar zijn kruk en liep naar zijn tafel terug zonder nog een woord tegen haar of Hood te zeggen.

'Wat is hij vanavond opgewekt,' zei ze.

'Je klinkt geweldig. Ik hou van dat nummer over lopen op het water.'

'Dank je. Ik ben gestopt met roken. Ik was bang dat ik daardoor mijn stem bedierf, maar tot nu toe is er niets aan de hand.'

'Gaat het goed met je?'

'Waarom zou het niet goed met me gaan?'

Hood knikte in de richting van Bradley.

'Hij heeft de laatste tijd niet meer over Kick gepraat. Dat zit me dwars. Je weet wel. Meestal mompelt hij iets over wat hij moet doen.'

'Moet doen.'

'Ja, moet doen. Het verbaast me dat hij het zo goed kan bedwingen.'

'Die praatjes over studeren waren flauwekul.'

'Ik heb tegen hem gezegd dat jij er niet in zou trappen. Hij kijkt hierheen. Op die bepaalde manier. Ik moet gaan.'

Hood luisterde naar de nummers tot aan de volgende pauze. Bradley keek niet meer zijn kant op. Twee prachtig geklede vrouwen gingen bij hem en zijn vrienden aan tafel zitten.

Hood reed twee uur door Los Angeles en ging toen naar huis in Silver Lake. Het was bijna twee uur 's nachts. Het was koud in zijn appartement. Hij sliep niet goed, maar verheugde zich op de rit naar Lancaster de volgende dag voor acht uur patrouille rijden door Antelope Valley.

11

Op de eerste vrijdagavond na de dood van Terry Laws ging Draper in zijn eentje het geld voor Herredia ophalen. Hij had het gevoel dat hij geen vrienden meer had en overal in de gaten liep, maar hij zei tegen zichzelf dat hij daar niets van mocht laten blijken. Hij zei ook tegen zichzelf dat hij nu, zonder Terry, twee keer zoveel loon mee naar huis zou nemen.

Toen hij door Cudahy reed, vroeg Draper zich weer af of Terry aan Laurel had verteld wat ze hadden gedaan en wat ze deden. Of misschien een deel ervan. Terry had altijd ontkend dat hij iets tegen zijn vrouw had gezegd, maar die vraag was een soort jeuk waaraan Draper niet mocht krabben. Het zat hem dwars dat hij het maar liet doorsudderen, dat hij er niet mee kon afrekenen zoals hij dat met alle andere dingen deed. Nu hij in het donkere labyrint van Hector Avalos kwam, voelde hij zich nog meer gespannen. Laurel had inmiddels vast al wel met Hood gepraat. En toch was die niet naar hem teruggekomen met meer vragen over Terry; dus misschien wist Laurel niet wat haar man deed.

Het was goed.

Het zou goedkomen.

Draper droeg straatkleren. Naast hem in de Cayenne stond zijn leren aktetas.

Zoals gewoonlijk keken Hector Avalos' gewapende mannen naar hem terwijl hij door de zijstraat in Cudahy reed. Zoals gewoonlijk escorteerden andere *pistoleros* zijn auto stoïcijns door het straatje en door een brede ingang het pakhuis in. Toen hij binnen was, bleven ze bij hem tot hij was uitgestapt. Vervolgens lieten ze hem zelf zijn weg zoeken door het labyrint van donkere kamers en gangen waaruit het zuidelijke deel van het grote gebouw bestond.

Het was een vrijdagavondritueel geworden dat Draper bij de laatste deur zijn vuist tegen die van Rocky drukte, Hectors nummer twee en meest vertrouwde lijfwacht. Ze praatten even in een mengeling van Spaans en Engels waarmee ze zich onderling verstaanbaar konden maken. Rocky was een kleine spierbundel met een landkaart van tatoeages die op zijn achterhoofd begon en zich over zijn rug, schouders en armen uitstrekte. Hij kende sommigen van de *hermanos* met wie Draper in Jacumba was opgegroeid, slimme drugskoeriers in de woestijn die de politie konden ontwijken door gebruik te maken van het onmetelijke netwerk van zandweggetjes, grotten, tunnels en verborgen bruggen waardoor Jacumba aan beide kanten van de grens omringd werd. Ze praatten even over wat er met Terry Laws was gebeurd. Ze wisselden een harde, zwijgende, veelbetekenende blik en drukten toen hun vuisten weer tegen elkaar aan. Draper klopte drie keer hard op de deur, wachtte even en klopte toen nog twee keer.

'Ik hoor het geheime klopsignaal,' hoorde hij Avalos roepen. 'Kom binnen. Kom binnen!'

Draper duwde de zware metalen deur open en kwam in Avalos' arena voor hondengevechten.

Het was een grote ruimte met een hoog plafond en vrijliggende balken. Een deel ervan was nu verlicht. In een van de muren was een verhoogde 'vipbox' ingebouwd, met glazen schuifdeuren waardoor je de gevechten kon zien. Zoals altijd zat Hector in die box tv te kijken. Camilla, zijn vrouw, zat naast hem. Het licht van de tv gleed met aritmische flitsen over het glas.

Draper zwaaide naar hen en liep naar de trap van de box. Hij rook de gemorste alcohol en het bleekmiddel dat na de gevechten werd gebruikt om de vloer van de arena schoon te maken.

Draper ging de box binnen, gaf Hector een hand en knikte Camilla toe. Het echtpaar zat op een rode leren bank tegenover de arena. De televisie stond op de vloer. Er was een bar aan de achterkant van de box, en daar stonden ook een koelkast, een kamerscherm en een bed. Er waren twee luie stoelen, die ook naar de arena toe stonden, en er waren zes extra barkrukken, die dicht voor de glazen schuifdeuren gezet konden worden en dan een onbelemmerd zicht te bieden hadden op alles wat er beneden gebeurde. Bij de schuifdeuren stonden vier grote koffers met wieltjes, de handgrepen uitgetrokken, klaar om te vertrekken. Draper zat in een bultige schommelstoel met een plaid eroverheen, tegenover Hector en Camilla, met de salontafel tussen hen in. Hij zette de aktetas naast zich op de vloer.

Avalos was groot, kaal en gladgeschoren, afgezien van een grote, borstelige snor die hij lang liet groeien. Hij zag er confucianistisch uit. Onder zijn ogen zaten vijf kleine getatoeëerde tranen; een traan voor elke moord die hij had gepleegd. Hij droeg een nieuw vest. Hij had een treurig gezicht en zijn ogen waren donker en berekenend. Hij dronk gin en *tamarindo* uit een groot rood glas van plastic.

Camilla was een *nalgona* – een vrouw met een dikke kont – en ze was sterk. Haar lange zwarte haar hing omlaag in krulletjes, die op en neer gingen als slangen die zich om een boom hadden geslingerd. Haar gezicht was bleek en haar lippen waren zwart. Ze zat naast haar man op de bank en liet haar hand hoog op zijn dij rusten.

'Wat is er met Terry gebeurd?' vroeg Avalos. 'De kranten weten niks.'

'Hij is doodgeschoten door een Blood.'

'Terwijl hij aan het werk was, man? Zijn uniform aan, en toch deden ze dat?'

'Zo is het gegaan.'

'Dat is net Tijuana, man, net Tijuana.'

'Het was in Lancaster.'

'Maar jij was er niet bij.'

'Ik had die nacht geen dienst.'

Draper begreep wat hij bedoelde, maar ging er niet op in. Avalos was een ware kampioen in het verdenken van mensen. Hij had borderline of was misschien zelfs klinisch paranoïde.

'Verschrikkelijk, man, verschrikkelijk,' zei Avalos. Hij nam een grote slok gin. Als hij dronken was, raakte hij eerst in gedachten verzonken, werd dan introspectief en vervolgens onvoorspelbaar. 'Ik raak mijn vrienden kwijt. Jij raakt jouw vriend kwijt. We zitten in een lelijke business.'

'Met wie ga je je geld nu delen?' vroeg Camilla.

'Misschien met niemand,' antwoordde Draper.

'El Tigre zal je dwingen een andere compagnon te nemen,' zei Avalos. 'Hij zal je vertellen wie dat wordt. Hij wil zijn eigendom niet in gevaar brengen, voor jou niet en voor niemand niet.'

'Daar zullen we over praten,' zei Draper. 'Hoe hebben we het deze week gedaan?'

'Ja, ja, heel goed.'

Zoals altijd bood Avalos hem iets te drinken aan, en zoals altijd weigerde Draper met een beroep op het werk dat hem te wachten stond. Draper haalde een pakje bankbiljetten uit de zak van zijn jasje en legde het voor Avalos op de salontafel neer. Duizend dollar: zijn wekelijkse afdracht die hij betaalde uit de vier procent die hij de week daarvoor had gekregen. Dit geld – in combinatie met Hectors onwankelbare vermoeden dat zijn vroegere koeriers hem hadden bedrogen – had de deur naar het Baja Norte-kartel voor Draper geopend.

Camilla bestudeerde een zwartgelakte nagel en legde haar hand toen weer op Hectors dij.

Draper keek door het glas van de schuifdeuren. De arena bevond zich in het midden van de ruimte en had een betonnen vloer en wanden van dikke multiplexpanelen, die rood, geel en groen waren geverfd. Aan drie kanten stonden er tribunes omheen. Lange tl-buizen hingen twee aan twee met kettingen aan het plafond. Er waren geen ramen. Achter de tribunes stonden industriële vloerventilatoren om verkoeling te schenken aan de bloeddorstige menigte die deze ruimte eens per maand vulde.

'Dan ga ik nu maar mijn werk doen,' zei Draper.

'Ja, ja,' zei Avalos. Hij was een ongeduldige man, die dacht dat je tijd bespaarde als je dingen twee keer snel achter elkaar zei.

Draper pakte zijn aktetas en zette hem op de bar. Hij nam de digitale weegschaal, zette die ook op de bar en drukte op de aan-, uit- en de resetknop. Toen bracht hij de koffers met twee tegelijk naar de bar, ritste ze open, nam de pakjes bankbiljetten en ging naar de andere kant van de bar. Hij haalde de dikke elastieken eraf en woog de pakjes.

Camilla ging op een kruk zitten en keek toe. Ze dronk door een rietje uit net zo'n groot rood glas van plastic als Hector, en Draper rook de whisky die erin zat. Ze had altijd een andere cocktailjapon aan, en die van vanavond was van bordeauxrood fluweel en zwarte kant. Haar parfum was sterk en sensueel. Er stond een kleine cd-speler op de bar en Camilla zette een paar *corridos* op: verhalen over dappere en aantrekkelijke drugssmokkelaars en de domme politieagenten die hen nooit te pakken kunnen krijgen. Ze neuriede mee.

Draper negeerde haar. Hij wist dat ze er een hekel aan had om genegeerd te worden en hij genoot echt van dit karweitje. Zachtjes fluitend ging hij aan het werk. Hij stond versteld van de simpele rekensom die alleen gecreëerd kon zijn door een liefhebbende God:

Een kilo vijfjes bevatte negenhonderdzestig biljetten met een waarde van 4.800 dollar.

Een kilo twintigjes bevatte negenhonderdzestig biljetten met een waarde van 19.200 dollar.

Een kilo honderdjes bevatte negenhonderdzestig biljetten met een waarde van 96.000 dollar.

Hij woog elk pakje twee keer, maar de weegschaal was snel en accuraat. Een paar minuten later had hij alles in stapeltjes op de bar liggen om het te fotograferen: een kilo honderdjes, drie kilo vijftigjes, tien kilo twintigjes en tweeënhalve kilo vijfjes.

Draper had geen rekenmachine nodig om te weten dat hij daar 144.000 dollar had liggen. Het was de beste week tot dan toe. Zijn vier procent zou 17.760 dollar zijn, en dat zou hij over een paar uur in zijn zak hebben. Hij miste Terry, maar het was geweldig dat hij het geld niet hoefde te delen. Hij zette de vacuümmachine aan om deze warm te laten worden.

Camilla keek hem met een overdreven glimlach aan en Draper glimlachte terug.

'Camilla,' zei hij. 'Dit doet me denken aan de tijd dat ik naar de kerk ging en de dominee zei dat God en Jezus ons bij zich in de hemel willen hebben. Ze wíllen ons daar hebben. En ze krijgen altijd wat ze willen, want ze zijn God en Jezus, nietwaar? Ik weet nog wat ik toen dacht: de wereld is een en al schoonheid en vergeving. Ik voelde me enorm gelukkig, alleen omdat ik leefde. Enorm. Zo voel ik me nu ook.'

'Je ouwehoert, Coleman,' zei ze. 'Daar gaat het bij Jezus helemaal niet om.'

'Hou je kop, allebei,' zei Hector. 'Wat heb je, Draper, wat heb je?'

'Vierhonderdvierenveertigduizend.'

'Zorg er dan voor dat het in El Dorado komt, anders krijg je vanavond je eigen *cojones* te eten. Oké?'

'Ja, Hector. Dat is van het begin af aan heel duidelijk geweest. Je hebt er altijd zin in gehad me mijn eigen ballen te voeren.'

Draper haalde een kleine camera uit zijn tas en fotografeerde de pakjes geld. Hij controleerde de vacuümmachine om er zeker van te zijn dat de rol met zakken erin zat. Toen ging hij aan het werk. De machine heette de GameSaver Turbo. Hij kon vijftig pakjes geld vacuüm verpakken zonder oververhit te raken. Draper was gek op die machine, die zo efficiënt was en zijn geld zo gretig verpakte.

Toen hij klaar was, deed hij de pakjes in de vier koffers en gooide hij goedkope vodden van een uitdragerij erbij om de koffers realistisch op te vullen.

'Zeg maar tegen Carlos dat we goede zaken hebben gedaan,' zei Camilla.

'Dat hoef ik niet te zeggen.'

'Verwennen zijn vrouwen je nog steeds?'

'Het zijn goede vrouwen.'

'Het zijn hoeren.'

Hector, Camilla en Rocky hielpen hem de koffers naar de Cayenne te dragen.

'Je hebt steeds een andere auto,' zei Hector.

'Ik leen ze van vrienden. Ik neem steeds een andere, omdat ze bij de grenscontrole op auto's en kentekens letten, niet op gezichten.' En het hielp dat hij altijd goed onderhouden wagens van zijn Prestige-klanten kon lenen. Als hij daarna met de kilometerteller knoeide, merkten ze er niets van.

'Ik wist niet dat een eerlijke politieman zoveel geld verdiende,' zei Avalos glimlachend. 'Rij voorzichtig. Beter om elf uur thuis dan om tien uur in het ziekenhuis.'

'Ja,' zei Draper.

Hector gaf zijn lege rode glas aan Rocky. 'Schenk nog eens vol, man. *Pronto, pronto.*'

Herredia was heel blij met zijn zestienenhalve kilo Amerikaans geld. Hij zat achter zijn grote stalen bureau in El Dorado en nam slokjes heel donkere tequila. De koffers lagen plat op de vloer en de stapels vacuümpakjes stonden netjes naast de weegschaal.

Hij keek Draper aan. Zijn dikke wenkbrauwen gingen op en neer en bij elkaar vandaan. Hij keek gevoelvol. 'Op dit krankzinnige leven, Coleman.'

'Ja,' zei Draper, en hij hield een onzichtbaar whiskyglas omhoog.

De oude man, Felipe, zat waar hij altijd zat, maar hij had zijn geweer achter zich tegen de muur gezet in plaats van het op zijn schoot te houden: een gebaar van vertrouwen.

'Ik schrok erg toen ik dat van Terry hoorde,' zei Herredia.

'Ik ook. Ik kan het nog steeds niet geloven.'

'Een zwarte Amerikaanse gangster?'

'Dat heeft een getuige gezien.'

Draper voelde dat alle aandacht van Herredia op hem gericht was.

'Ik vind het erg jammer,' zei Herredia. 'Ik had bewondering voor hem. Maar ik geloof dat hij gevaarlijk werd. Dat weet je.'

Draper knikte en keek naar zijn handen.

'Maar nu is er twee keer zoveel voor jou,' zei Herredia.

'Ja.'

'Ben je daar niet blij mee?' vroeg Herredia.

'Ik ben blij met twee keer zoveel.'

'Maar je drinkt niet. Je praat niet met me.'

'Het was vanavond een lange rit.'

'Je hebt je bed en je hoer.'

'Ik heb een echte vrouw in mijn leven,' zei Draper.

Herredia keek verbaasd, maar toen knikte hij alsof hij het begreep.

'En ik ga vanavond naar huis,' zei Draper. 'Met alle respect, Carlos.'

Draper schatte dat Herredia tegenwoordig meer dan twee miljoen dollar per maand binnenhaalde. Hij wist dat de Eme-factie die door Avalos werd geleid het meeste geld voor hem verzamelde. De bende kreeg dat geld van de honderden straatcriminelen die spul verkochten, respect betuigden en belastingen betaalden. Maar Herredia had nog meer regelingen. De drugswereld zat vol geheime bondgenootschappen; sommige erg oud en andere erg nieuw, zoals de plotselinge en dramatische entree van Draper en Laws als nieuwe koeriers van Herredia. Die wereld was voortdurend in beweging. Loyaliteiten verschoven. Bondgenoten werden vijanden. Vrienden werden doden. De kartels waren net zo ingewikkeld als het Vaticaan.

En Draper had altijd geloofd dat chaos kansen bood.

'Con permiso,' zei hij. Hij stond langzaam op en deed twee stappen naar Herredia's bureau toe. Hij vouwde zijn handen voor zich en keek eerst in Herredia's nu dreigende gezicht en toen naar de tegels op de vloer.

'Ik denk...'

'Je denkt dat ik je ga dwingen een nieuwe compagnon te nemen.'

'Dat is ook...'

'Stil, gringo. En luister naar mijn goede nieuws. Je hebt mijn vertrouwen en respect. Je hebt je pistool en je insigne, als je ze nodig hebt. In twee jaar tijd ben je nooit te laat geweest en had je nooit te weinig bij je. Je hebt me nooit een reden gegeven om me zorgen te maken. Daarom zeg ik dit tegen je: je zult voor me blijven werken, in je eentje, als je dat wilt.'

Draper maakte een lichte buiging. 'Uw vertrouwen betekent veel voor me. Maar...'

'En je krijgt vijf procent, niet vier, van alles wat je hier aflevert.'

Draper was echt stomverbaasd en hoefde dus niet te doen alsof. 'Ik wil iets zeggen, maar het kost me moeite.'

'Waarschijnlijk omdat ik je onderbreek. Vertel me eens, Coleman: wat probeer je te zeggen?'

'Avalos bedriegt u.'

Draper hoorde dat de oude man achter hem bewoog. Hij hoorde ook het zachte metalen geluid van het geweer dat bij de muur vandaan werd gepakt.

'Ik ben soms een beetje doof,' zei Herredia.

'Avalos bedriegt u.'

'Bewijs dat eens.'

'Dat kan ik niet. Maar Rocky wel. Hij heeft het gezien. Rocky is bang

dat als u erachter komt, u hem samen met Hector en Camilla laat vermoorden. Ik heb tegen hem gezegd dat ik dat zou proberen te voorkomen.'

'Hoeveel steelt Hector van me?'

'Elke week ongeveer twee procent. Camilla neemt het voordat de
bankbiljetten worden gestapeld, geperst en gewogen. Een paar honderd hier, een paar honderd daar, van veel verschillende mensen. Rocky zegt dat ze er trots op is dat ze dat durft. Ze vindt het niet nodig
haar diefstal te verbergen. Maar Hector ziet het haar nooit doen en
kan dus tegen zichzelf zeggen dat er niets te zien valt. En dus kan hij
tegen ons allemaal zeggen dat er niets aan de hand is.'

Herredia's ogen waren weer zo zwart als ooit. Het was of er gordijnen waren dichtgetrokken om geheimen uit het zicht te houden.

Even later riep Herredia het ene bevel na het andere, allemaal in
Mexicaans Spaans en doorspekt met krachttermen. Draper kon bijna
geen touw vastknopen aan de snelle frases, met een heleboel namen
die hij nooit had gehoord.

De oude man luisterde, zijn gezicht donker en zo gerimpeld als een
perzikpit, zijn haar lang en wit. Toen verdween hij.

'Je zult de nacht hier doorbrengen en we zullen praten, Coleman.
Vanavond wil ik praten.'

Tot zijn verbazing zag Draper droefheid in Herredia's ogen.

In het duister van de nacht stond Draper voor het Amerikaanse douanehokje in San Ysidro. Hij liet zijn insigne en identiteitsbewijs van de
LASD zien en gaf antwoord op de gebruikelijke vragen: twee dagen,
vrienden in La Fonda, de aankoop van twee flessen Santo Tomas-tafel-
wijn en een zilveren armband met turkoois. Die voorwerpen, hem
verstrekt door een van Herredia's vrolijke koks, zaten in kartonnen
dozen die naast hem stonden. Zijn visgerei lag achterin. Zijn dollars
zaten in vacuümverpakking in een bumperholte.

'Hoe vaak per jaar steekt u deze grens over?' vroeg de ambtenaar.

'Zes of acht keer,' zei Draper. 'Ik tel het niet.'

'Wat doet u?'

'Ik ga vissen.'

'Waarop?'

'Snapper. Baars. Snoek. Tonijn, als ik geluk heb.'

De douanier tuurde achter in de auto. Draper zag de tweede ambtenaar bij het raampje aan de passagierskant verschijnen en liet het om-
laaggaan.

De douanier maakte het achterportier open, trok een van de dozen over de zitting en zocht erin. Hij gooide het portier dicht en liep naar de achterkant van de auto, en Draper maakte de klep voor hem open. In zijn spiegeltje zag Draper dat de man in zijn visgerei aan het graaien was.

'Rustige nacht?' riep hij naar achteren.

Geen antwoord. Hij wist dat die idioten niets zouden ontdekken. Zelfs als ze hem aan een tweede inspectie onderwierpen, zouden hun snuffelhonden de vacuüm verpakte bankbiljetten niet gemakkelijk vinden.

Toen ging de klep dicht en gaf de man links van hem een teken dat hij kon doorrijden.

'Gaat u maar verder, agent Draper.'

Hij reed met de maximumsnelheid over de Interstate 5 naar het noorden, maar zijn gedachten werden in beslag genomen door Herredia's voorstel, de details en mogelijkheden daarvan, en de mogelijke gevolgen.

Toen hij in Solana Beach was, belde hij Alexia. Ze nam meteen op.

'Ik ben weggeroepen,' zei hij. 'Ik vind het heel erg.'

Hij hoorde dat ze even haar adem inhield. Toen fluisterde ze: 'Coleman, ik hou van je.'

'Ik kom levend en wel bij jou en Brittany terug. Dat beloof ik je plechtig.'

'Ik zal bidden en wachten. En als je terugkomt, ben ik er helemaal voor jou.'

'Dan ben ik er ook helemaal voor jou, Alexia.'

Hij verbrak de verbinding en belde Juliet in Laguna. Hij kreeg haar antwoordapparaat, sprak haar naam uit en wachtte.

'Coleman?'

'Ik ben thuis.'

'Ik weet niet waarom ik dit doe.'

'Dat weet je wel. Ik ben er binnen een uur.'

Ze nam niet de moeite uit bed te komen. Hij douchte in het donker en kwam naast haar liggen. Ze deed alsof ze sliep, gedroeg zich toen vaag ontvankelijk en pakte Draper gretig vast en vluchtte naar die plaats die ze niet kon zien of benoemen, een plaats van haar alleen, ergens achter of voorbij haar dichtgeknepen ogen.

12

Hoods telefoon ging 's morgens vroeg, niet lang nadat hij in het Hol was aangekomen.

'Latrenya heeft haar verhaal veranderd,' zei Bentley. 'Ze zegt nu dat Londell de hele nacht weg was, voor zaken in South Central. Ze zag hem pas de volgende morgen terug. Ze zei dat ze tegen ons loog omdat Londell haar dreigde te vermoorden als ze de waarheid vertelde. Ze heeft Tawna en Anton ook bij het complot betrokken. Maar Londell heeft Latrenya nu in elkaar geslagen om iets heel anders, omdat ze steeds dikker wordt of zo. We zijn gebeld door het ziekenhuis. Latrenya wilde geen aangifte doen, maar we hebben twee agenten gestuurd om Londell te arresteren. Hij spoot traangas in hun gezicht. Nu is hij voortvluchtig en is er iets meer reden om hem van de moord op Terry te verdenken. Over tien minuten doorzoeken we Londells huis in Oasis. Je bent van harte uitgenodigd.'

Hood, Bentley en Orr stonden dicht tegen elkaar aan in het kleine kantoortje van Sanjay, de beheerder van de Oasis. Sanjay was een jonge Indiër die gretig rookte en zei dat hij geen problemen wilde. Hij zei dat Londell Dwayne onbeschoft was, maar altijd zijn huur betaalde, zij het nooit op tijd. En hij draaide harde muziek.

De mannen beklommen de wankele trap en liepen achter elkaar naar de deur van Dwaynes appartement. Het was daar nu stil; geen Londell, geen Latrenya, geen muziek. Orr klopte op de deur. Hood zag dat de folie op de ramen te lijden had gehad van de sneeuwbui.

Sanjay drukte zijn sigaret uit en haalde de voordeur van het slot. Toen het open was, duwde Bentley hem zacht maar onverbiddelijk weg en zei tegen hem dat hij buiten moest blijven.

Met zijn colbertje open en zijn hand op de kolf van zijn pistool draaide Bentley de knop om en duwde de deur open. 'Politie,' riep hij. 'We komen binnen.'

De woning was klein en rook naar hasj en bacon. De vloerbedekking was vuil en er zaten gele vlekken op het structuurplafond. De gootsteen in de keuken stond vol met borden en de koelkast maakte veel lawaai. Er was een werkblad tussen de keuken en de huiskamer en daar stonden borden met oud voedsel op, en ook veel lege bierflesjes.

Orr liep met getrokken wapen door de gang en ging een slaapkamer binnen. Hood liep hem met zijn pistool aan zijn zij voorbij, ging de volgende kamer in en deed daar het licht aan.

Het was een klein kamertje met hoge, kleine ramen. Het was koud en deed Hood aan het Hol denken. In een hoek lag een matras op de vloer, met een berg lakens en dekens erop. In een andere hoek lagen vuile kleren. Hood zag een Detroit Tigers-capuchontrui, maar daar zat geen bloed op. Dieper in de stapel lagen twee rode halsdoeken. Hood zag dat een daarvan in piratenstijl om het hoofd gedragen was, geknoopt en met een opgerolde rand en een losse flap aan de bovenkant. Hij legde ze naast het zwarte sweatshirt op de vloer.

Er stond een lage kast met openhangende laden tegen een van de muren. Erbovenop lagen twee lege sigarettenpakjes, vier wapenmagazijnen en een zwart uitgeslagen hasjpijp. De deuren van de kleerkast hingen scheef, maar Hood kreeg er een ver genoeg open om erin te kunnen kijken: een paar metalen hangertjes, een paar overhemden, een stel versleten sportschoenen op de vloer.

Hood zocht in de ladekast naar zwarte handschoenen, maar vond ze niet. Er lag niets onder het bed. Hij stond naar het Detroit-sweatshirt en de halsdoeken te kijken.

Toen kwam Orrs stem uit de andere slaapkamer: 'Heren, hier hebben we iets.'

Het was benauwd in de kamer, die voor het grootste deel door een royaal bed in beslag werd genomen. Het matras was van de boxspring gehaald. Bentley en Orr stonden in de kleine ruimte tussen het bed en de kast. Hood kwam bij hen staan en zag de M249 saw in een primitieve uitsparing in de boxspring liggen. De buitenstof was opengesneden en er was een meter uit een van de latten gebroken. Het geweer zat klem in de kleine ruimte. Orr legde de flap terug die in het buitenmateriaal was uitgesneden om het wapen te verbergen en trok hem weer omhoog.

'Hij hangt,' zei hij.

13

Tegen het eind van de ochtend stond Hood op de afslag Avenue M van Highway 14, de plaats waar Johnny Vasquez en Angel Lopes waren doodgeschoten. Het was een koele dag met nu en dan een lichte bries.

Hij liet het moordboek van Dave Freeman op zijn linkerarm balanceren en gebruikte de tekeningen en foto's van de plaats delict om de plek te vinden waar het busje had gestaan. Daar zag hij nu alleen nog maar zand en grind.

Volgens Laws' proces-verbaal waren de motor en lichten van het busje uit geweest toen ze daar aankwamen.

Rechercheur Freeman had de temperatuur op zevenentwintig graden geschat, en hij schreef dat het een heldere, winderige nacht was. Het was nieuwe maan geweest op 12 augustus, vier dagen eerder, en het maanlicht stelde dus niet veel voor.

Hood bladerde verder: de volgende dag was het geen probleem geweest om het busje op het parkeerterrein van de politie te starten en stationair te laten draaien. De banden waren goed. De tank was vol. Er stond vermeld dat er achter in het busje platgedrukte aardbeien waren gevonden en dat deze voorin uit een mand waren gevallen.

Verderop las Hood dat Vasquez en Lopes allebei in Lancaster woonden.

Nou, dacht hij: twee mannen, gangsters uit het middenkader die onder auspiciën van de Eme opereerden en vermoedelijk werkzaam waren voor het Baja Norte-kartel, om twee uur 's nachts op weg naar het zuiden met voor 7.200 dollar aan samengeperste briefjes van vijf in twee koffers.

Hij praatte in zijn recorder: 'Waarom twee grote koffers voor maar 7.200 dollar? Waarom zo'n klein bedrag samengeperst in pakken?'

Hij vond de foto die de technische recherche van de twee koffers in de woestijn had gemaakt. De kleren lagen verstrooid over de weg. Veel kleren. Het leek wel een tafel op een rommelmarkt. Hood vroeg zich af hoe ze in die twee koffers hadden gepast, hoe groot die ook waren.

Opnieuw in de recorder: 'Hoe konden er zoveel kleren in twee koffers passen?'

Toen liep hij langzaam om de plaats heen waar het busje had gestaan.

Weer een vraag voor de recorder: 'Waarom stopten ze op de afrit? Illegaal, duidelijk in het zicht, geen autopech.'

Hij legde het moordboek op de motorkap van zijn auto en vond de bladzijden over ballistiek. Aan de hand van de kogelwonden en de houdingen waarin de lichamen van de slachtoffers hadden gelegen, was vastgesteld dat alle vier de schoten waren afgevuurd door het raam aan de passagierskant. Eichrodt had een Taurus 9mm gebruikt, een goedkoop wapen, niet geregistreerd. Hij had Angel Lopes, de man die het dichtst bij hem zat, het eerst doodgeschoten. Lopes was in elkaar gezakt en had zich enigszins weggedraaid toen het tweede schot hem in zijn rechterslaap trof. Intussen had Vasquez blijkbaar geprobeerd uit het busje te komen. Het eerste schot had zijn achterhoofd getroffen en de tweede kogel was door zijn rechteroor naar binnen gegaan.

Hood vergeleek de tekeningen van de vuurlijnen met de foto's die op de plaats delict waren gemaakt. Het was volkomen logisch. Uit al dat bloed, al die gruwelijke omstandigheden kwam een duidelijk beeld naar voren.

'Maar het waren Eme-koeriers,' zei hij tegen de recorder. 'Waar waren hun wapens? Waarom gebruikten ze die niet? Werden ze verrast? Kenden ze Eichrodt? Verwachtten ze hem?'

Hij vond foto's van de wapens die in het busje waren gevonden. Het waren er twee en ze hadden allebei binnen handbereik gelegen. Toch had geen van beide mannen zelfs maar zijn hand op een wapen gelegd, terwijl de dader toch voor hun raam stond.

Hood liep met het boek terug naar de plaats waar het busje had gestaan.

Hij kon zich moeilijk voorstellen dat die kerels verrast waren, tenzij ze allebei erg dronken of moe waren geweest. Hij vond hun sectierapporten en keek of ze alcohol in hun bloed hadden gehad. Nee, niets. Wel hadden ze allebei een beperkte hoeveelheid amfetaminen geslikt. Een lange nacht voor de boeg, dacht hij. Ze hadden zich chemisch versterkt voor de lange rit. Werden ze verrast door een schutter van twee meter en honderdveertig kilo terwijl ze op een afrit stonden en hun raampjes open hadden gedaan tegen de hitte? Eichrodt had zich daar nergens kunnen verbergen. Het was een donkere nacht, maar zelfs een prairiehaas had zich niet kunnen verstoppen op de plaats waar Hood nu stond.

Nee. Ze waren niet verrast, dacht hij. Ze reageerden gewoon niet. Waarom niet?

Freeman was tot de conclusie gekomen dat Eichrodt en de twee koeriers elkaar niet kenden. Hij had dezelfde vraag gesteld die Hood stelde: waarom hadden ze niet gereageerd? En hij had er geen antwoord op gekregen.

Hood bladerde in het moordboek. Hij keek naar de schema's, las de woorden en liet zijn gedachten de vrije loop terwijl zijn handen de ene na de andere bladzijde omsloegen.

Een paar minuten later viel hem weer iets op. Hij keek naar een foto van de koperen patroonhulzen die in Eichrodts pick-uptruck waren gevonden. Pas toen hij er een lange, stille minuut naar had gekeken, besefte hij iets: de hulzen waren in dezelfde afsluitbare gereedschapskist gegooid als het wapen en het geld. Het waren er vier, een voor elk schot dat was gelost. Ze waren dik besmeurd met bloed. Hij stelde zich de situatie voor, de volgorde van de schoten, de afstanden en de doelen. Hij stelde zich voor hoe Eichrodt zijn hulzen had opgeraapt. En het was ook vreemd dat die hulzen zo onder het bloed zaten. Aangeraakt met bloed? Oké, dacht hij. Gevlekt met bloed dat van Lopes, het dichtstbijzijnde slachtoffer, op Eichrodts vingers was gekomen? Misschien. Maar alle vier de hulzen onder het bloed? Nee.

En dus keek hij naar de laboratoriumrapporten en vond daar wat hij verwachtte: de vingerafdrukken op alle vier de hulzen waren van Eichrodt. Maar hij kon niets over het bloed zelf vinden. Van wie was het? En wat nog belangrijker was: waarom was er zoveel van?

Hij zat in de auto met de ramen open om de koele woestijnwind binnen te laten. Het duurde even voor hij verbinding had met de technisch rechercheur die de vingerafdrukken van de hulzen had opgenomen. Keith Franks sprak met een zachte, hoge stem, die jong klonk. Hij zei tegen Hood dat de afdrukken duidelijk en gemakkelijk van de hulzen waren gekomen. Ze waren van Eichrodt. Hij zei dat hij het bloed op de hulzen niet had onderzocht omdat zijn chef had gezegd dat daar geen reden voor was: Eichrodts afdrukken en Lopes' bloed zaten op de Taurus 9mm en meer bewijs had de officier van justitie niet nodig. Het leed geen enkele twijfel dat Eichrodt met het wapen had geschoten. En natuurlijk was het laboratorium overbelast.

Hood bladerde naar de foto's van de Taurus en zag dat die ook onder het bloed zat. Er waren druppeltjes op de loop gesproeid, zoals je zou verwachten: bloed van meneer Lopes. Maar op de kolf, de trekker en de trekkerbeugel zat nog meer bloed. Die lagere, dikkere sporen waren niet geïdentificeerd.

'Ik wil dat je het bloed op de hulzen onderzoekt,' zei hij. 'En op de kolf, de trekker en de trekkerbeugel van de Taurus.'

'Rechercheur, die zaak is gesloten.'

'Ik laat hem heropenen door de officier van justitie.'

'Je weet dat ze dat niet doen. Die zaak was volkomen duidelijk.'

'Waarom gebruikten Vasquez en Lopes dan twee grote koffers voor maar zevenduizend en nog wat dollar? Hoe kregen ze al die kleren en dat geld in die twee koffers? Waarom stopten ze in het donker in de woestijn, en nog ergens in het volle zicht ook? Waarom hebben ze zich niet verdedigd? Waarom zaten Eichrodts hulzen onder het bloed? En zijn pistool? Er is te veel bloed. Dat bloed klopt niet, en dat weet je.'

Een ogenblik dacht Hood dat Franks had opgehangen. De koele bries siste tegen de telefoon en hij ging er met zijn rug naartoe staan.

'Hoe heet je, agent?' vroeg Franks.

'Charlie Hood. Ik ben jong, net als jij, en we moeten elkaar helpen, want wij zijn de toekomst. Tenminste, dat zeggen ze.'

Franks zweeg een hele tijd. 'Ik ben vierenzestig. Geef me je nummers.'

14

Een paar minuten later parkeerde Hood langs Pearblossom Highway op de plaats bij de ruïnes van de Llano del Rio-utopie waar Laws en Draper met Shay Eichrodt hadden gevochten. De natuurstenen zuilen van het oude gemeenschapsgebouw verhieven zich uit de harde grond. De weg was lichtgrijs gebleekt door de zon en een raaf liet zich door de wind meevoeren naar de dichtstbijzijnde yucca, zijn vleugels gestrekt, zijn lijf gekruisigd op de lange stekels.

Hood liep naar de plaats waar Eichrodts pick-uptruck was aangehouden. Grote vrachtwagencombinaties denderden over de weg. Hij voelde hun trillingen in zijn borst.

Hij ging op een oud muurtje van rivierstenen zitten en las Laws' arrestatierapport, geschreven in de moeizame, met jargon beladen stijl van de meeste politiemensen.

... om ca. 04.20 uur observeerden wij een pick-uptruck, rood, met een kenteken dat gedeeltelijk overeenkwam... de kennelijk bewusteloze verdachte stak vervolgens plotseling een been uit, hetgeen mij uit mijn evenwicht bracht, zodat ik viel... de verdachte verkeerde kennelijk onder invloed van een stimulerend middel... de verdachte werd uiteindelijk bedwongen...

Hood stelde zich het bloederige gevecht voor tussen twee sterke mannen met wapenstokken en een erg sterke man die zojuist twee mensen had vermoord en stijf van de drugs voor zijn eigen leven vocht.

Toen hij het rapport had gelezen, vroeg hij zich af of het hevige gevecht iets uit Terry Laws had gehaald, het ding waarvan Carla Vise had gezegd dat het verdwenen was en nooit was teruggekomen, zelfs niet toen de hechtingen waren verwijderd en de kneuzingen waren genezen.

Hood liet het moordboek op het muurtje liggen en liep tussen de ruïnes van Llano del Rio door. Hij had op school over deze socialistische utopie gelezen. Hij had altijd van verhalen gehouden die met goede bedoelingen begonnen en daarna gecompliceerd werden. De utopie was gesticht in 1914 en had zich drie jaar staande kunnen houden. Er waren perenboomgaarden, alfalfavelden en een moderne melkveehouderij, dat alles mogelijk gemaakt door een slim irrigatiesysteem dat water uit de door smeltwater gevoede Llano del Rio verspreidde. De utopisten verbouwden negentig procent van het voedsel dat ze nodig hadden. Er waren werkplaatsen om fruit in te blikken, schoenen te lappen, kleren te wassen en haar te knippen. Er werd een montessorischool opgericht, de eerste in het zuiden van Californië. Dat alles deden ze door samen te werken, niemand verdiende geld. Op gedetailleerde tekeningen van een toekomstig Llano zag je een stad van tienduizend mensen die in appartementen in ambachtelijke stijl woonden, met gezamenlijke wasserijen en keukens, omringd door een weg die ook als wedstrijdbaan voor autoraces zou fungeren. Er zouden zelfs tribunes komen. Als autoliefhebber had Hood het idee van die weg altijd op prijs gesteld. Hij vroeg zich af wat Ariel Reed ervan zou vinden. Maar Llano raakte zijn bankkrediet en waterrechten kwijt, en de leiders maakten ruzie. Ze werden tegengewerkt door machtige inwoners van Los Angeles, die niet gerust waren op het bizarre succes van Llano. Hood keek naar hoe het er nu uitzag: geen bord of gedenkteken, alleen een ruïne die de woestijnzwervers en trekarbeiders soms gebruikten om tijdelijk beschutting te vinden in de onherbergzame woestijn.

Kijkend naar die ruïnes dacht Hood aan de utopische idealen van gedeelde arbeid en gedeelde welvaart. Hij dacht aan Terry Laws, die de idealen van de liefdadigheid had gebruikt om zelf in een prachtig huis te kunnen wonen. De kolonie van Llano was voor een deel kapotgemaakt door hun eigen onderlinge ruzies en het wantrouwen van anderen. Terry Laws was kapotgemaakt door een man met een machinegeweer die iets wilde hebben wat hij had.

Maar daarvóór was iets goeds in hem al gestorven, zoals Carla Vise had opgemerkt.

Hood vroeg zich af of het misschien helemaal niet door die arrestatie kwam. Misschien was er iets anders wat Terry Laws voorgoed had veranderd. Iets wat hij had gedaan. Iets waarmee zelfs Superman niet kon leven. Iets waarmee hij zeven- tot achtduizend dollar per week had verdiend en waardoor hij zijn ziel had verloren.

Op de terugweg naar de gevangenis belde Hood een kennis bij Narcotica en vroeg hem waarom drugsgeld soms werd gewogen en in pakketjes samengeperst en soms niet.

'Transport,' zei hij. 'Het kost veel tijd om grote hoeveelheden geld te tellen, en die nemen ook te veel ruimte in. Dus wegen ze dat geld en persen ze het samen.' Hij heette Askew en had zijn hele carrière bij Narcotica gewerkt, vanaf de tijd dat hij als tweeëntwintigjarige jongen met een babyface als leerling-dealer undercover was gegaan op een middelbare school.

'Het grote geld gaat naar Mexico,' zei hij. 'Vóór 11 september ging het per vliegtuig vanuit Phoenix, San Diego of Los Angeles. Daarna werd de beveiliging op vliegvelden veel strenger, dus tegenwoordig doen ze het gewoon met de auto. Ongeveer een miljoen dollar per dag, driehonderdvijftig miljoen per jaar. De douane onderschept misschien twee procent daarvan. De Mexicaanse douane is er blij mee. Zelfs het Colombiaanse geld gaat via Mexico.'

'Wat is genoeg geld voor een rit naar het zuiden?'

'Wie weet? Laten we zeggen: honderdduizend.'

'En tweeënzeventighonderd?'

Hij lachte. 'Nee.'

'Hoe vaak?'

'De kartels hebben allemaal hun eigen tijdschema's en routes. En ze moeten de dingen steeds veranderen. Maar toch minstens één keer per week. Koeriers verdienen veel geld, maar betalen een hoge prijs als ze te laat komen of te weinig bij zich hebben. Vrouwen, kinderen; het staat allemaal op het spel.'

'Het Baja Norte-kartel,' zei Hood. 'Wat brengt dat per week gemiddeld naar Mexico?'

'O, een heleboel. Drie-, misschien wel vierhonderdduizend. Sinds de gebroeders Arrelano zijn uitgeschakeld, draait alles om Herredia. Doe je onderzoek naar Vasquez en Lopes?'

'Het boek ligt hier naast me.'

'Waarom?'

'Laten we het daar eens over hebben,' zei Hood.

'Ga me niet vertellen dat je problemen hebt met Eichrodt.'

Hood dacht daar even over na. 'Zo langzamerhand wel.'

'Weet je waarom? Omdat hij niet genóég was. Hij was een sukkel, een loser. Vasquez en Lopes waren professionals. Ze wisten wat ze deden. Ze zouden korte metten met Shay Eichrodt hebben gemaakt.'

'Vertel eens wat meer, inspecteur,' zei Hood.

'Ik denk dat ze die nacht een koeriersrit gingen maken. De bewijzen waren duidelijk. Ze waren high van de amfetamine voor de lange rit. Ze waren gewapend. Ze hadden verborgen geld – gewogen en geperst – in koffers met kleren. Ze hadden een volle tank en ze waren op weg naar het zuiden. Dat alles interesseerde de officier van justitie niet. Die had de vingerafdrukken, het bloed, het gestolen geld en een Aryan Brother met het moordwapen. De kans is vrij groot dat Eichrodt de schoten heeft gelost, maar ik denk dat hij niet alleen was. Ik heb me daar niet druk om gemaakt. Ik ben van Narcotica, weet je wel? De Buldogs en de juristen moeten het maar uitzoeken. Maar als ik gelijk heb, was er een medeplichtige en is er zo'n driehonderdduizend dollar verdwenen. Misschien meer; misschien minder. Waarom ben je daarin geïnteresseerd, Charlie? Jouw beurt om antwoorden te geven.'

'Laws heeft Eichrodt opgepakt. Ik ben op zoek naar vijanden van Laws.'

Hood zei niet dat hij zich ook afvroeg hoe Terry Laws de hand had gelegd op een paar honderdduizend dollar en of hij nu misschien de oplossing had gevonden.

Hij kreeg een idee.

Toen Hood in het Hol terug was, deed hij het licht aan. In het koude kamertje legde hij een stapel urenkaarten van Terry Laws op zijn bureau en ook een stapel op het bureau dat door Warren was gebruikt. De stapel op Hoods bureau was uit de tijd voor de arrestatie, en de kaarten op dat van Warren dateerden van daarna.

Hood bekeek Terry's urenkaarten van voor de arrestatie en zocht naar patronen en afwijkingen. Hij zag dat zijn adem wolkjes vormde.

Hij vond niets.

Maar toen hij de urenkaarten van na de arrestaties bekeek, de kaarten die op Warrens bureau lagen, zag Hood een patroon: Terry had twintig maanden achtereen niet op vrijdag gewerkt.

Hood herinnerde zich dat Terry het Build a Dream-geld altijd op maandag kwam storten, tenzij de bank dan dicht was.

Op vrijdag had Terry zijn tweede baan, dacht Hood. Drie dagen daarna stortte hij zijn loon op de bank.

Na zijn werk reed Hood naar een museumwinkel in een winkelcentrum in Los Angeles en vond terug wat hij daar in de vorige kersttijd had zien staan: een gigantische plastic H_2O-molecuul. Het ding stond op een voetstuk met daarin twee kleine batterijtjes, en als je het aanzette, buitelden de waterstof- en zuurstofatomen door de doorzichtige plastic buizen en veranderden ze van kleur. Het speelgoed werd aanbevolen voor kinderen van zeven jaar en ouder. Hood kocht het, nam er batterijen bij en liet het inpakken. Hij kocht ook een kaartje met een close-upfoto van een Ferrari-grille, en schreef daarop: 'Zaterdag over een week is een heel eind weg. Ben ik er eerder als ik hard rij? CH.'

Ariel was niet op kantoor, maar Hood kon met zijn politie-insigne de bewaker in de hal overhalen het naar haar kamer te brengen.

Hij reed enkele uren door Los Angeles voordat hij naar huis ging.

15

Het avondeten komt en we eten in stilte. Ik merk dat de jongen zijn best doet om mijn verhaal te verwerken zonder dat hij daar iets van laat blijken. Meer nog: hij probeert míj te verwerken. Maar je weet hoe belangrijk het voor jonge mensen is om zich cool voor te doen. Ik bestel weer bier voor ons. Hij is al een eind heen en doet zijn best daar niets van te laten blijken. Hij lepelt zijn misosoep op, eet tien plakken wilde zalm en maakt een kommetje rijst met sojasaus soldaat. Als hij niets meer op zijn bord heeft, steekt hij zijn tweede sigaar aan.

'Laws en ik hadden het dus goed voor elkaar,' zeg ik. 'We hebben het over zo'n zevenduizend dollar per persoon per week. We rijden een paar uur om het spul op te halen. We wegen en verpakken het. We rijden nog een paar uur om het af te leveren. We maken er een gezellige avond van met Herredia. Zo gaan er maanden voorbij, maar dan komen er problemen. Er komen altijd problemen. Er gaat iets mis met Terry. De Mexicanen hebben daar een woord voor: *gusano*. Dat betekent "worm", maar het betekent ook iets wat iemand vanbinnen opvreet. Nou, wat is het? Wat zit hem dwars?'

Ik kijk de jongen aan en hij observeert me aandachtig. Hij neemt een trekje van de sigaar en blaast de rook uit, maar ik zie dat hij met al zijn aandacht bij mij is, en bij de vraag die ik hem heb voorgelegd.

'Ik kan dat niet weten,' zegt hij, 'want je hebt iets uit het verhaal weggelaten. Je hebt me niet alle benodigde informatie gegeven.'

'Wat heb ik weggelaten?'

'Je verhaal over de koeriers en Eichrodt klopt niet. Hoe kan een sukkel die stijf van de drugs staat twee *veteranos* executeren, twee keiharde kartelkoeriers? Ik begrijp niet waarom die koeriers in het donker op die afrit gingen staan. Ze waren daar heel kwetsbaar. Waar waren hun pistolen? Hoe kon Eichrodt zich vermommen als iets anders dan een kerel van honderdveertig kilo? Kenden ze hem? Dat heeft niet in de kranten gestaan. En er zit me nog iets anders dwars: waarom hadden Laws en jij die nacht zoveel geluk? Hoe konden jullie het busje en de pick-uptruck zo gemakkelijk vinden? Waarom vond een ander koppel niet minstens één van die twee wagens eerder dan jullie?

En waarom vroegen jullie niet om assistentie toen jullie Eichrodt aan de kant hadden gezet? Hij werkte eerst mee. Dat begrijp ik ook niet. En hoe zat het met die tipgever? Waarom ziet hij alles en belt hij het door, maar wil hij zijn naam niet noemen? Dat komt wel erg mooi uit. Ik vertrouw hem niet. Ik denk dat hij er zelf bij betrokken was.'

'Je denkt als een politieman.'

'Het is gewoon een kwestie van gezond verstand.'

Ik begrijp dat ik op een tweesprong ben gekomen. Ik heb deze jongen in een paar weken tijd maar een paar keer ontmoet, maar we zijn al op het moment van de waarheid gekomen. Alleen de waarheid is sterk genoeg om het grote gewicht van de toekomst te dragen.

Zoals ik al eerder zei: ik geloof bijna in hem. Ik denk dat hij heeft wat ik zoek. Eén man kan veel bereiken, maar twee? En dan drie, en dan nog meer? Er zitten geen grenzen aan. Er is een team voor nodig. Er waren een aantal vooruitdenkende agenten in mijn afdeling in de jaren tachtig. Ze gaven elkaar namen en ze kregen respect. Het waren de Renegades, de Vikings, de Saxons en de Reapers. Zij begrepen de kracht van samenwerking. Ik heb nooit een van hen ontmoet. Maar ik kan je vertellen dat ze het goede idee hadden.

Ik buig me dicht naar hem toe en demp mijn stem.

'In werkelijkheid rijdt het busje, als we het voor het eerst zien, in zuidelijke richting over Highway 14 bij Avenue M. We zetten het aan de kant. Op dat moment zijn Lopes en Vasquez nog springlevend.'

Hij kijkt me aan met een uitdrukking die ik nooit eerder op zijn gezicht heb gezien. Het duurt even voor hij iets zegt. 'O, man.'

'Zeg dat wel, jongen. Wil je dat ik verderga? Je kunt nee zeggen, maar dan moet je dat nu doen. In het leven kun je niets terugnemen, en in dit verhaal kan het ook niet. Wat eenmaal is verteld, is verteld.'

'Ja. Ga verder.'

'Weet je het zeker? Ik bied je een uitweg aan.'

'Ik moet het weten.'

'Wat je hebt gehoord, kun je niet uitwissen.'

'Ik wil het horen.'

Ik buig me naar hem toe en fluister: 'Goed. Terry gaat naar de bestuurderskant en ik neem de passagierskant. De koeriers laten hun raampjes zakken. We praten. Ze eten aardbeien uit een mandje dat tussen hen in staat. Achter in het busje zijn dingen met dekens afgedekt. Die dekens worden door platte aardbeienkistjes op hun plaats gehouden. We weten wat er onder die dekens zit. Ik schiet Vasquez dood, en Terry zou Lopes doodschieten, maar hij kan de trekker niet overhalen. En dus doe ik het. Ik geef hun allebei een nieuw gezicht. We nemen het geld mee. Ik kan je niet uitleggen wat een sensationeel gevoel het is om twee criminelen te vermoorden en dan weg te rijden in een politiewagen met hun geld in de kofferbak. Het is de essentie van het leven zoals ik het ken. Ik bel de tip door en we zorgen voor wat bewijsmateriaal. Dan rijden we naar Pearblossom Highway en wachten tot Shay Eichrodt langskomt, op weg naar huis na een avondje kroeglopen.'

Hij kan zijn schrik niet camoufleren. Hij kijkt ook teleurgesteld, verward en bang. De emoties buitelen over elkaar heen en ik kan ze stuk voor stuk zien. Hij kijkt alsof hij getuige is geweest van iets wat zijn hele leven heeft veranderd.

En natuurlijk is dat inderdaad het geval.

Hij lijkt nu ouder. Zelf kan hij dat niet zien, maar ik wel. 'Nou,' zegt hij.

'Nou.'

'Echt?'

'Ja.'

'Ik weet niet wat ik moet denken of zeggen.'

'Het is al vaker gedacht en gezegd.'

'Alleen sta ik voor een soortgelijke situatie.'

'Natuurlijk.'

'Ik moet een beslissing nemen.'

'Ja. En ik wil er alles over horen. Het is ingewikkeld. In een leven dat de moeite waard is, is weinig eenvoud te vinden.'

Er volgt een lange stilte, waarin we nadenken over elkaars bekentenis.

'Waarom heb je het me verteld?' vraagt hij.

'Ik heb jou gekozen. En nu moet je weten wat er van je wordt verlangd. Dat is het verschil tussen een jongen en een man. Wil je de rest van het verhaal horen? Er is nog zoveel te vertellen.'

'Maar waarom heb je mij gekozen?'

'Om wie je bent.'

Hij leunt achterover en neemt een slok van zijn bier. 'Ik wil meer horen.'

16

De volgende morgen rende Draper in noordelijke richting over Main Beach in Laguna, met Juliet naast hem. De winterhemel was grijs en bij Rockpile zag hij een pelikaan zijn vleugels intrekken en in het woelige groene water duiken. Even later kwam de vogel weer boven. Hij stak zijn kop omhoog en er gleed een vissenstaart zijn snavel in. De golven waren klein en regelmatig.

Juliet was twee jaar ouder dan hij, eenendertig, maar het kostte haar geen moeite hem bij te houden. Hij trok haar dichter tegen zich aan en ze keek hem nors aan, alsof iets aan hem haar ergerde, iets onbelangrijks, hij zou niet weten wat. Hij wist alleen zeker dat hij de verpersoonlijking was van de walging die Juliet voor zichzelf voelde, en ook van de remedie daarvoor.

Ze had een bruine huid en bruine ogen en haar lichaam was sterk en soepel. Haar haar was blond en ze trok zich niets van stijlen en modes aan. Haar glimlach was zeldzaam en subtiel. Ze was mooi. Draper was nu een jaar bij haar, en daarvoor bij twee andere vrouwen in Laguna die sterk op haar leken, sinds hij tien jaar eerder uit Jacumba in het zuiden was gekomen. In Drapers ogen was ze een type dat zich gemakkelijk aangetrokken voelde tot leuke, vergevingsgezinde plaatsjes aan het strand; vrouwen die innerlijk diep getroffen waren, maar uiterlijk mooi en gezond.

'Ik vind het fijn om bij je thuis te zijn,' zei hij. 'Het doet me goed.'

Ze zei niets terug.

Ze renden het schuine pad naar Heisler Park op en Draper zag dat de rozenstruiken knoppen kregen. Vervolgens renden ze over Cliff Drive naar Pacific Coast Highway, en naar Crescent Bay, langs de galerieën en weer naar Main Beach en omlaag naar Juliets flat in het Laguna Royale.

Draper maakte de deur open en ging naar binnen. Haar flat had een groot raam dat uitkeek op zwarte rotsen en de koude groene oceaan, die heel in de verte overging in de hemel. Ze hadden het prachtig ingericht. Er brandde nog steeds een vuur tegen de ochtendkilte. Ze bedreven de liefde onder de douche en Juliet krabde hard genoeg over zijn dij om hem te laten bloeden. Na afloop maakte ze de schram met veel vertoon schoon en deed ze er verband op, en daarna dommelden ze in op een deken voor de haard. Later gingen ze ergens lunchen en zaten daar ook bij het vuur. Ze zaten dicht bij elkaar en spraken bijna fluisterend, hun hoofden zachtjes tegen elkaar aan. Draper hield van de geur van haar haar.

'Hoe gaat het op je werk?' vroeg hij.

'Werk is werk.'

Ze was gastvrouw in een van de betere restaurants van Laguna. Daar was ze drie avonden per week mee bezig en het leverde haar genoeg geld op voor kleding en cosmetica. Ze werkte ook parttime in de Laguna Club, een crèche, want ze hield van kinderen, en parttime als vrijwilligster in het dierenasiel, want ze hield van honden.

'Alles ging goed,' zei hij.

'Je weet dat dat me niets zegt. Door jou zegt het me niets.'

'Het was mijn enige afwijking.'

'Ik denk aan Aspen.'

'Dat merk ik.'

'Ik voel me hier net een schim. Ik heb geen gezicht. Ik denk dat ik behoefte heb aan een andere omgeving.'

Aspen, dacht Draper. Ze zou het geen week in die winterse omstandigheden uithouden.

'Haal nog een wodka-citroen voor me,' zei ze.

Draper bestelde nog iets te drinken voor hen beiden, en ze lunchten en keken naar de mensen op het trottoir en naar de eucalyptusbomen in de verte bij het gemeentehuis.

'Het heeft niet gewerkt, Coleman.'

'Ik dacht al van niet.'

'Ik begrijp niet waarom het niet werkt.'

'Het gaat nog werken, Juliet.'

'Ik heb er genoeg van dat het niet werkt.'

'Ik vind het ook jammer.'

'Misschien een andere dokter. Ik heb een naam.'

'Hier, ik heb dit voor je meegebracht,' zei hij.

Draper haalde het laboratoriumrapport uit de zak van zijn jasje. 'Hier staat dat ik een vruchtbaar rotzakje ben.'

Ze pakte het papier aan, keek naar de aangekruiste vakjes en de cijfers en gaf het terug. 'Maar ik heb ook mijn bijdrage geleverd, Cole.'

'Ze zeiden dat we geduld moeten hebben. Als alles goed gaat, zal het gebeuren.'

'Drie maanden en nog steeds niets.'

'Het gaat ons lukken.'

'Als het aan mij ligt, kunnen we dat van een andere vrouw gebruiken,' zei ze.

'Het ligt niet aan jou,' zei hij. 'En ik wil dat het van ons is.'

Draper had een zeldzame, aangeboren afwijking waardoor hij onvruchtbaar was. Maar omdat hij wist dat Juliet heel graag een kind van hem wilde, had hij dat gunstige laboratoriumrapport over zichzelf voor haar gefabriceerd. Hij had het gebaseerd op formulieren die hij online had gevonden, waarop hij de juiste vakjes had aangekruist en hormoonspiegels en spermacijfers had ingevuld op grond van Wikipedia-informatie. Ten slotte had hij met overtuigende haast en slordigheid de handtekening van een arts gezet. Hij wilde niet voor nog meer kinderen zorgen – Brittany was genoeg – maar hij wilde wel dat Juliet tevreden was.

'Misschien is het gewoon niet voorbestemd,' zei ze.

Juliet was zo goddeloos als een hagedis, maar ze geloofde dat het leven al in kaart was gebracht, iets wat Draper nogal vreemd vond.

'Je moet vertrouwen hebben,' zei hij.

'Ik wil normaal zijn, net als ieder ander,' zei ze. 'Ik wil dat de dingen weer gewoon en vanzelfsprekend worden. Voor jou ook, Cole. Jij wilt ook niet dat er een eind aan alles komt. Dat weet ik.'

'Nee, dat wil ik niet.'

In werkelijkheid zat het hem helemaal niet dwars dat het met hem zou eindigen. Draper stond aan het eind van zijn familielijn. Omdat hij de laatste van zijn soort was, kon hij zich grote en soms verschrikkelijke vrijheden permitteren. Voor zover hij zich al druk om zulke dingen maakte, dacht hij dat de wereld eigenlijk beter af zou zijn zonder mensen als hij.

'We kunnen feniksmensen worden,' zei ze. 'We kunnen uit onze as herrijzen en mooi en sterk worden, al zit het ons tegen.'

'Jij bent al mooi en sterk en ik ben er trots op dat ik bij je ben.'

Ze zuchtte in zijn oor en drukte een zachte kus op zijn wang.

In de Fiori-winkel kocht Draper een aardewerken vaas van een meter hoog, een opvallend mooi voorwerp met diepe blauw- en heldere geeltinten en een lichtgevende glans.

Hij gaf haar het bonnetje en nam de zware vaas over zijn schouder. Ze liepen over Coast Highway naar Splashes, waar hij de vaas naast hen op de bar zette. Ze bestelden drankjes en keken naar de golven.

'Ik denk dat ik er meer dan een neem,' zei ze.

97

'Neem maar wat je wilt.'

Draper pakte haar hand vast, draaide hem om en las haar enorm optimistisch de hand, zoals hij vaak deed. Haar toekomst was rijk aan kinderen en honden, allemaal met belachelijke namen.

Ze praatten over een schilderij met een zeilboot dat Juliet in de Pacific Edge Gallery had gezien, en hoe goed het zou staan in de mediakamer. Draper keek bezorgd toen ze zei dat er een prijskaartje van 7.500 dollar aan vastzat.

Hij vroeg haar naar nieuwtjes over haar collega's in het restaurant, en ze vertelde hem over de leuke puppy's die de afgelopen week in het asiel waren gekomen, en daarna bracht hij het gesprek op haar kindertijd. Daar praatte ze graag over. Het was de enige echt gelukkige tijd in haar leven geweest. Ze had het grootste deel van haar jeugd in San Bernardino gewoond, eenvoudig maar leuk. Ze had vrienden gehad, en een zwembad bij het huis waarin ze met haar vrijgevochten oudere zus en haar moeder en stiefvader woonde, en er waren honden geweest, en ze hadden lange wandelingen naar de 7-Eleven gemaakt voor snacks en frisdrank. Ze kon uren achtereen over die tijd praten.

Maar aan Juliets kindertijd was abrupt een eind gekomen toen ze vijftien was en een van de knappe vrienden van haar stiefvader haar had overgehaald om, niet helemaal tegen haar wil, verkeerde dingen te doen. Dat was een tijdje doorgegaan. Ze kreeg vrouwenkwalen en een abortus in een laat stadium met complicaties. Daarna kwamen de chaos, de pillen, de mannen en de opzettelijke overdosis die ze nog net overleefde. Ten slotte kwam haar wedergeboorte in Laguna. Ze had Draper dit duistere verhaal maar één keer verteld, en hij had haar hand vastgehouden terwijl de tranen over haar wangen liepen.

Draper bestelde nog iets te drinken voor hen beiden. Vervolgens begon hij aan een opgewekte monoloog over zijn eigen kindertijd in Jacumba: het restaurant van zijn familie, zijn broertje Ron, van wie hij had gehouden en die hij tegen ruwere jongens had beschermd, zijn lieve zusje Roxanne, honden en vrienden, en hoe hij een keer een grand slam had geslagen in het honkbalteam van zijn school. Hij vertelde haar over de hitte en het stof, en de drugskoeriers en mensensmokkelaars, die het ingewikkelde netwerk van wegen, paden, grotten, tunnels en ravijnen gebruikten om hun producten naar het noorden te brengen. Hij vertelde haar over de autoachtervolgingen, de spectaculaire ongelukken en zelfs over Mikey Castro, die als een gangster uit de jaren dertig werd neergeschoten toen hij van zijn glimmende nieuwe Suburban naar restaurant Amigos van de familie Draper liep.

Ze gaf verrast een kneepje in Drapers hand toen hij haar dat verhaal vertelde, al had ze het al eerder gehoord. Ze had empathie, en daar kwamen echte emoties uit voort. Dat waardeerde hij in haar.

Net als Juliets kindertijd eindigde die van Draper ook abrupt toen hij vijftien was. In een erg koude nacht was er een gasleiding kapotgegaan terwijl de familie Draper lag te slapen, en toen het gas voldoende geconcentreerd was, had de waakvlam van de oven het laten ontvlammen en waren Colemans ouders, broertje en zusje door de explosie omgekomen. Draper had in de stal geslapen, bij de paarden en honden. De explosie had stenen van de haard dwars door de wand van de stal geblazen. Hij had het zichzelf nooit vergeven dat hij het had overleefd. Toch had hij Juliet verscheidene keren gevraagd het verhaal aan te horen en hem te vergeven. Alsjeblieft, zeg tegen me dat het me vergeven is, fluisterde hij dan. Het was het diepste, donkerste juweel dat hij haar te bieden had.

Dus toen de rivier van Drapers herinneringen de grote zwarte dam naderde die het einde aangaf, werd hij stil en keek hij naar de golven. Juliet ging dichter tegen hem aan zitten en streek met haar vingers door zijn zachte blonde lokken.

'Wees mijn feniks,' fluisterde ze.

'Die zal ik zijn.'

'En ik zal die van jou zijn. Breng me naar huis. Vul me op.'

Draper betaalde, hees de vaas op zijn schouder, en ze liepen langzaam over het strand.

Binnen zette hij hem op de haard, terwijl Juliet de knoopjes van haar blouse losmaakte en hem in haar armen nam en kuste.

De volgende morgen reed Draper naar Jacumba. Hij reed langs het hek met afstandsbediening en parkeerde voor het oude huis van zijn ouders, dat lang geleden, na de catastrofale brand, opnieuw was opgebouwd. Het was nu groter, en Draper had de gasverwarming vervangen door een elektrisch systeem.

De oude stal die zijn leven had gered, stond er nog. Draper liep erheen, schoof de deur open en ging naar binnen. Hij bleef even staan, genietend van de geuren die nooit veranderden. De beelden kwamen weer opzetten in zijn geheugen.

Hij deed de staldeur achter zich dicht en liep naar het huis. Hij had het een paar jaar geleden aan Israel Castro verkocht, en dat was bijna zoiets geweest als wanneer hij het aan een broer of zus had overgedaan. In sommige opzichten was het zelfs beter.

Israel kwam door de voordeur naar buiten, sloeg zijn armen om Draper heen en klopte hem op de rug.

Binnen schonk hij koud bier in, terwijl Draper de plunjezak met geld op het aanrecht zette.

Ze dronken op hun gezondheid en Draper liet de vacuüm verpakte stapeltjes geld op het graniet vallen.

'Vijftienduizend,' zei hij.

Israel haalde een chequeboek uit een la en schreef een cheque van 8.450 dollar uit van de rekening van East County Tile & Stone ten gunste van Prestige German Auto, en een cheque van 6.550 dollar ten gunste van Coleman Draper.

Draper schreef cheques van Prestige German Auto uit, respectievelijk 2.535 dollar en 3.875 dollar ten gunste van Castro Commercial Management. Het waren hypotheekbetalingen op twee van de vier beleggingsprojecten in Jacumba die hij op aanraden van Israel had gekocht.

Ze wisselden de cheques uit en lieten hun bierflesjes toen weer tegen elkaar tikken. Dankzij Israels vele hoedanigheden – de meeste legaal – kon hij Drapers pakjes bankbiljetten met enkele pennenstreken witwassen. Israel bezat een bouwmaterialenhandel en was daarnaast vastgoedbeheerder, makelaar, hypotheekbemiddelaar, bestuurslid van een bank en beëdigd contractopsteller. Hij deed zaken in zowel de Verenigde Staten als Mexico, vooral in de half wetteloze grenslanden waar Draper en hij waren opgegroeid. Hij hielp ook met het transport van grote hoeveelheden heroïne en cocaïne naar Californië, maar lang niet zo vaak meer als vroeger. Het was te riskant, meer het werk van een jonge man. Hij wilde voor honderd procent legaal werken als hij dertig was, en het zag ernaar uit dat hij dat zou halen.

'Laten we gaan kijken hoe Jacumba er vandaag bij ligt,' zei Israel. 'Het zal je goeddoen dat de haciënda flink opschiet.'

Ze namen de stoere zwarte Denali van Israel, met grote banden die stof opjoegen toen ze door het stadje reden. Jacumba was arm en delen ervan waren bijna smerig te noemen, maar voor Draper was het gewoon de plaats waar hij was opgegroeid. Het feit dat het stadje weinig was veranderd, herinnerde hem eraan hoe ver hij was gekomen.

Ze kwamen langs restaurant Amigos, dat Draper vijf jaar geleden had gekocht, en daarna gesloten, verbouwd en opnieuw geopend. Zo te zien waren er veel lunchklanten. Draper keek naar het bord dat hij had laten maken. Daarop stonden twee blije mannen met een grote snor, hun armen over elkaars schouders, glimlachend en beiden met een groot cartoonachtig pistool in hun hand.

'O, de nieuwe serveerster,' zei Israel met pijn in zijn stem. 'Miranda.'
'En hoe gaat het met je kindvrouwtje?'
'Glorie zij Gloria. Ze is met de kinderen in Puerto Vallarta. Ik gedraag me. Wel kijken, maar niet aanraken.'

Terwijl ze over een hobbelige zandweg naar het oosten reden, dacht Coleman aan de tijd waarin ze tien jaar oud waren en Israels vader Mikey werd doodgeschoten voor Amigos. Israel en hij hadden het zien gebeuren. Coleman zou nooit vergeten hoe schoon de Suburban van Mikey was. In Jacumba bleef geen enkele auto vierentwintig uur schoon, en toen Mikey tegenover Amigos stopte, had Coleman geweten dat die auto net gewassen was. Mikey droeg een nieuwe spijkerbroek met een vouw, een blauw cowboyoverhemd, slangenleren laarzen en een zwarte hoed. Tien seconden later kwam er een zwarte Chevrolet 1500 aanrijden. Die stopte even, en toen hij wegreed, was Mikey niet meer dan een hoopje vodden op straat. Zijn hoed waaide de goot in. Israels moeder had zijn vader jaren daarvoor al verlaten, en op aandringen van Coleman had de familie Draper de jongen in huis genomen. Drie jaar later ging hij bij een bende smokkelaars wonen, over de grens in Jacume, de Mexicaanse helft van Jacumba. Israel voelde zich aangetrokken tot een mooi meisje en werd gelokt door het vele geld dat hij in het troosteloze woestijngebied als gids van koeriers kon verdienen. Hij was snel, sterk en moedig. Op zijn zestiende was hij met Gloria getrouwd, met de volledige toestemming van haar vader, die ook *narcotrafficante* was. Na de tragische dood van zijn familie was Draper in Jacume bij Israel komen wonen.

Nu kwamen ze bij Drapers haciënda ten oosten van het stadje, een kleine twee kilometer bij de grens vandaan. Hij had hem *Rancho Las Palmas* genoemd. Het perceel was twintig hectare groot en bestond vooral uit dor, glooiend terrein, maar een deel ervan was dicht bebost met *manzanita* en eiken, en er was een veld met een bron waar Draper herten en poema's had gezien.

Dankzij Israel en zijn connecties met vakbonden ten zuiden van de grens waren de bouwwerkzaamheden ruimschoots binnen het tijdschema en de begroting gebleven. Er stonden nu een huis van beton, ijzer en riviersteen, een houten schuur, een garage voor vijf auto's met een appartement erboven en drie gastenhuisjes. Het zwembad was uitgegraven en van wanden voorzien, en toen Draper dichterbij kwam, zag hij dat de metselaars de kunstrotsen aan het maken waren die een helling met waterval zouden vormen. Draper hunkerde naar water en naar het idee van water, en zijn vier bronnen waren diep in de rijke, waterhoudende grondlaag gegraven en klaar om in gebruik te worden genomen. Tientallen Canarische dadelpalmen, nog in hun grote houten kisten, stonden klaar om geplant te worden. Er waren koninginne-en koningspalmen, en ook cycaspalmen en blauwe hesperpalmen, en een heleboel palmen waarvan Draper niet eens de naam wist.

'Over zes maanden heb je een van de mooiste huizen in East County,' zei Israel. 'Dan is het schitterend. Over tien jaar, als je het verkoopt, is het vijf keer zoveel waard als wat je ervoor hebt betaald. Met al je bronnen hoef je nooit een liter water te kopen. Wat water betreft, kun je jezelf redden.'

'Je hoeft het mij niet te verkopen,' zei Draper.

'En schaduw. Je hebt altijd schaduw van de palmen.'

Ze liepen naar een groepje van zeven Canarische dadelpalmen. Draper legde zijn hand op een van de grote houten kisten en keek op naar de verbazingwekkende symmetrie van de palmbladeren die vanuit het midden naar buiten staken.

'Laten we je oude huis gaan bekijken. Ik ben in een sentimentele stemming.'

'Ja, dat moeten we zien. Voor jou is het jaren geleden, hè?'

'Minstens twee.'

Via wegen met gevaarlijk diepe kuilen en een korte, donkere tunnel bracht Castro hem binnen een kwartier naar de andere kant van de grens. Ze bleven onzichtbaar voor de autoriteiten, maar werden wel gezien door de kartelbewakers en mensensmokkelaars die zich met hun krachtige telescopen in de rotsige hellingen hadden ingegraven. Deze mannen en jongens communiceerden via walkietalkies omdat mobieltjes hierbeneden niet werkten. Ze repten zich straffeloos heen en weer over de grens, soms binnen een uur, als vlooien die heen en weer sprongen op een hond.

Het oude huis van de Castro's was nog altijd groot en onregelmatig. Het was pas geschilderd, wit met lichtgroen. Dankzij een invloedrijke Castro-oom die er bijna nooit was, had Draper na de dood van zijn familie drie jaar in dit huis mogen wonen.

Terwijl de Denali met stationair draaiende motor op het afgesloten pad stond, keek Draper naar zijn vroegere huis en dacht hij aan de grote, stoffige vrijheid van het leven in Jacume. Ze waren urenlang buiten, maakten paden en tunnels en leerden verbindingen te maken met het krioelende labyrint van paden en tunnels dat al bestond. Ze hadden motoren, terreinwagens, strandbuggy's en natuurlijk suv's. Ze maakten maanloze ritten en bliksemsnelle sprints en werkten met ingewikkelde afleidingsmanoeuvres waar vuurpijlen en zelfs dynamiet-staven aan te pas kwamen; dat alles om de DEA, de politie van Baja, de grenswachten en de Amerikaanse politie af te schudden. Ze hadden volop geld, drugs en meisjes.

Na de dood van zijn ouders, broer en zus had Draper zich een raket gevoeld die in de ruimte was gelanceerd. Alles was vaag en onomlijnd geworden. Hij bewoog zich met een nauwelijks beheersbare snelheid door het leven, onstuitbaar. Voor het eerst in zijn leven voelde hij zich echt vrij en echt gelukkig.

'Ik heb iemand nodig,' zei hij. 'Iemand die een trekker kan overhalen.'

'Jacumba en Jacume zitten vol met zulke mannen.'

'Niemand uit je naaste omgeving.'

'O?'

'Je weet wel. Een eenmalige klus. Iemand die slank is, maar geef me geen jongen.'

'Ik weet het. Nou, dat is wat anders.'

'Hij krijgt vijfduizend van tevoren en vijfduizend als het gebeurd is.'

'Wanneer?'

'Vrijdag. Ik moet hem 's middags in Los Angeles hebben. Dan heb ik alles wat hij nodig heeft. Zeg tegen hem dat iemand hem later die avond hier terugbrengt.'

Draper haalde het dikke pak opgevouwen honderdjes uit de achter-zak van zijn spijkerbroek en gaf het aan Israel.

'Ik stuur je iemand,' zei Israel.

'En nu naar Amigos,' zei Draper. 'Ik ben uitgehongerd.'

'Ik kan je voorstellen aan Miranda.'

'Graag.'

Kort voor zonsondergang kwam hij bij Laurel Laws' paardenhuis aan. Toen hij op haar veranda stond, trok hij zijn das recht en klopte aan.

Even later hoorde hij beweging achter de deur. Hij keek naar het kijkgaatje.

'Coleman?'

'Ja. Sorry dat ik onaangekondigd kom.'

De deur ging open en Laurel stond tegenover hem. Haar gezicht was opgezet, haar haar was een warboel en haar blouse was gekreukt. Dra-per maakte een buiging.

'Nou...' zei ze, en ze liep achteruit de hal in.

Draper kwam binnen, drukte zijn lippen ernstig op elkaar en omhelsde haar kort en formeel. Hij gaf haar een boeket om zijn deelneming te betuigen.

'Ik vind het zo erg, Laurel,' zei hij. 'Ik moet steeds aan hem denken.'

'Ik ook. Het dringt nu pas goed tot me door. Bedankt voor je telefoontjes.'

'Kan ik iets doen?'

Ze keek in de hal om zich heen en de huiskamer weer in, alsof ze op zoek was naar een karweitje voor hem. 'Eh, nee.'

'Alles wat je maar wilt, Laurel.'

'Ik red me wel. Echt waar. Kom binnen.'

'Ik blijf niet lang. Het spijt me dat ik niet eerst heb gebeld dat ik zou komen. Totdat ik op je deur klopte, zei ik tegen mezelf dat ik rechtsomkeert zou maken en je later zou bellen.'

'Het geeft niet. Ik was niets bijzonders aan het doen.'

Ze gingen in de verduisterde huiskamer zitten; Laurel aan het ene eind van de bank met leren spijkerkopbekleding, Draper aan de andere kant van de kamer in wat naar hij aannam de favoriete luie stoel van zijn collega was geweest. Het deed hem goed dat hij in die stoel zat, en dat had niets te maken met de reden van zijn bezoek. Draper vertelde haar iets over zijn verdriet en begon toen Terry met zachte stem te prijzen. Hij vertelde Laurel enkele anekdotes over de jaren dat ze met elkaar patrouille hadden gereden. Draper was nooit goed met Laurel bevriend geraakt doordat Terry en hij in hun vrije tijd minder met elkaar omgingen sinds Terry getrouwd was, maar ze hadden nog steeds een band met elkaar en Draper voelde de kracht daarvan terwijl hij over Terry vertelde. De bloemen lagen vóór haar op een salontafel, en het schijnsel van een verre straatlantaarn dat door het raam naar binnen viel, glansde op de plastic verpakking en haalde de zachte kleuren van de lelies naar voren.

'En jij, Laurel? Kun je het aan?'

Ze zweeg even. Het verbaasde Draper dat ze in zo'n peinzende stemming verkeerde. En hij was nog verbaasder toen hij hoorde wat ze zei.

'Ik heb altijd mooie dingen willen hebben en ik heb altijd gedacht dat ik gelukkig was. Ik wilde een man die beïnvloedbaar en beheersbaar was. Ik zei tegen mezelf dat ik de dingen die ik in mijn leven had verworven, te danken had aan mijn persoonlijkheid en goede smaak. Toen ik met Terry trouwde, dacht ik dat ik het eindelijk allemaal zou hebben. Nu hij is gestorven, besef ik dat ik bijna niets heb. Ons leven is weg. Het is erg vreemd, maar – en misschien is dit heel normaal – ik hou nu meer van hem dan toen hij nog leefde. Ik mis hem verschrikkelijk. Ik heb niet eens afscheid van hem kunnen nemen. Als het zo plotseling gebeurt...'

Draper zei niets. Hij liet haar tranen in de duisternis opgaan. Zijn instinct vertelde hem dat hij naar haar toe moest gaan.

Een tijdje later sprak hij weer. Hij vertelde haar over zijn ouders, broer en zus die bij de brand waren omgekomen, en dat die gebeurtenis de jongen die hij was geweest had veranderd in een nieuwe, vreemde jongen, die hij eerst niet goed had gekend. Hij had hetzelfde grote verlies gevoeld, zei hij, en vele jaren lang – zelfs nu nog – wilde hij vooral heel graag in staat zijn afscheid van hen te nemen.

Er volgde weer een lange stilte.

'Hebben ze je iets verteld over degene die het heeft gedaan?' vroeg hij.

'Er zijn twee rechercheurs gekomen, en ik heb met ze gepraat. Een van hen was Bentley. Later kwam er nog een, Hood of zoiets. Hij reed die avond patrouille met Terry. Ze stelden een heleboel vragen. Ze interesseerden zich voor Wayne, of Dwayne, of... je weet wel, die man met die hond.'

'Ik ken die rechercheurs. Hoe vaak zijn ze komen praten?'

'Die twee zijn twee keer geweest. Die andere maar één keer.'

'Hood werkt voor Interne Zaken. Dat is de politie van de politie. Toonde hij respect?'

'Dat weet ik eigenlijk niet. Hij zei niet veel. Hij keek veel rond. Naar onze spullen. Ik was er niet bij met mijn gedachten. Ik was zwak en kwaad op Terry omdat hij me had verlaten. Het was nog niet goed tot me doorgedrongen.'

'Waarschijnlijk vroeg Hood vooral naar de geestestoestand van Terry.'

'Ja. Hij vroeg of Terry gelukkig was.'

'Daar weet ik het antwoord op.'

Ze zei niets. Draper voelde dat ze naar hem keek.

'Laurel, ik weet dat Terry gelukkig was, maar ik had ook het gevoel dat hij last had van iets wat hij had gedaan.'

'O?'

'Ik vind het jammer dat ik het alleen zo vaag kan zeggen, maar ik vond dat hij veranderd was na de grote arrestatie die we hadden gedaan, de keer dat we die moordenaar oppakten.'

'Hij was anders. Ja. Ik weet niet waarom. Ik dacht dat het met geld te maken had, dat hij me gelukkig wilde maken met dit huis. Maar het kwam goed. We hebben geld van Build a Dream voor de aankoop van dit huis gebruikt, en het huis gaat na onze dood naar die stichting.'

'Misschien was dat alles. Misschien had ik het mis toen ik dacht dat hij last had van iets wat hij had gedaan.'

'Ik kan me dat moeilijk voorstellen. Terry was een padvinder. Ik bedoel dat in gunstige zin. Hij had zelfs Jezus gevonden. Dat verbaasde me. Opeens had hij dat, maar ik geloof niet dat het kwam door iets wat hem dwarszat.'

'Vroeg Hood of Terry zich misschien zorgen maakte over iets wat hij had gedaan?'

'Nee. Dat vroeg hij niet.'

'Hij suggereerde niet dat Terry iets voor ons verborgen hield?'

'Nee.'

'Want die lui van Interne Zaken bemoeien zich overal mee en staan gauw met hun oordeel klaar. Vaak zitten ze er helemaal naast. Daarom vraag ik dat.'

Draper voelde zich immens opgelucht. Na nog een eerbiedige stilte stond hij op. Laurel stond ook op en hij maakte weer een lichte buiging voor haar.

'Als Hood terugkomt, kun je hem waarschijnlijk beter niet vertellen dat ik hier ben geweest. Hij heeft mij ondervraagd over Terry's gedrag, op zoek naar iets wat er niet is. Misschien probeert hij het nog een keer met jou.'

'Nee,' zei ze, 'ik zal hem niet vertellen dat wij elkaar hebben gesproken.'

'Als ik iets kan doen...' zei hij. 'Wat dan ook. Ik wil hem op elke mogelijke manier eren. Ik was een vriend van Terry, en ik ben dat ook van jou.'

Tegen etenstijd was hij in Laguna terug. Juliet begroette hem met haar ingestudeerde nonchalance. Haar haar was nat en naar achteren gekamd en ze droeg een groene satijnen ochtendjas met een strakke ceintuur. Draper stond daar met de rode rozen die hij tegelijk met het boeket voor Laurel had gekocht. Toen kuste hij haar licht op de lippen en ging met de bloemen naar de keuken. Hij sneed de stelen af en zette ze in een zware kristallen vaas. Hij deed er water bij en liep toen om het keukeneiland heen, zette de vaas op de eetkamertafel en schikte de bloemen. Toen nam hij een stoel, keerde hem om en ging tegenover haar zitten.

'Kom eens hier,' zei hij.

Ze ging voor hem staan en Draper trok haar dichter naar zich toe en maakte de ochtendjas open zonder de ceintuur los te maken. Hij kuste haar en hoorde dat ze haar adem inhield. Zout en parfum, haar billen koel in zijn handen, haar vingers in zijn haar.

'Ik heb een erg goede fles brunello voor ons,' fluisterde ze. 'En een reservering om negen uur.'

Toen hij opkeek, waren haar ogen dicht en glimlachte ze.

17

Atascadero, de gerechtelijke psychiatrische inrichting, bevindt zich in de kustheuvels van Californië, halverwege Los Angeles en San Francisco. Het is een van de grootste psychiatrische inrichtingen ter wereld.

Het omringende landschap bestaat uit glooiende heuvels, eikenbossen en velden. Geelbruin en verrassend groen. Hood zag paarden en koeien. Het was een koude dag in maart, maar de zon scheen tussen de eiken door en maakte plassen van zacht licht in het gras. Hij reed in zijn IROC Camaro, model 1986. De auto reed stug, maar Hood hield er toch van. Hij had de Camaro eens 'de spierballenwagen van de arbeider' horen noemen. Net iets voor mij, dacht hij.

Hij parkeerde voor het gebouw van de administratie. De bomen waren kaal en de gebouwen zagen er functioneel en ontoegankelijk uit. De inrichting leek op een gevangenis die probeerde te glimlachen.

Hood ging naar afdeling 8, waar gevangenen werden behandeld die niet in staat werden geacht terecht te staan. Dat heet een artikel 1370-afdeling. Atascadero heeft tot doel de 1370's te beschermen, beoordelen en behandelen, zodat ze naar de rechtbanken kunnen terugkeren en weten wat er van hen wordt verwacht. Als de patiënt geen vooruitgang toont, wordt hij overgebracht naar een kleinere inrichting, waar bescherming en verzorging het doel zijn en geen herstel van de patiënten wordt verwacht.

Dokter Able Rosen was een oudere man, stoffig en zachtmoedig. Hij droeg een slaphangend corduroy jasje met glimmende ellebogen en een Jerry Garcia-das.

'We doen in juni weer een beoordeling,' zei hij. 'En als Shay geen meetbare vooruitgang vertoont, moeten we hem overplaatsen. Onze filosofie is herstel. Wij zijn een ziekenhuis, geen strafinrichting.'

'Kan hij praten?'

'We zien enige verbetering in zijn kortetermijngeheugen en spraakvermogen. Zijn spraakcentrum is beschadigd door de zwelling ten gevolge van de klappen die hij heeft gehad. Hersencellen regenereren niet, maar de hersenen bezitten een groot compenserend vermogen.

Jammer genoeg is hij nog niet goed in staat om herinneringen op te roepen en zinnen te vormen.'

'Is hij gewelddadig?'

'Hij heeft hier één gewelddadig incident gehad. We doen ons best om geweldloosheid tot norm te verheffen. Hij zal in bedwang gehouden worden. We hebben een speciale kamer voor dit soort bezoek.'

Dokter Rosen tikte met zijn vingers op het bureau. 'Wat hoopt u te bereiken?'

'Ik wil iets horen over zijn arrestatie en zijn misdrijven.'

'U hebt vast wel de processen-verbaal en rechtbankverslagen gelezen.'

'Hij kon toen niet veel zeggen en ik verwacht ook niet dat hij nu erg spraakzaam is. Ik wil alleen horen wat hij zegt en hoe hij het zegt.'

'Waarom?'

'Sommige aspecten van zijn arrestatie en zijn misdrijven zijn me niet helemaal duidelijk. Het is heel goed mogelijk dat er dingen over het hoofd zijn gezien.'

'Dingen?'

'Ik geloof dat er een grote hoeveelheid geld is verdwenen. Misschien heeft Shay het verborgen voordat hij werd gearresteerd.'

Dokter Rosen trok zijn wenkbrauwen op. 'Hoeveel?'

'Driehonderdduizend. Ongeveer.'

'Drugsgeld?'

Hood knikte.

'Bent u in contact geweest met Ariel Reed van het Openbaar Ministerie in Los Angeles?'

'We hebben met elkaar gepraat.'

'Ze was deskundig en rationeel. Ik vond haar ook erg... menselijk. Voor een officier van justitie. Sorry, dat kwam er verkeerd uit.'

'Ik begrijp het.'

'Ik was van haar onder de indruk. Misschien kan zij u helpen.'

'Dokter Rosen, ik stel het op prijs dat ik uw patiënt mag bezoeken. Ik zal u graag alles vertellen wat ik te weten kom, áls ik al iets te weten kom.'

Hij keek Hood merkwaardig aan, alsof hij niet begreep wat die bedoelde. 'Ik hoop dat u niet teleurgesteld zult zijn, agent. We hebben allemaal moeite met Shay.'

In het bezoekerscentrum van afdeling 8 werd Hood gefouilleerd en gaf hij zijn portefeuille, insigne, sleutels, wisselgeld, digitale recorder en pennenmesje af.

Vervolgens werd hij de trap af geleid naar een smalle gang. De broeder maakte een deur open en ging een stap achteruit om hem binnen te laten.

Het was een kleine kamer. Er stonden een houten stoel en een roestvrijstalen tafel. Op een van de muren zat een dikke plaat doorzichtig plastic, met een rond luidsprekerrooster op mondhoogte. Op het plafond achter Hood zat een kleine videocamera. Aan de andere kant van het plastic venster bevond zich net zo'n ruimte, alsof het een spiegelbeeld was van de kamer waarin hij zich bevond.

Eichrodt werd door twee grote mannen in een blauw medisch pak naar binnen geleid. Hij droeg een lichtblauwe overall en sloffen van canvas. Zijn handen waren op zijn rug gebonden en aan een tailleband vastgemaakt. Hij had enkelboeien om. Hij was bijna een kop groter dan de mannen die hem binnenleidden, en veel zwaarder. Zijn hoofd en gezicht waren gladgeschoren, zijn huid was wit en zijn ogen waren bruin, met een vage schittering. Vanuit de holte onder zijn strottenhoofd keek een getatoeëerde slangenkop naar voren.

De broeders verlieten de kamer en Hood hoorde dat de deur weer in het slot ging.

Eichrodt zat hem aan te staren.

'Ik stel het op prijs dat je me wilt ontvangen,' zei Hood.

Hij bleef staren. Er ging enige tijd voorbij.

'De agent die je heeft gearresteerd, die grote, die is vorige week vermoord. Een gangster schoot hem dood. Ik ben een van de mensen die daar onderzoek naar doen.'

Eichrodts lippen kwamen van elkaar. Hij ademde in. Hij probeerde iets te zeggen, maar er kwam geen geluid. Hij blies zijn adem uit en probeerde het opnieuw. 'Sterk.'

'Ja. Terry Laws was sterk.'

Opnieuw kwamen Eichrodts lippen van elkaar. Blijkbaar deed hij zijn best om zijn ademhaling in bedwang te krijgen. Het leek wel of hij pas een geluid wilde maken als hij eraan toe was.

'Ze gebruikten wapenstokken.'

'Ja. Je hebt je goed verweerd.'

Eichrodt keek Hood een hele tijd aan. Hood zag leegte. Als er raderen draaiden, deden ze dat langzaam. Iets aan de muur trok Eichrodts aandacht en hij richtte zijn blik erop, maar Hood zag niets. Hij keek naar het dikke plastic venster tussen hen in, de krassen en de doffe glans, en dacht over de dunne streep tussen de normalen en de gekken, en besefte dat die scheiding snel kan verdwijnen.

Toen verschoof Eichrodt op zijn stoel. Hij keek Hood met half dichtgeknepen ogen aan en ging vlugger ademhalen. De raderen draaiden nu; Hood kon het zien. Eichrodt deed zijn mond open, en aan de spanning in zijn hals en kin zag Hood hoeveel moeite het hem kostte een herinnering op te roepen en er iets over te zeggen.

'Geen. Reden.'

'Geen reden waarvoor?'

'Voor waar ik je over vertelde. Het woord ben ik even kwijt.'

'Wapenstokken?'

'Ja. Geen reden voor wapenstokken.'

'Je bent een grote man, Shay. Ze waren bang voor je. Toen je die agent tegen de vlakte sloeg, wisten ze dat je een trucje met hen had uitgehaald. En dus gebruikten ze geweld.'

Hij sloeg zijn ogen neer. Zijn mond viel weer open en zijn lippen bewogen, maar er kwam geen geluid uit. Hij schudde heel langzaam zijn hoofd: geschokt, gefrustreerd of ongelovig; dat kon Hood niet nagaan. Toen ademde hij heel diep in, zoals hij al eerder had gedaan, en keek op, zijn ogen half dichtgeknepen, zijn mond open, zijn lippen bewegend.

'Er was geen...'

'Geen wat, Shay?'

'Geen... shit, het woord weer. De woorden gaan weg als ik ze wil zeggen.'

'Geen gevecht?'

'Nee! Er was geen...'

Eichrodt sprong op van zijn stoel, keek naar het plafond en brulde. Hood stond ook op. Eichrodt bonkte met zijn voorhoofd tegen het raam. Van zo dichtbij kon Hood zien dat hij valse tanden had, groot en erg wit.

Hij probeerde het opnieuw. 'Geen reden...'

Hij keek op Hood neer, gromde, schudde toen heftig met zijn hoofd en bonkte er weer mee tegen de ruit.

Toen begreep Hood het.

'Geen reden voor het gevecht,' zei hij.

Eichrodt keek Hood een hele tijd aan en knikte toen heel langzaam. Zijn mond hing open en hij liet zich weer op de stoel zakken. Opnieuw kon Hood zien dat de raderen in zijn hoofd langzaam draaiden. Opnieuw draaide Eichrodt zich om naar de muur en staarde daarnaar. Zo gingen er minuten voorbij. Hood wachtte. Hij geloofde dat de ander wilde dat hij wachtte.

'Geboeid. Toen wapenstokken.'

'Geboeid, toen wapenstokken? Wat, was je geboeid toen ze je sloegen?'

Eichrodt knikte weer.

'Dat staat niet in het proces-verbaal,' zei Hood. 'Heb je dat aan je advocaat verteld?'

Eichrodt staarde weer een tijdje voor zich uit. Toen keek hij Hood aan. 'Ik kon het me toen niet herinneren. Het komt terug. De woorden komen terug. Dat is het ergste: dat ik me dingen herinner maar geen woorden heb om ze te beschrijven. Maar eerst had ik de woorden wel.'

'Toen had je geen geheugen.'

Hij schudde zijn hoofd en keek naar de stalen tafel voor hem. Hood deed er een minuut over om ten volle te beseffen wat Eichrodt beweerde. Natuurlijk was het zijn woord tegen dat van een beëdigde agent en een beëdigde reserveagent, dacht hij. En Eichrodt kon doen alsof hij zich iets herinnerde en liegen.

Toen dacht Hood aan iets.

'Shay, heb je geld verborgen?'

Eichrodt keek hem aan met een leegte die eeuwig leek. Toen knipperde hij met zijn ogen en fronste zijn wenkbrauwen. Zijn drastisch gerestaureerde mond hing weer open en Hood zag dat hij veel moeite deed weer een herinnering te pakken te krijgen.

'Er was geen geld.'

'Je hebt geld gestolen van de mannen in het busje. Vasquez en Lopes. Je had vierduizend dollar in de gereedschapskist van je pick-up. Maar ze hadden meer bij zich, hè?'

Eichrodt probeerde zijn snelle ademhaling weer te bedwingen. In- en uitademend staarde hij Hood aan.

'Geen busje. Geen andere mensen dan smerissen. Geen geld.'

'Je hebt helemaal geen busje gezien, en geen Vasquez en Lopes, en geen geld?'

Hij keek Hood woedend aan. 'Néé.'

Hood herinnerde zich het rechtbankverslag. Eichrodt had zich geen busje, geen moordslachtoffers en geen geld kunnen herinneren.

Maar nu besefte Hood dat hij zei dat hij ze niet had gezíen.

Hood luisterde even naar het onrustige bonken van zijn hart. Hij haalde diep adem en zei tegen zichzelf dat hij rustiger moest ademhalen, maar dat lukte niet. Hij had de duistere gedachte dat Laws en Draper de twee koeriers hadden vermoord en het echte geld hadden ingepikt. Ze wilden Eichrodt ervoor laten opdraaien. Daarvoor hoefden ze niets anders te doen dan hem in de boeien te sluiten, hem in elkaar te slaan tot het bij hem vanbinnen helemaal donker was, bewijsmateriaal neer te leggen en de rest uit te leggen in hun proces-verbaal.

Het zou verklaren waarom Laws en Draper niet om assistentie hadden gevraagd.

Het zou verklaren waarom Vasquez en Lopes in de berm van de afrit waren gestopt, zonder enige dekking: ze hadden de politiewagen achter zich gezien en deden wat iedereen zou doen.

Het zou verklaren waarom ze de wapens niet hadden getrokken die ze bij de hand hadden.

Het zou verklaren waarom Terry Laws opeens zoveel geld had.

Het zou verklaren waarom er na de arrestatie iets in hem was doodgegaan.

'Shay, begrijp je dat als je dit verhaal aan je artsen vertelt, en aan de rechtbank, je terecht kunt staan voor moord?'

Hij keek Hood nietszeggend aan. Toen kwam er nieuwsgierigheid op zijn gezicht. Hij glimlachte met zijn grote, stralend witte tanden naar Hood.

'Laat ze het maar proberen.'

Hood was nog maar net boven of dokter Rosen trok hem al zijn kamer in.

De arts deed de deur achter zich dicht, maar hij ging niet zitten. Zijn gezicht was samengetrokken en zijn woorden kwamen er snel uit. 'Ik vond het erg bemoedigend. Hij wist dingen die hij zich eerst niet kon herinneren; vlak voor onze ogen. Dat is erg ongewoon. We zien bijna nooit meer zo'n herstel na zoveel tijd. Ik heb zelf nog nooit zoiets meegemaakt.'

'Ik weet niet wat ik verwachtte, maar dat niet,' zei Hood.

De arts keek hem aan. 'Hij doet een grote beschuldiging.'

'U weet niet hoe groot.'

'Hoopt u dat hij liegt?'

'Wat ik hoop, doet er niet toe.'

'Nee. Neemt u me niet kwalijk.' Hij liep naar zijn bureau en ging zitten. 'Ik kom in de verleiding om de beoordeling naar volgende week te verzetten. Ik wil een CAT-scan en een MRI doen. Kijken wat er werkelijk omgaat in die hersenen van hem.'

'Dat zou ik ook graag willen weten.'

'Hij zou terecht moeten staan voor moord, nietwaar? Dan kan hij toch de doodstraf krijgen?'

'Dat is heel goed mogelijk.'

'Geloofde u wat hij zei?'

'Ik geloof dat hij het geloofde.'

De arts knikte. 'De waarheid kan een krachtig wapen zijn. Maar dan moet je die waarheid wel vinden.'

Hood was een halfuur op weg naar Los Angeles toen Keith Franks belde.

'Al dat bloed op die patroonhulzen kwam niet van Vasquez of Lopes. Het was van Eichrodt. Net als het bloed op de kolf, de trekker en de trekkerbeugel van het moordwapen.'

Hood vroeg zich af waarom Eichrodt zo overdadig had gebloed toen hij de koeriers doodschoot en de hulzen opraapte. Hij kon het zich niet goed voorstellen, want Eichrodt zou pas later gaan bloeden door toedoen van Draper en Laws. Toch was er een verklaring mogelijk: Eichrodts handen hadden het moordwapen niet aangeraakt voordat hij bewusteloos werd geslagen door twee LASD-agenten.

'Wat denk je?' vroeg Franks.

'Ik durf niet te denken wat ik denk.'

Hood belde Warren voordat hij in Los Angeles was en vroeg hem om het dossier van Coleman Draper.

En om een kopie van het anonieme telefoontje waarmee werd gemeld dat de rode pick-uptruck de plaats van de moord verliet.

Warren zei dat hij ervoor zou zorgen.

18

Hood was al vroeg op de Pomona Raceway. Hij kocht een pitpasje en liep tussen de dragsters, coureurs en mecaniciens door. Het was zaterdag en er was weer regen op komst. Het rook naar de brandstof die in de eerste eliminatieritten was verbruikt. Hood hield van die geur. Het was de onmiskenbare geur van kracht, snelheid en interne verbranding.

De wedstrijden werden gesponsord door DRAW – de Drag Racing Association of Women – en hadden tot doel geld bijeen te brengen voor mensen die gewond waren geraakt bij dragraces.

De pit stond vol met fel beschilderde dragsters en grappige auto's. De motorkappen waren omhooggezet om mensen de royaal verchroomde motoren te laten zien. De coureurs en mecaniciens droegen dezelfde felle kleuren als hun auto's. Ze beantwoordden vragen en lieten zich fotograferen. Als het even stil was, hoorde Hood hen kalm en in details praten over wat er nog met hun auto's moest gebeuren voordat de wedstrijden begonnen.

Ariel Reed had een groepje supporters om zich heen en signeerde foto's en programma's. Ze droeg rood leer met goudkleurige accenten en had haar haar in een staart. Haar auto stond achter haar, een ranke rode AA fueldragster met een gigantische motor. Een tienerjongen keek gefascineerd naar haar terwijl ze een foto signeerde, bedankte haar met schorre stem en bleef naar haar staan glimlachen. Ze keek op naar Hood, knipoogde en ging verder met signeren.

Hij sloot zich aan bij het groepje dat om haar heen stond en luisterde naar wat dragster-feitjes die ze vertelde: *top fuel dragsters* kunnen meer dan zesduizend pk produceren. Ze halen vijfhonderddertig kilometer per uur en leggen in nog geen vijf seconden vierhonderd meter af. Ze zei dat een wagen die met een snelheid van driehonderd kilometer per uur over de startlijn ging zou verliezen van een top fuel dragster die op hetzelfde moment vanuit stilstand begon. Ze zei ook dat het geluid tot 3,9 op de schaal van Richter kwam en dat de G-kracht die op de bestuurder werd uitgeoefend groot genoeg was om haar netvlies los te maken.

Iemand vroeg naar het brandstofverbruik en Ariel zei dat ze meer dan vijfhonderd meter uit een liter haalde.

Iemand vroeg of ze bang was als ze aan het racen was en ze zei, doe niet zo mal, ze was te angstig om bang te zijn.

Een paar minuten later waren de fans naar de volgende auto gelopen.

'Ik vind mijn molecuul prachtig. Hij staat op mijn bureau. Nu kan ik atomen splijten wanneer ik maar wil!'

'Graag gedaan.'

'Bedankt voor je komst.'

'Ik hou van dragraces.'

'Ben je een echte liefhebber?'

'Al sinds ik een kind was. Mijn vader ging er uit Bakersfield met ons naartoe.'

'Ik heb het hier geleerd. Ik deed aan mijn eerste race mee toen ik achttien was. Ik deed er tien seconden over in een geleende Dodge. Hoe gaat het met onze vriend Shay Eichrodt?'

Ze keek Hood met haar kalme, onbevangen blik aan. Als je zo'n blik aan de andere kant van de pokertafel zag, had je een probleem, dacht hij.

'Beter,' zei hij. 'De dokter was verbaasd.'

'Dus misschien kunnen we hem toch terecht laten staan voor moord.'

'Misschien wel.'

Ze haalde haar schouders op. 'Als je na de races blijft hangen, trakteer ik je op een biertje.'

Hood vond een goede plaats, hoog op de tribune met een beetje zon op zijn rug. De lucht in het noorden was donkerder geworden en de heuvels van Pomona waren groen. De eerste twee coureurs reden naar de startlijn, lieten hun motoren oorverdovend ronken en werkten met *burnouts* om de banden te verhitten, zodat ze plakkeriger werden. Toen gingen ze er serieus voor klaarstaan. De kerstboom lichtte geel en rood op. De met nitro gestookte motoren bulderden. De auto's gromden als beesten die wisten dat ze over enkele ogenblikken werden losgelaten. Toen sprongen de onderste lichten op groen en brulde de hele wereld van motorkracht en razernij. De dragsters schoten naar voren. Hood zag hoe de carrosserieën trilden en de banden grip op de weg zochten. Het ene moment kwamen ze op hem af, het volgende moment vlogen ze bij hem vandaan. Hij zag hoe weinig het scheelde dat de coureurs de macht over het stuur verloren, maar bekwaam als ze waren, redden ze het net. Toen nam het gebulder af, bolden de parachutes op achter de auto's en liet het finishlicht zien wie de winnaar was. De menigte klapte en juichte, maar de totale reactie van dertigduizend toeschouwers was weinig meer dan een gebaar in vergelijking met het spektakel van geluid en beweging waarvan Hood zojuist getuige was geweest.

Hood dacht aan zijn familieleden, die schouder aan schouder op dezelfde tribune hadden gestaan, een blikje frisdrank in hun hand en doppen in hun oren, terwijl de top fuel dragsters en *funny cars* voorbijvlogen. Hij was vijf. Ze logeerden bij een oom in Pasadena en reden naar Pomona voor de races. Wat Hood toen prachtig vond, vond hij nog steeds prachtig: de geur van de brandstof, het geluid van de motoren en de onmogelijke snelheid die door de mens in een rechte lijn werd gerealiseerd. En hij had het ook altijd geweldig gevonden dat je een pitpasje kon kopen om de coureurs en mecaniciens te ontmoeten en de auto's van dichtbij te zien.

In de vijfde race reed Ariel tegen Walt Bledsoe. Bledsoes AA nitrowagen was zwart met kobaltblauw; een hengst met gedragsproblemen. Volgens Hoods programma was Bledsoe tiende in de staten van de NHRA Sportsman Top Alcohol Dragster Class. Ariel was 41e. Toen haar rood-met-goudkleurige wagen onder het uitbraken van vuur en rook op het startplatform verscheen, was Hood trots en onder de indruk. Hij keek naar haar zoals ze daar in de riemen in de cockpit zat en straks door een explosie van motorkracht met haar helm tegen de rugleuning zou worden gedrukt. De twee rivaliserende auto's deden een uitval, loeiend naar elkaar. Toen rommelden ze naar de startlijn en lichtte de kerstboom van boven naar onder op.

De vlammen spoten uit de chroompijpen en de dragsters waren weg. Beide coureurs gaven gretig gas en Hood zag dat hun voorkanten een klein beetje omhoogkwamen, waarna de correcties – een shimmy doordat het gewicht naar voren kwam – gevolgd werden door een vlaag van snelheid en een brullende sprint naar de finish. De parachutes bolden op en het finishlicht kende Bledsoe de overwinning toe: een tijd van 6,64 seconden en een eindsnelheid van driehonderdvijfenveertig kilometer per uur.

Hood stond op en applaudisseerde toen Ariel de baan af reed. Ze won haar volgende race en verloor haar laatste. Inmiddels was het donker en hing het naderend onweer zwaar in de sterreloze hemel.

Hood vond haar in de pit, waar ze de auto op een trailer achter een grote zilverkleurige pick-up hielp. Haar drie helpers negeerden hem. Toen de dragster was vastgezet, schudde Ariel ieder van hen de hand, en daarna stapten ze in de wagen en reden de pit uit naar de uitgang. Ariel keek de pick-up met de trailer na toen die langzaam in het donker verdween.

'Niet bepaald records geboekt,' zei ze.

'Jij weet van gas geven, jongedame.'

Ze boog zich in de laadbak van een glanzende zwarte El Camino en pakte twee biertjes uit een koelbox.

'Laten we een eindje gaan lopen,' zei ze.

Er waren bijna geen fans meer in de pit, maar Ariel bleef met een paar andere coureurs staan praten. Ongedwongen feliciteerden ze elkaar.

Toen liepen Hood en Ariel over de baan, een biertje in hun hand, zij op de ene baan en hij op de andere. De schijnwerpers boven de tribune stonden nog aan en de vangrail glansde mat in hun licht.

'Mijn moeder en oma deden mee aan races,' zei ze. 'En mijn vader en opa; Bill en Frank. Frank is acht jaar geleden gestorven, maar pa doet nog volop mee.'

'Mijn vader heeft alzheimer.'

'Wat erg.'

'Het is nu eenmaal zo.'

Ariel nam een slokje van haar bier, stak toen haar hand met het flesje uit en tikte ermee tegen de paal van het finishlicht.

'Het zit in de familie. Generatie na generatie: keihard vanaf de startlijn het pad volgen. Maar ik zal je een geheimpje vertellen: het kan me niet schelen of ik win of niet. Ik doe het niet uit trots of uit historisch besef. Ik doe het omdat ik het een sensatie vind.'

'Op sensaties,' zei Hood. Ze lieten hun flesjes tegen elkaar tikken.

Er ging enige tijd voorbij en Hood kreeg het gevoel dat Ariel atomen aan het splijten was.

'Je denkt dat het onvolwassen is om van sensaties te houden,' zei ze. 'Omdat je soldaat bent geweest. Omdat je de wet handhaaft op straat. Omdat je collega is doodgeschoten waar je bij was.'

'Niets aan jou is onvolwassen, mevrouw Reed.'

'Ik zei dat jij denkt dat sensaties worden overschat.'

'Jij weet niet wat ik denk.'

'Vertel het me dan.'

'Ik hou ervan dat je boeven in de gevangenis zet. Ik hou ervan dat je aan dragracing doet. Ik hou van je glimlach.'

Ze trok het bandje van haar staart weg en schudde haar haar uit. 'Ik ben zo gespannen als een springveer, Charlie.'

'Dat weet ik.'

'Krijg je dan geen zin om je oren dicht te stoppen of gewoon weg te lopen?'

'Ik vraag me af wat jou drijft.'

'Je bent erachter gekomen wat Allison Murrieta dreef. Een roofovervaller.'

'Sensatie,' zei Hood. 'Gewin. Roem. Wraak. Geschiedenis. Het was ingewikkeld.'

'Sensatiezoekers moeten iets hebben wat jou aantrekt.'

'Ze hield van snelle auto's, net als jij.'

'Eigenlijk gaat het mij niet aan, maar bij ons op kantoor waren zij en jij het grootste deel van die week het gesprek van de dag.'

Ze liepen de tribune op, langs de rijen lege plaatsen. Toen ze bovenkwamen, ging het regenen en hoorde Hood het tikken van de druppels op het tribunedak boven hun hoofd. De druppels werden zwaarder en kwamen sneller, en de racebaan zag eruit alsof hij aan de kook raakte. Ze gingen zitten en keken naar de baan en naar de regen die schuin door het licht viel.

'Bakersfield. Hou je van die muziek, *deputy?*'

'Ik zou er nooit genoeg van kunnen krijgen. Ik heb zo ongeveer alles wat ze hebben opgenomen. Ik vind *Live at the Blackboard* van Bill Woods uit 2003 een fantastische cd.'

'Ik wilde dat ik een instrument kon bespelen. Ik heb geen duidelijk talent voor wat dan ook. Of het moet zijn voor atomen splijten, zoals jij opmerkte.'

'Dat was als compliment bedoeld.'

Ze zweeg even. 'Ik wilde dat ik nog een biertje had,' zei ze.

'Ik ook.'

'Het is een heel eind door de regen terug naar de koelbox.'

'Laten we dan even wachten.'

'Terwijl jij me over Shay Eichrodt vertelt.'

Hij vertelde haar wat hij had gezien en gehoord. Ariel luisterde zonder hem te onderbreken. Ze keek somber.

'Denk je echt dat Laws en Draper hem eerst boeien om hebben gedaan en toen hebben geslagen?' vroeg ze.

'Misschien wel.'

'Ik betwijfel dat heel sterk.'

'Ik kan me nog iets ergers voorstellen.'

'Ja, dat ze Vasquez en Lopes hebben vermoord en hun geld hebben ingepikt. Dat zou verklaren waarom Terry Laws plotseling zo rijk was.'

'Het kan nog een heleboel andere dingen verklaren,' zei hij.

Hood keek de regen in.

'Je hebt alleen de dubieuze verklaring van een crimineel met hersen-letsel, die de doodstraf kan krijgen als hij wordt veroordeeld,' zei Ariel.

'Op een domme, simpele manier geloof ik juist daarom dat hij de waarheid spreekt.'

'Als een jury dat niet gelooft, kan hij geëxecuteerd worden.'

'Misschien wel,' zei Hood, 'maar wat moet hij anders? De rest van zijn leven zwijgen en in een psychiatrische inrichting blijven?'

De regen bulderde tegen het tribunedak boven hen. Hood zag het water van de racebaanlichten druipen, kleine watervalletjes die door de wind naar het zuiden werden omgebogen.

'Wat heeft dat alles te maken met een Blood-gangster die op een avond Terry Laws met een machinegeweer heeft doodgeschoten?' vroeg Ariel.

'Ik weet niet wat het ermee te maken heeft.'

'Wat hebben de jongens van Moordzaken ontdekt?'

'Londell Dwayne. Hij zou het kunnen zijn. Hij had Terry bedreigd. We hebben met hem gepraat, maar zijn alibi bleek al gauw niet te kloppen. En toen heeft Londell twee rechercheurs met traangas be-spoten en is hij verdwenen.'

Ze zaten een hele tijd naast elkaar zonder een woord te zeggen. De regen werd langzamer, maar zwaarder. Hood hield haar hand vast toen ze de natte treden afdaalden en over de baan naar de pit liepen.

Ze stapten in haar El Camino en ze gaf hem een lift naar het parkeer-terrein.

'Mooie Camaro,' zei ze. '*Glasspacks* en mooie zachte banden. Mis-schien ben jij toch niet immuun voor sensaties.'

'Echt niet.'

Ze stopte, nam Hoods gezicht in haar beide handen en kuste hem. Hij beantwoordde haar kus.

'Mooi,' zei ze. 'Heel mooi. Dank je. Wat dom om dat te zeggen.'

'Dank je.'

Hood stapte uit de El Camino en deed het portier dicht. Ariel gaf gas, keek hem een hele tijd aan en glimlachte. Plotseling spoot de El Camino weg en maakte hij slippend een bocht van driehonderdzestig graden over het asfalt. De achterbanden wierpen waaierstaarten van water op. Uiteindelijk stond ze weer precies op dezelfde plaats. Haar raampje ging omlaag.

'Bel me later.'

19

In de ochtendkilte van het Hol nam Hood de sleutel en maakte hij de middelste la van zijn bureau open. Daar lag de cd met de opname van de anonieme tipgever. En daar lag ook Coleman Drapers personeelsdossier. Beide dingen waren hem door Warren beloofd.

Hij luisterde naar de opname. Het was precies zoals Ariel had gezegd: sissend van windgeruis, nauwelijks verstaanbaar, een dronken klinkende man met een accent. Hood wist dat spectrografische stemafdrukken in Californië niet als bewijs werden toegelaten, maar hij had toch gehoopt dat de stem duidelijk genoeg zou zijn om hem iets over de beller te vertellen. Nu twijfelde hij daaraan.

Dit was teleurstellend, maar Hood wilde vooral meer inzicht krijgen in Coleman Draper.

Eerst las hij diens dossier door, dat zelfs voor een reserveagent verrassend dun was. Toen verdiepte Hood zich in het geld. Hij zocht naar tekenen dat Draper een deel van het koeriersgeld had gekregen, het deel dat Terry ertoe had gebracht met zijn stichting te frauderen. Drapers bank was de First West, en toen hij vier jaar geleden door de LASD als reserveagent werd aangenomen, had hij een gewone spaarrekening met 5.890 dollar en een geldmarktspaarrekening met 15.433 dollar, een effectenportefeuille met een toenmalige waarde van 12.740 dollar en een pensioenrekening waar 8.500 dollar op stond. Hij deed redelijke aanbetalingen op een huis in Venice Beach, waarvan de aankoopprijs 939.000 dollar was geweest. Hij bezat een nieuwe Audi met een waarde van 40.000 dollar. Het jaar daarvoor had Prestige German hem een inkomen van 82.000 dollar opgeleverd.

Hood ging achter zijn computer zitten en keek naar krantenberichten, overheidssites en de gebruikelijke persoonlijke sites. Als politieman had hij toegang tot informatie van overheidsinstellingen waar een normale burger niet bij kan komen.

Hij las geduldig.

Coleman Marcus Draper was op 12 december 1980 geboren als zoon van Gerald en Mary Draper-Coleman. Dat betekende dat hij ongeveer drie maanden jonger was dan Hood.

Gerald en Mary haalden in 1990 even het nieuws toen iemand uit hun woonplaats, een zekere Mike Castro, vlak voor hun restaurant werd doodgeschoten. Ze zeiden dat hij een vaste klant en een aardige man was. Het restaurant heette Amigos. Volgens niet met naam genoemde bronnen werd Castro verdacht van drugs- en mensensmokkel.

Coleman ging naar openbare scholen in San Diego County en deed in 1998 eindexamen aan de Campo High School. Hij was de oudste van drie kinderen. Zijn zus Roxanne was twaalf en zijn broer Ron tien toen er een explosie door het huis van de Drapers in Jacumba daverde.

Hood las het in de gedigitaliseerde *San Diego Union-Tribune* van 5 februari 1995:

VIER DODEN DOOR BRAND JACUMBA

Vier leden van een gezin in Jacumba zijn in de nacht van eergisteren op gisteren om het leven gekomen toen hun huis door een ontploffing in brand vloog.

Een minderjarig kind en een buurjongen, die de nacht daar doorbracht, overleefden de explosie, maar de autoriteiten hebben de namen nog niet bekendgemaakt.

Een brandweerman kreeg rook binnen, maar werd ter plaatse behandeld.

Een woordvoerder van de brandweer van San Diego County zei dat het vuur waarschijnlijk door een propaangaslek is ontstaan, maar het onderzoek is nog gaande.

De brand brak 's nachts uit, toen het gezin sliep. Aangenomen wordt dat de slachtoffers in hun slaap door verstikking zijn gestorven.

Vloeibare propaan verandert bij normale druk in een geurloos gas en wordt meestal met een sterk geurende stof vermengd om in geval van een lek te worden opgemerkt. Het houten huis werd snel door de vlammen verslonden.

Een brandweerteam van de county doofde het vuur na een gevecht van een uur. Belendende percelen liepen geen schade op.

Jacumba is een plaatsje van minder dan duizend inwoners aan de Amerikaans-Mexicaanse grens in het oosten van de county.

George Bryan, een buurman, zei dat het gezin al lang in het stille grensplaatsje woonde en geliefd was. Hij zei dat zijn honden hem 's nachts wakker blaften, maar dat het huis toen nog niet brandde. Hij zei: 'Het klonk alsof er een bom afging.' Dat was kort voor vier uur, toen het huis explodeerde.

Hood bekeek de voorpaginafoto van het huis van de Drapers na de brand: alleen nog wat zwartgeblakerde delen, bijna zonder dak, de ramen en deuren weggeslagen door de waterstralen van de brandweer.

In een bericht van de volgende dag werden de namen van de vier slachtoffers genoemd, en ook die van de overlevende: Coleman Draper van vijftien jaar. Zijn vriend Israel Castro bevond zich ten tijde van de brand op het perceel en bleef ongedeerd.

De jongens waren vrienden en zaten beiden in de tweede klas van de Campo High School. Ze hadden met de honden van het gezin in de stal geslapen, iets wat ze wel vaker hadden gedaan, vooral wanneer het koud was. De *Union-Tribune* zei dat de temperatuur die nacht in Jacumba tot drie graden boven nul daalde.

Er stond een foto bij van de jonge Coleman met een blauwe slaapzak op een bed van hooi in de stal van de Drapers, samen met twee jackrussellterriërs en twee labradorretrievers. Hij leek in Hoods ogen al sterk op de Coleman Draper met wie hij nog maar een paar dagen geleden had ontbeten: smal gezicht, serieus, lichtblonde krullen op zijn voorhoofd. Op de foto keek hij nietszeggend. Hoewel hij naar de camera keek, leek het of zijn ogen op iets anders gericht waren.

Twee dagen later zei een woordvoerder van de brandweer dat de explosie was veroorzaakt door een defecte propaankoppeling in een boiler in de hal.

'Het gas lekt het huis in, en als de mensen slapen, worden ze niet wakker van de geur,' zei hij. 'Als het gas steeds dichter wordt en met een waakvlam of zoiets in aanraking komt, explodeert het. Zelfs statische elektriciteit kan een met gas gevulde kamer tot ontploffing brengen.'

Hood zag dat er een maand later een artikel over de vrienden Coleman Draper en Israel Castro in de *Union-Tribune* stond. Er stond een foto bij van de twee jongens bij de stal, opnieuw met de honden.

Volgens het artikel had de familie Draper vijf jaar eerder de toen tienjarige Israel Castro opgenomen, nadat zijn vader door vermoedelijke gangsters van een drugskartel was vermoord. Drie jaar daarna had Israel het huis van de Drapers verlaten en was hij bij familie gaan wonen die over de grens tussen het Amerikaanse Jacumba en het Mexicaanse Jacume woonde.

De schrijver noemde het een wisseling van het lot dat de vijftienjarige Coleman nu bij Israels familie in Jacume zou intrekken. Dat was een tijdelijke oplossing. Hij zou zijn opleiding aan de Campo High School afmaken. Het was een voorbeeld van goede internationale betrekkingen.

En voor zover Hood kon vaststellen, was dat de laatste keer dat Coleman Draper in de *Union-Tribune* werd genoemd.

Tien jaar later verscheen de naam van Israel Castro weer twee keer. In beide gevallen ging het om geschillen over waterrechten en over zijn ondernemingen, East County Tile & Stone en Castro Commercial Management.

Hood keek uit het smalle raam van zijn gevangeniskamer en zag de ochtendzon op het scheermesprikkeldraad van het oostelijke cellenblok glinsteren. Het onweer was voorbij en in de woestijn was het vochtig, helder en koud.

Hij vroeg zich ook af hoe het Coleman in Jacume was vergaan, of hij zijn honden had mogen meebrengen, of Draper en Israel Castro nog steeds vrienden waren.

En hij vroeg zich af wat de desbetreffende maatschappelijk werker van San Diego County ervan had gevonden dat de jonge Coleman bij een vriend ging wonen in een smokkelaarsnest als Jacume.

Maar Hood vroeg zich vooral af of de onderzoekers van de brand hadden kunnen verklaren waarom de propaankoppeling op 4 februari zo overvloedig had gelekt, maar daarvoor blijkbaar nooit.

Drie uur later zat hij tegenover Teresa Acuna, hoofd van de kinderbescherming in National City. Ze had in 1995 geregeld dat Coleman Draper bij de familie van zijn vriend ging wonen.

'We hadden subsidie voor dat project,' zei ze. Ze had zwart haar, was begin veertig en zwaargebouwd. 'Er was succes mee behaald in Ohio. Het project moest het de gezinnen van kinderen die vrienden waren, gemakkelijker maken de pleegzorg op zich te nemen. We wilden continuïteit, samenhang, familiegevoel. In het geval van Coleman was er de complicatie dat de familie van Israel Castro in Mexico woonde. We hadden nooit eerder zoiets geprobeerd en namen contact op met de maatschappelijke dienst in Baja Norte. Eerst zeiden ze dat het niet kon. Toen zeiden ze dat het geen probleem zou zijn. Zo'n ommekeer is niet zo ongewoon in een gebied waar corruptie en oneerlijkheid welig tieren.'

'Jacume.'

'Jacumba. East County. Baja Norte. Zeg maar de hele grens. Het is daar een paradijs van onrechtvaardigheid.'

'De maatschappelijke dienst in Baja Norte veranderde van gedachten?'

'Ja. Zonder een verklaring te geven. De familie Castro was invloedrijk en ik nam aan dat zij erachter zaten. Als ik het over familie heb, bedoel ik dat in de ruime zin van het woord. Ik ben zelf naar Jacume gegaan om het huis te zien waarin Coleman zou worden opgenomen. Het was netjes, schoon en groot, en het voelde vrij en open aan. Hoewel er op die dag alleen een tante en oom van Israel waren, had ik van mijn bronnen in Jacumba gehoord dat er in dat huis drie echtparen woonden en dat er meestal veel kinderen waren: neefjes en nichtjes, vriendjes, vriendjes van vriendjes. Er waren ook vaak gasten. De oom was landeigenaar in de Santo Tomas-vallei. Hij verbouwde druiven en had een grote wijnmakerij. Hij had connecties bij de overheid in Mexico Stad. Er had weleens iemand van de Castro's in de gevangenis gezeten, niet de oom, maar de oom van de oom. Daar werd niet over gepraat.'

'Waarom liet u de jongen naar dat paradijs van onrechtvaardigheid gaan?'

'Dat is een goede vraag. Ik heb ermee geworsteld. Het zou goed zijn als hij bij de familie van zijn vriend was. Hij zou daar in een stabiele omgeving leven, en er zou tenminste enige continuïteit in zijn leven zitten. Hij zou als het ware aan de andere kant van het stadje wonen waarin hij was opgegroeid. De keerzijde was ook duidelijk. Ten slotte gaf Coleman zelf bij mij de doorslag. Hij was een bijzonder aardige jongen, intelligent, goedgemanierd en rustig. Hij leek me emotioneel sterk en capabel, al was hij geschokt door de plotselinge dood van zijn familie. Ik dacht dat hij een goed leven zou hebben bij zijn vrienden in Jacume. Ik geloofde in hem.'

Teresa Acuna leunde achterover en legde haar gevouwen handen in haar schoot. 'Ik heb Coleman ondervraagd toen hij zestien werd, en opnieuw toen hij zeventien werd, en nog een keer voor zijn achttiende verjaardag. Hij maakte een gelukkige indruk. Hij had goede cijfers en ontwikkelde zich goed. Hij speelde honkbal. Hij had vrienden.'

'Wanneer hebt u hem voor het laatst gezien?'

Ze typte iets in, wachtte even en typte opnieuw. 'Het laatste gesprek hadden we in november 1998. Hij stond toen op het punt naar Los Angeles te verhuizen. Hij zei dat hij genoeg van Jacumba had. Hij wilde automonteur worden. Ik zei tegen hem dat goede, eerlijke automonteurs moeilijk te vinden waren en dat hij daar succes mee kon hebben. Hij zei dat hij dat van die eerlijkheid niet zeker wist, maar hij was nu eenmaal een grappenmaker.'

Hood vertelde haar dat hij zich in Colemans verleden verdiepte omdat Coleman een rol speelde bij een lopend onderzoek. Hij zei het jammer te vinden dat hij haar niet meer kon vertellen, maar gaf haar een kaartje met zijn vaste en mobiele nummer.

'Als hij contact met u opneemt, zou ik graag willen dat dit gesprek vertrouwelijk blijft.'

'Ik begrijp het. U zult vast met Lloyd Sallis willen praten. Hij heeft onderzoek gedaan naar de brand. We verschilden van mening.'

'Ik heb over een halfuur een afspraak met hem.'

Brandinspecteur Lloyd Sallis was met pensioen en woonde nu in San Diego. Hij was een grote man met dik, grijs haar en een diep doorgroefd gezicht. Het was donker in zijn huis, de banken zakten door en hij verontschuldigde zich bij Hood voor zijn huishouden. Hij was weduwnaar, zei hij, en hij gaf niet om een beetje stof.

Hij bood Hood een glas whisky aan en stelde voor dat ze buiten op de patio zouden gaan zitten. Hij kwam met een plastic draagtas en twee drankjes terug en ging tegenover Hood zitten. Het was vroeg in de middag en het was warm. De bomen in de achtertuin stonden vol met voederbakjes voor kolibries, en de vogels repten zich van bakje naar bakje, maakten ruzie om territorium, verdwenen als kogels in de lucht en gonsden de tuin weer in om het allemaal nog eens over te doen. Een lapjeskat zat even met zijn snuit in de draagtas en sprong toen op Sallis' schoot.

'Ik heb geholpen die brand in Jacumba te blussen,' zei hij. 'En toen we naar binnen konden, heb ik geholpen de lijken op brancards te leggen. Dat was geen prettig werk, zeker niet met die twee kinderen. Ze waren nog maar tien en twaalf. Blijkbaar waren ze gestikt in het gas en verbrand toen ze al dood waren. Dat werd later bevestigd door het rapport van de patholoog-anatoom.'

Sallis aaide de kat langzaam met zijn grote, knokige hand. Hij liet de ijsblokjes tegen zijn glas tikken en keek ernaar, maar dronk niet.

'Ik heb gepraat met de brandweerlieden die het eerst ter plaatse waren en kreeg van hen het hele verhaal te horen. Toen de zaak voldoende was afgekoeld, ging ik op onderzoek uit. Ik nam de tijd, deed alles langzaam, maakte veel foto's. Het was een al wat ouder huis, traditioneel uit hout opgetrokken, dus met houten wanden en een dak van houten shingles. Er was binnen geen sprinklersysteem en er was ook geen rookalarm. Het huis was al twintig jaar van de familie Draper. Omdat het al die tijd dezelfde eigenaar had gehad en niet was verbouwd, was het nooit gecontroleerd.'

'En het was een koude nacht,' zei Hood.

'Ja. Drie graden boven nul. De thermostaat van de verwarming stond op zeventien graden. Het was een normaal propaansysteem, met een tank van vierhonderd liter op zo'n vijftien meter afstand van het huis en een ondergrondse buis. Die buis kwam uit in de waskamer, waar de wasdroger en de verwarmingsketel stonden, en vertakte vandaar naar de keuken en vervolgens naar de boiler, die zich in de gangkast bevond.'

Lloyd Sallis nam een slokje van zijn whisky, en toen nog een. Zijn ogen hadden iets wazigs en deden Hood denken aan die van de vijftienjarige Coleman Draper op die krantenfoto. De kolibries flitsten nog van voederbakje naar voederbakje door de tuin. Hood hoorde de kat spinnen.

'De buis was van koper en volgens de voorschriften aangebracht door een erkende installateur. De koppeling was niet kapot, maar zat wel los. Het was een normale knelkoppeling, tweemaal schroefdraad, tegen elkaar in, zodat je twee moersleutels nodig had om hem strakker of losser te maken. Ik heb er wel foto's van.'

Lloyd zette zijn glas neer en pakte de draagtas op. De kat hoorde het ritselen van de plastic zak, sprong overeind en rende weg met zijn oren plat tegen z'n kop. Lloyd keek zachtmoedig en geamuseerd naar de kat en Hood had de gedachte dat hij vroeger ook zo naar zijn vrouw had gekeken. Lloyd haalde een dik pak foto's tevoorschijn.

'Ik maakte toen digitale foto's, maar werkte ook nog met film,' zei hij. 'Ik wilde er niet op vertrouwen dat die digitale foto's er nog zouden zijn als ik ze nodig had. Toen ik met pensioen ging, nam ik deze mee naar huis.'

'Waarom?'

Hij keek Hood aan. Zijn ogen waren niet wazig meer. 'Omdat ik dacht dat er op een dag een rechercheur tegenover me zou zitten die vragen over die brand zou stellen. Komt u eens naast me zitten. Ik kan u op een paar dingen wijzen.'

Er waren foto's van de brandweer die het vuur bestreed, de grote slangen die water tegen het huis spoten. Er waren foto's van wat er van elke kamer was overgebleven. En dan waren er tientallen close-ups: verbrande apparaten, bedden, elektronica. De lichamen waren lelijk verkoold. Hun houding wees erop dat ze in hun slaap waren gestorven en zich niet hadden verzet. Alleen de dochter was op de een of andere manier uit haar bed gekomen. Ze lag op de vloer ernaast.

'Ze werd lang genoeg wakker van het gas om uit bed te stappen,' zei Sallis. 'Blijkbaar had ze toen geen kracht meer. Zo te zien is ze weer in slaap gevallen toen ze op de vloer viel. Later heb ik de gegevens van het gasbedrijf opgevraagd en uitgerekend hoeveel gas er ongeveer in die tank zat voordat hij lekte. Ik kwam op ongeveer honderdvijftig liter. Nou, toen de brandweer de klep dichtdraaide, was de tank leeg.'

'Honderdvijftig liter.'

'Het kan ook tien liter meer of minder zijn geweest. U weet dat we het dan over vloeistof hebben, hè? Als die vloeistof in de atmosfeer komt, zet hij uit en wordt hij een gas. Honderdvijftig liter die onder druk staat, kan een veel grotere ruimte opvullen als het gas in een huis komt.'

'Genoeg gas om vier mensen te laten stikken?'

'Meer dan genoeg. Veel meer.'

Hood keek naar de foto's van de koppeling. Sallis had de camera goed gebruikt. Er waren foto's op afstand, van dichtbij en van heel dichtbij, allemaal vanuit verschillende hoeken. De details van de close-ups waren scherp en goed belicht: de dofbruine koperen buis, de verse krassen aan beide uiteinden van de koppeling, waar hij losser of strakker kon worden gedraaid, de glinstering van koper waar de donkere buitenlaag was beschadigd.

'Er zitten verse krassen op die koppeling,' zei Hood.

'Nou en of.'

'Niet jullie werk?'

'Wij hebben dat ding pas aangeraakt toen die foto's allang gemaakt waren.'

'Wat vond u daarvan?'

'Ik dacht eerst aan de vader. Gerald Draper, achtenveertig jaar oud. Restauranthouder. Hij was een keer opgepakt voor rijden onder invloed toen hij in de twintig was, en voor mishandeling toen hij als dertiger bij een kroegruzie betrokken raakte, maar afgezien daarvan had hij geen strafblad. De politie van San Diego deed ook onderzoek naar de moeder, Mary. Ze vonden niets. Niemand had ooit melding gemaakt van huiselijke problemen. De buren zeiden allemaal dat de Drapers normaal waren, en min of meer gelukkig. Ze hadden een goed restaurant. Dus...'

'En dus deed u onderzoek naar Coleman, de overlevende. En naar zijn vriend, Israel Castro.'

'Castro kwam als een vrij eerlijke jongen op me over. Ik voelde geen gemeenheid bij hem, niets onevenwichtigs. Agressief, dat wel. En arrogant. Waarschijnlijk een toekomstige bajesklant. Maar ik vond Coleman vreemd. Hij had diep geschokt moeten zijn, maar daar merkte ik niets van. Hij was kalm, helder, breidde zijn verhaal niet uit, veranderde er ook niets aan. Hij was beheerst. Hij huilde een keer en ik zweer u dat het komedie leek. Toen ik hem voor het eerst zag, toen ik voor het eerst de kamer binnenkwam waarin hij zat te wachten, had ik het gevoel dat hij zich op dat moment had voorbereid. Ik mocht hem niet en vertrouwde hem ook niet. De rechercheurs en maatschappelijk werkers hadden een heel andere indruk. Ze vonden dat hij gevoelig, mededeelzaam en behulpzaam was.'

'Wat zeiden de rechercheurs over de koppeling?'

'Ze zeiden dat die verse krassen al wel een jaar eerder konden zijn gemaakt. Zo lang doet koper erover om te verkleuren, als het uit het zonlicht blijft, zoals in het geval van die koppeling. Tenminste, dat zei de FBI tegen hen. Ik zei: "Als dat zo is, waarom is dat verrekte huis dan niet een jaar eerder ontploft," en zij zeiden: "Nou, omdat het nu eenmaal niet is gebeurd." Ze waren niet zo blij met mijn hulp. Ze vonden dat ik te veel verdenking koesterde tegen die jongen.'

'Hebt u Coleman naar die koppeling gevraagd?'

'Ja. Zijn antwoord was interessant. Hij hield zich niet van den domme. Hij keek me niet eens verbaasd aan, geen moment. Hij zei alleen dat als hij zijn familie had vermoord, hij iets zou hebben gebruikt om te voorkomen dat die koppeling krassen opliep door de moersleutel, bijvoorbeeld een oud T-shirt of een doek.'

'Hebt u dat ook tegen de rechercheurs gezegd?'

'Ja, ja. Ze geloofden dat het lek een ongeluk was en dat die krassen maanden eerder konden zijn gemaakt. Ze zagen bij niemand een motief om aan die koppeling te knoeien. Colemans verzekeringsuitkering was bescheiden en hij zou dat geld pas over drie jaar krijgen. Zaak gesloten; een tragisch ongeluk. En toen ging Coleman bij Castro in Jacume wonen. Waarom komt u hier?'

'Daar mag ik niets over zeggen.'

'Dat moest ik ook altijd zeggen.'

Sallis pakte zijn whisky op. Ze zaten naast elkaar met hun gezicht naar de achtertuin, de namiddagzon en de bomen met voederbakjes die licht schommelden in de bries. Hood dacht aan zijn vader, die zijn laatste dagen in een tehuis doorbracht. Zijn alzheimer was plotseling komen opzetten en snel erger geworden. Twee jaar geleden was hij er nog, had hij al zijn herinneringen en een toekomst. Nu zwalkte hij rond, vond Hood, als een boot zonder roer. Zijn geheugen en zijn fantasie waren bijna niet meer uit elkaar te houden, en het idee dat er een dag van morgen was, scheen hij niet meer te kunnen bevatten. Hij herkende Hoods moeder niet, met wie hij al bijna vijftig jaar getrouwd was, en zijn vijf kinderen evenmin. Als Hood naar hem keek, zag hij zichzelf, en dat maakte hem bang.

'Er is eerder deze maand een LASD-agent vermoord,' zei hij.

'Terry Laws in Lancaster.'

'Ik kreeg toestemming van Interne Zaken om me in hem te verdiepen, na te gaan of er een goede reden was waarom een agent in koelen bloede was neergeschoten. Nou, ik heb een paar interessante dingen over Terry Laws ontdekt. Hij had veel meer geld dan je zou verwachten. Baar geld; zeven- of achtduizend dollar per maand, ergens vandaan. Ik weet nog steeds niet of het ergens begraven lag of dat hij het van week tot week verdiende. Ik doe wat u na die brand in Jacumba deed. Ik ga naar mensen toe en stel vragen. En ik ontdekte dat Laws een arrestatie deed die niet goed ging, dat er een groot bedrag aan drugsgeld was verdwenen, en dat twee kartelkoeriers in koelen bloede zijn vermoord. En raad eens wiens naam steeds weer opduikt?'

'Coleman Draper.'

'Hij is reserveagent. Wapen, insigne en één dollar per jaar om voor agentje te spelen. Laws en hij hebben de man gearresteerd die van de moord op de koeriers wordt verdacht, maar ze sloegen hem zo erg op zijn kop dat de rechter hem naar een psychiatrische inrichting heeft gestuurd. Omdat die arrestatie er zo lelijk uitzag, verdiepte ik me in Draper. Zo kwam ik bij de kinderbescherming, waar ze vinden dat Coleman een sympathieke, onschuldige jongen was, en bij u, en u vertelt een ander verhaal.'

'Ik zag hoe hij met die mensen praatte,' zei Sallis. 'Heel anders dan met mij. Hij vertelde hun wat ze wilden horen. Hebt u ooit een hond meegemaakt die een hekel aan u had? Iemands huisdier, de hond van een gezin, en hij houdt van iedereen behalve van u? Hij wil uw ballen afhappen en u weet dat en hij weet het ook. Zo ging het met Coleman. Eerst dacht ik dat het aan mij lag, dat hij iets over me wist, of dat ik een geur verspreidde die alleen hij kon ruiken. Toen dacht ik: nee, het ligt niet aan mij. Het ligt aan hem.'

De kat kwam over de patio aangelopen en sprong op Sallis' schoot.

'Nou, die kat heeft daar in elk geval geen last van,' zei Hood.

'Voor zover ik weet, woont Israel Castro nog in Jacumba. Hij heeft het huis van de Drapers gekocht. Hij blijft vast niet in East County. Een grote vis in een kleine vijver. Maar zijn naam duikt nu en dan op. Ik weet het niet. Misschien kan hij helpen.'

'Ik wil niet dat Coleman weet dat ik onderzoek naar hem doe.'

'O ja, natuurlijk niet.'

'Waarom zou hij zijn ouders, broer en zus hebben vermoord?'

'Daar heb ik veel over nagedacht. Ik heb met mensen gepraat. Het gebeurt soms met extreem gestoorde kinderen; bijna altijd tienerjongens, bijna altijd door brand. De artsen zeggen dat die jongens een psychotisch trekje hebben. Soms komt er geestesziekte in de familie voor. Soms lijkt het uit het niets te komen. Meestal zijn er problemen met de ouders en andere gezinsleden. Het zijn meestal geïsoleerde jongens, eenlingen. Ze pissen in bed en kwellen dieren. Op een PET-scan vertonen hun hersenen een ander patroon dan bij normale mensen, andere niveaus van activiteit. Ze worden paranoïde schizofrenen die hallucineren en pyromane neigingen hebben. Ik ben geen arts, maar dat alles zag ik bij Coleman Draper niet. Ik zag een jongen met duisternis vanbinnen. Wreedheid. Kwaadaardigheid. Die woorden beschrijven niet goed wat ik heb gezien. Maar ik kan geen betere woorden bedenken.'

'Mag ik een paar van deze foto's meenemen?'

'Neem ze allemaal maar. Ik heb mijn verhaal verteld. Ik ben er nu klaar mee.'

Hood parkeerde in de straat van het vroegere huis van de Drapers in Jacumba. Het nieuwe huis was modern en trots en leek helemaal niet op het uitgebrande karkas dat hij op die krantenfoto van veertien jaar geleden had gezien. Een magere jongen, die met een stok een rammelende wieldop voor zich uit duwde, rende langs Hoods auto door de straat. Er zat een draadgazen hek om het perceel heen en er was een elektrische poort. Er stonden roerloze populieren in de voortuin, maar die hadden nog geen blad. De jongen rende met de wieldop de hoek om en Hood kon hem niet meer zien.

Hij reed langs restaurant Amigos. Het zag er rustig uit, maar het was inmiddels laat op de middag, tussen lunch en diner.

Hij reed door Jacumba zoals hij door Los Angeles reed: aandachtig, nieuwsgierig, maar niet op zoek naar iets in het bijzonder. Het was een stil en troosteloos plaatsje, vond Hood, zelfs voor iemand die van woestijn, ruig terrein, genadeloos weer en harde mensen hield. Hood zag een SUV van de grenswacht grind opspuwen op een onverharde weg. Hij zag een jeep van Binnenlandse Veiligheid in de struiken geparkeerd staan. Twee stoffige Suburbans met zwartgemaakte ruiten reden over een weg op de helling. Daarboven cirkelden vijf gieren rond. Hoog boven de vogels hing een helikopter in de lucht, een klein zwart spinnetje in een onmetelijk blauw web. Een oudere, lage Impala kwam naar Hood toe, met blingbling aan het spiegeltje, glinsterend in de zon. De vier mannen die erin zaten, keken in het voorbijgaan naar hem. Twee jongens op quads reden met grote snelheid over een onzichtbaar pad op een erg steile helling. Toekomstige smokkelaars die zich vertrouwd maakten met het terrein, dacht Hood. Hij hoorde een bekend ratelend geluid en zag de magere jongen met zijn wieldop door een andere stoffige straat rennen.

Hij stopte in een zandige berm en keerde, maar een naderende zwarte SUV zwenkte naar het midden van de weg en ging overdwars staan. Een andere auto stopte achter hem. De mannen die eruit kwamen, hadden automatische wapens en militaire geweren en droegen helmen en geelbruine camouflagekleding. Ze omsingelden de Camaro voordat Hood het portier kon openmaken.

Hij stapte uit met zijn handen omhoog en hoorde de metalen geluiden van veiligheidspallen en schuiven die werden overgehaald. Geen van beide SUV's had een zichtbaar embleem: alleen zwarte lak en een groot aantal antennes.

Een potige man, die een geweer met een drum had, liep met grote passen naar Hood toe en richtte het geweer op zijn borst. Hij kwam dichterbij dan Hood verwachtte en bleef toen staan.

'Ministerie van Binnenlandse Veiligheid, grensdetachement Zuidwest, sergeant Dan Sims. Wie ben jij?'

Hood vertelde het hem.

'Agent Hood, ik wil dat je één hand heel langzaam laat zakken en me je insigne laat zien.'

Hood gaf hem de houder met het insigne. Sims las het en keek Hood toen aandachtig aan.

'Wat doe je hier?'

'Achtergrondonderzoek. De zaak-Terry Laws.'

Hood kon zien dat de man nooit van Terry Laws had gehoord; daar had hij op gehoopt.

'Heb je gevonden wat je nodig hebt?'

'Dat weet ik nog niet.'

'Mooie IROC.'

'Dank je. Het is een model '68.'

'Pas goed op jezelf. Hier aan de grens gaat alles mis wat mis kan gaan.'

Hij gaf Hood zijn insigne terug.

Hood reed nog een tijdje door Jacumba en ging toen met zijn mooie IROC richting het noorden naar Los Angeles.

20

Natuurlijk wil de jongen meer van het verhaal horen, maar hij heeft daar nu andere redenen voor. Zijn gezicht is nu ook anders. In de rokerige duisternis kijkt een mannengezicht naar me terug. Het is een kleine verandering, maar het verschil betekent alles.

'Ga nu in gedachten naar mei vorig jaar,' zeg ik. 'We rijden in zuidelijke richting over de Interstate 5 naar Mexico, met 338.000 dollar in de kofferbak. We maken deze rit al negen maanden elke vrijdag. Zevenduizend dollar per week. Soms meer, soms een beetje minder. Opeens vertelt Terry me dat hij iemand heeft leren kennen. Hij is een paar jaar gescheiden en doet het goed bij de dames. Maar deze nieuwe is alles wat hij ooit in een vrouw heeft gewenst. Ze heeft fantastische benen. Terry Laws drinkt uit een roestvrijstalen flacon. Hij is daar al sinds Cudahy mee bezig, en als het deze keer net zo gaat als op de afgelopen vrijdagavonden, giet hij de flacon in Orange County nog eens vol en heeft hij de hele fles leeg als we in El Dorado aankomen.

"Heb jij even geluk," zeg ik.

"Laurel," zegt Terry.

"Er is een cafetaria in de volgende straat," zeg ik tegen Terry. "Daar kun je me alles over Laurel vertellen."

Ik parkeer de auto bij de Coffee Stop in San Ysidro. Laws wankelt als hij uitstapt. We gaan aan een tafel bij het raam zitten om de auto te kunnen zien en erop te letten dat niemand bij het geld komt. Het is een warme avond en Laws trekt zijn jasje uit, en natuurlijk kijkt iedereen in de cafetaria naar hem, Superman, met een schouderholster en een .40 pistool daarin.

"Ik maakte Laurel aan het lachen toen we voor het eerst uit waren," vertelt hij. "Ik deed Arnold Schwarzenegger na, en Jack Nicholson, en George Bush. Ze stikte zowat van het lachen."

"Gescheiden?"

"Ja. Van een vent die bij de film wilde."

"Kinderen?"

"Nee, man. Ze is nog maar vijfentwintig. Ze zegt dat ze daarmee wil wachten."

"En jij, Terry? Wil jij er nog meer?"

"Ik heb mijn meisjes. Dat is genoeg voor mij. Maar weet je, als het echt iets wordt tussen Laurel en mij..."

Laws kijkt me aan en ik zie de gretigheid in zijn ogen, de vurige wens om het haar naar de zin te maken. Ik zie het kinderlijke geluk, dat zo broos zal zijn en zo gemakkelijk door Laurel zal worden verbrijzeld. En ik zie het verval. Dat begon negen maanden geleden in die nacht op Avenue M. Ik ruik het aan Terry's adem.

Het is bijna volle maan en ik rij over de tolweg ten zuiden van Tijuana. De zwart-witte middenstrepen vliegen voorbij. Ik haal een grote vrachtwagencombinatie in die op weg is naar het zuiden. Laws' fles is leeg en hij is stil geworden. Ik bedenk dat hij nog maar een paar maanden geleden met één flacon toekon, helemaal tot aan Herredia. Nu leunt Terry tegen de hoofdsteun en kijkt hij uit het raam en denkt hij god mag weten wat.

"Terry, ik maak me zorgen over je. Je drinkt meer."

"Wat bedoel je? Ik ben in topconditie."

"Ik weet dat je ook meer traint. Maar iemand die veel drinkt, is niet in evenwicht. Je moet in evenwicht zijn."

"Ik moet er zijn, punt. We zijn compagnons."

"Wees heel voorzichtig met wat je die Laurel vertelt."

"Ik denk dat ik verliefd ben op die Laurel."

"Wil je dan extra voorzichtig zijn? Als je verliefd bent, zeg je gauw dingen die je niet zou moeten zeggen."

"Alleen..."

"Alleen wat? Vertel het me, Terry. We doen dit samen."

"Man," zegt hij, "ik dacht dat ik het allemaal had weggestopt. Dat het allemaal veilig was opgeborgen. Elke dag deed ik meer aan gewichtentraining, en elke dag leek het een beetje verder weg. Het leek minder echt. Toen kwamen die dromen. En die toestand dat mijn hart sneller gaat slaan en aanvoelt alsof het in mijn keel omhoogkomt, en dan is mijn hele overhemd in een halve seconde drijfnat van het zweet. En ik krijg bijna geen lucht meer. Man, het is net of ik word geëlektrocuteerd of zoiets. Of ik een dodelijke injectie krijg. Ik weet het niet."

"Dat zijn angstaanvallen, Terry. Daar heb je goede medicijnen voor. Die verdrijven ze."

"Dat heb ik nodig, Coleman. Ik heb het nodig dat alles wordt verdreven. Maar als ik bij Laurel ben, hoeft er niets te worden verdreven. Ik ben Terry en ik kan haar aan het lachen maken. Ik voel me open en vrij, niet alsof ik rondloop met een grote zwarte berg in mijn binnenste."

"Je moet het jezelf vergeven, Terry. Je moet vergeven en vergeten."

"Sorry. Ik probeer het wel, maar ik kan niet vergeten dat jij de hersenen van die kerels tegen de voorruit aan schoot. En die verrekte aardbeien die in het rond vlogen. Het wil gewoon niet weggaan."

"Ik ben de details zelf al vergeten."

"Ik niet. Ik herinner me dat je het doorbelde met je kop uit het raam, en pratend alsof je een dronken Mexicaan was. In mijn dromen hoor ik je stem nog steeds. En weet je nog, dat blauwe oog dat jij me sloeg? Dat is nooit helemaal genezen. Het is nog steeds gezwollen. Een beetje, maar ik kan het merken. Ik word er steeds aan herinnerd."

"Nou, als het je kan troosten: de drie hechtingen die ze in mijn wenkbrauw hebben gezet, doen nog steeds pijn en zijn nog steeds gezwollen. Dat was me de stomp wel, Terry."

"Wat een vertoning: twee vrienden die elkaar slaan om een kerel erin te luizen die ze net halfdood hebben geslagen."

"We zijn bloedbroeders, Terry."

"Bloed-en-nog-wat. Ik wil je een serieuze vraag stellen. En ik meen het, want ik heb er veel over nagedacht."

"Oké."

"Als je het allemaal moest overdoen, zou je dat dan doen?'"

Ik kijk naar de jongen die hier in de sigarenbar tegenover me zit, en ik zie dat hij bijna gehypnotiseerd wordt door het verhaal, het bier, de rook, het ontzaglijke gewicht van wat hij te horen heeft gekregen. Hij verandert. Hij wordt volwassener.

'Neem maar van mij aan dat ik me op dat moment beroerd voelde,' zeg ik. 'Soms stond ik versteld van de ongelooflijke domheid van Terry Laws. Dit was zo'n moment.

"Terry, neem nou die zevenduizend per week voor een paar uur rijden. Kom op."

"Ik weet het niet."

"Je weet het wél. Je moet het weten. Heb je Laurel verteld wat we deden of wat we doen?"

"Natuurlijk niet."

"Wat moet ik doen als je het Laurel vertelt?"

"Wat bedoel je daarmee?"

"Heb je het iemand verteld?"

"Nee."

"Terry, ik zal het je heel simpel vertellen: hou je mond erover.'"

'Dat zou ik ook tegen hem hebben gezegd,' zegt de jongen.

'Als we het geld opnieuw hebben gewogen en hebben gedronken en gegeten, gaan we zwemmen. Het is laat en warm. Terry is stomdronken. Hij gaat naar een van de vrouwen toe, struikelt en valt in het zwembad. Hij spartelt lachwekkend, slaat met zijn armen door het water, spuwt en roept dat hij niet kan zwemmen. De vrouwen lachen om de voorstelling. Dit is veel beter dan de Jack Nicholson-imitatie die hij onder het eten ten beste heeft gegeven. Maar ik kijk nog eens goed en zie dat hij niet dichter naar de rand toe spartelt, maar juist naar het midden van het zwembad. En hij krijgt steeds minder lucht. Hij klinkt paniekerig. Plotseling worden de vrouwen stil en pakt Herredia mijn arm vast.

"Ik weet niet wat ik met hem moet doen," zegt hij zachtjes.

"Hij heeft leiding nodig," zeg ik. "Ik zal ervoor zorgen."

"Weet jij wat er met hem aan de hand is?"

"Hij krijgt een geweten."

"Zo'n man is gevaarlijk. We kunnen hem laten waar hij is, dan hoeven we ons nooit meer zorgen over hem te maken. De woestijn is ideaal voor geheimen."

Ik kijk naar het zwembad. Laws is nu een wirwar van haren, overhemd, spieren en luchtbellen; een storm die vooral onder het wateroppervlak kolkt. Ik pak de *skimmer*, maak de telescopische steel zo lang mogelijk, en als Terry's naar lucht happende hoofd misschien wel voor de laatste keer bovenkomt, geef ik hem een mep. Zijn handen vliegen omhoog en grijpen het mandje vast. Ik trek hem hand over hand door het water. Laws grijpt de zijkant van het zwembad vast en braakt water uit, kokhalst, hoest en braakt weer. Ik gooi de steel neer en loop naar mijn *casita* terug. De hele nacht lig ik wakker, want hoe ik het ook bekijk, ik zie steeds weer dat dit het begin van het einde is van alles waarvoor we hebben gewerkt.'

21

Draper knikte vriendelijk naar Hood toen de patrouillekoppels werden omgeroepen, en Hood knikte terug. Toen het appel voorbij was, brak het gebruikelijke rumoer uit onder de agenten en gingen ze naar buiten.

Het was opnieuw een koude avond in Antelope Valley, en het gaf Hood een goed gevoel dat hij zijn uniform weer aanhad. Hij had zijn dienstjack laten schoonmaken en ritste het helemaal dicht terwijl ze onder de namen van de omgekomen agenten door over het parkeerterrein liepen. Hood keek op en zag dat de sterren fel en dichtbij waren.

'Ik ben blij dat wij samen op patrouille gaan,' zei Draper.

'We doen dit voor Terry,' zei Hood.

'Ik dacht dat je voor Interne Zaken onderzoek naar hem deed.'

'Ja, maar er viel niet veel te onderzoeken. Hij was clean, maar dat wist jij natuurlijk al.'

'Terry clean? Hij glánsde. Dus je rijdt weer patrouille?'

'Nu en dan. Ik hou van rijden en kan de overuren goed gebruiken.'

Ze dronken koffie in een benzinestation in Lancaster en reden daarna door de stad. Hoe kouder de woestijn was, des te trager verliep de nacht, en deze nacht ging alles in slow motion.

'Ik hoorde dat jullie een M249 saw bij Londell hebben gevonden,' zei Draper.

'Verstopt in een matras.'

Draper schudde zijn hoofd. 'Maar waarom zou hij op Terry hebben geschoten?'

'Als we hem konden vinden, vertelt hij het ons misschien wel.'

'Het is een sluwe kerel. Hij is vast bij een vrouw. Hij is altijd bij een vrouw.'

'We houden Latrenya en Tawna in de gaten. Die hebben zijn alibi verknoeid.'

Hood reed langzaam en met een omweg naar het huis van Jacquilla Roberts in de Legacy-wijk. Toen ze langs de plaats kwamen waar Terry Laws was vermoord, keek Draper ernaar.

'Ik patrouilleerde hier laatst,' zei hij. 'De straat was schoon van de regen en het was of er niets ergs was gebeurd.'

Hood keerde aan het eind van de straat en reed terug. Hij stopte voor het huis van Roberts.

'Kwam hij achter die boom vandaan?' vroeg Draper.

'Snel.'

'En wat deed jij toen?'

'Ik legde mijn rechterhand op mijn pistool en mijn linkerhand op de deurgreep en viel zo'n beetje uit de auto.'

Draper keek naar Hood en toen weer uit het raam. 'Heb je geschoten?'

'Nee. De voorruit verbrijzelde en ik kon niet zien waar ik schoot. Toen ik op straat lag en overeind kwam, schoot hij over het dak, wachtend tot mijn hoofd tevoorschijn kwam. En toen was hij weg, over die schutting daar. Die ligt op één lijn met een slaapkamerraam. Hij was snel.'

'Ik heb gehoord dat hij honderddrieëndertig kogels heeft afgeschoten.'

'Als je zo'n machinegeweer zijn gang laat gaan, komen er duizend kogels per minuut uit. Het was voorbij voor ik wist wat er gebeurde.'

'Ik zeg niet dat je had moeten schieten,' zei Draper. 'Zo bedoelde ik het niet.'

'Zo vatte ik het ook niet op.'

'Ik was woedend toen ik het hoorde. Ik was gek op die kerel. Dit is een baan, weet je. Daar zou je niet voor moeten sterven.'

Nee, dat zou je niet, dacht Hood. Hij keek naar de volmaakte sterren. Daar kon je luchtkastelen mee bouwen.

Toen Hood weer opzij keek, schudde Draper zijn hoofd. 'Ik vraag me af waarom hij jou niet ook heeft neergeschoten.'

'Daar heb ik ook over nagedacht.'

'Misschien wilde hij dat je hem zag.'

'Waarom?'

Draper haalde zijn schouders op. 'Een proef die hij moest afleggen? Misschien wilde hij dat er iemand overbleef die kon vertellen wat hij had gedaan. Iemand die getuige was van zijn geweldige daad.'

'Dat denk ik ook,' zei Hood. 'Maar dat is niet alles.'

'Wat is er dan nog meer?'

Hood keek naar de peperboom en herinnerde zich de beweging die eerst op wind in de takken had geleken en toen de duistere moordenaar bleek te zijn, die opeens tevoorschijn kwam met een D op zijn capuchon en een machinegeweer.

'Ik vraag me af of hij mij iets verkeerds wilde laten zien.'
'Wat bedoel je: iets verkeerds?'
'Iets wat een bepaalde schijn wekte, maar niet waar was.'
'Wat bijvoorbeeld, Hood?'
'Dat weet ik nog niet.'
'Wat kan er dan niet waar zijn geweest? Een kerel met een SAW heeft Terry neergeschoten. Wat jij hebt gezien, was verdomd waar.'
Hood keek uit het raam. Hij keek naar de boom. Hij keek naar de schutting en het huis.
'Ik wed op Londell,' zei Draper. 'Ik wedde meteen al op hem. Nu ze de SAW in zijn bed hebben gevonden, nou... Misschien was het ding van een van zijn vriendinnen. Of misschien bewaarde hij het voor een vriend. Maar ik denk dat hij Terry ermee heeft vermoord. Londell is gewoon zo dom dat hij iemand vermoordt om een hond.'

Later, toen ze drie keer over de snelweg hadden gereden, ging Hood naar Avenue M en reed hij langs de plaats waar Lopes en Vasquez waren geëxecuteerd. Vervolgens nam hij de avenue in westelijke richting.
'Niet veel te doen,' zei Draper. 'Ik heb liever dat er meldingen komen. Ik hou van actie.'
'Waarom?'
'Weet ik niet. Als kind hield ik al van actie.'
'Jacumba.'
'Jacumba,' zei hij. 'Het is een grensplaatsje in Diego County. De meeste mensen zeggen dat het daar doffe ellende is, maar ik hield ervan. Ik hou van open terrein met niet te veel mensen.'
'Waarom ben je naar Los Angeles verhuisd?'
'Zaken. Vrouwen. Jacumba had in geen van beide opzichten veel te bieden.'
Hij vertelde Hood over het restaurant van zijn familie, zijn jeugd in de stoffige straten bij de grens, de muur die gebouwd werd om Jacumba van Jacume te scheiden, de smokkelaars die dag en nacht door de heuvels werden achtervolgd, de lijken, de weggegooide drugs en wapens. Hij vertelde Hood over Mike Castro, die was doodgeschoten waar Israel en hij bij waren.
'Het was het wilde Westen, maar dan met AK-47's,' zei Draper.
'Had je broers en zussen?' vroeg Hood.
Draper keek hem aan. 'Eentje van beide, alle twee jonger dan ik. Roxanne en Ron.'
Hood wachtte tot er meer kwam, maar dat gebeurde niet. Draper

bleef stil zitten en Hood voelde aan dat hij diep in gedachten was terwijl hij uit het raam keek. Hood vertelde hem over zijn eigen broers en zussen, allemaal ouder, en dat ze in zijn vroege herinneringen altijd in auto's stapten en wegreden. Wat had hij er een hekel aan om afscheid te nemen! Hood zei dat zijn broers en zussen het contact aanhielden, maar geen nauwe band met elkaar hadden, al bleven ze elkaar trouw en konden ze op elkaar rekenen.

Hij nam Pearblossom Highway en reed in oostelijke richting. Overdag was het een bochtige en vaak gevaarlijke weg, maar 's avonds was het er stil en kon Hood de koplampen van verre zien naderen.

'Terry en ik hebben Eichrodt daar opgepakt,' zei Draper. 'Dat zijn de Llano-ruïnes. Llano was een utopie. Grappig is dat, hè? Een utopie midden in de woestijn. Je kunt zien hoe goed het is gelukt.'

Hood keerde, reed naar de Llano-ruïnes terug en stopte. In het licht van de koplampen zag hij de fundering van het oude gemeenschapsgebouw, een schoorsteen en de resten van een muur van riviersteen.

'Jullie zagen het kenteken?'

'Er was een anonieme tipgever,' zei Draper. 'Hij wist maar vier van de zeven cijfers, maar hij had de volgorde goed. Het was een drieledig kenteken, een gedeukte, oude Chevrolet pick-up. Die verrekte Eichrodt reed om vier uur 's nachts rond met een gereedschapskist vol gestolen geld en een moordwapen met munitie. Op zoek naar god mag weten wat, iemand anders die hij kon vermoorden en beroven, denk ik. Man, wat kon die kerel vechten. Het was bijna precies hier, waar we nu staan. Hij gaf ons flink op onze donder, tot we de wapenstokken gebruikten. Een van ons in zijn eentje zou hij hebben vermoord. Zelfs Terry. Vergeleken met hem was Terry een klein ventje. Eichrodt werd meteen gewelddadig. Hij deed eerst of hij mak was en sloeg Terry toen met één uithaal neer. Hij stond stijf van de drugs. Terry liep een hersenschudding op en ik weet niet meer hoeveel hechtingen. Ik kreeg er drie in mijn rechterwenkbrauw en drie in mijn lip.'

'En hij heeft niet terechtgestaan.'

'Nee. Hij ging naar het gekkenhuis. Als ze hem daar in 2003 wat langer hadden gehouden, had hij niet vrij rondgelopen en geen mensen vermoord.'

Hood maakte een wijde bocht met de wagen. In het licht van de koplampen zag hij de ruïnes overgaan in woestijn en de woestijn in weg.

'Ga maar naar de afrit Avenue M,' zei Draper. 'Dan laat ik je zien waar het busje stond.'

Even later stonden ze halverwege de afrit Avenue M. Draper wees door de voorruit.

'Daar. Het busje stond daar zomaar. Ik scheen met mijn zaklantaarn en zag op tien meter afstand het bloed op de ruiten. Het was die nacht warm. Winderig. Naargeestig. Ik zal het je laten zien.'

Draper stapte uit en sloot het portier. Hij liep naar de plaats waar het busje had gestaan, draaide zich om en keek Hood aan. Die zette de motor uit, kwam ook uit de auto en liep door de berm. Draper wees met de lichtbundel van zijn zaklantaarn.

'De voorkant wees een beetje naar het zuiden. Het busje stond dus niet helemaal evenwijdig met de weg,' zei hij. 'Ik heb nooit begrepen hoe dat monster van twee meter kans heeft gezien in open terrein twee gangsters te verrassen, of het nou nacht was of niet. Maar ja, het is niet mijn taak om die dingen uit te zoeken. Eichrodt moet vanaf de passagierskant hebben geschoten, want beide kerels vielen de andere kant op.'

'Dat was geluk hebben: dat jullie eerst het busje vonden en toen de dader.'

'Ja.'

'Ik heb gehoord dat Terry daarna nooit meer dezelfde was.'

Draper deed zijn zaklantaarn uit. 'Hij dacht dat hij Superman was en toen werd hij in elkaar geslagen.'

'Dat schijnt niet alles te zijn. Ze zeiden dat er iets in hem was veranderd. Hij was iets kwijt.'

'Wie zeiden dat?'

'Mensen.'

Draper zweeg een hele tijd.

'Mensen ouwehoeren te veel over dingen waar ze niks van weten,' zei hij. 'Ik vond dat hij nog dezelfde was. Misschien een beetje serieuzer. Misschien niet meer zo luchtig. Hoe kun je na zoiets luchtig blijven? Hij was nog steeds Terry Laws, man. Dat was hij.'

Ze stonden een tijdje in het donker. Hood hoorde een zware truck op Highway 14, op weg naar het zuiden. De grond trilde toen het gevaarte voorbij denderde. Hij trok de rits van zijn jack een beetje verder dicht en stak zijn handen in zijn zakken.

'Hood, ik geloof niet dat je alleen maar herinneringen wilt ophalen.'

'Ik werk nog aan de moord op Terry. Ik ben nog steeds aan het zoeken.'

'Blijf dat dan doen. Maar je hoeft niet zo stiekem tegen mij te doen. Ik sta aan jouw kant. Tenminste, dat wil ik.'

'Dank je, Coleman.'

'Dat is het probleem met Interne Zaken,' zei hij. 'Het is eigenlijk niet jullie taak om te zoeken. Het is jullie taak om te vinden. En als jullie lang genoeg zoeken, vinden jullie altijd wel iets, al moeten jullie het zelf verzinnen. Anders hebben jullie je werk niet gedaan.'

'We verzinnen hier niets, Draper.'

'Goed. Want ik wil niet dat iemand onzin uitkraamt over Terry.'

Ze praatten de rest van de dienst over dingen waar vrijgezelle agenten altijd over praten: werk, sport, auto's en vrouwen. Hood vertelde hem dat hij bij Interne Zaken wegging als hij klaar was met Terry. Daarna zou hij misschien weer een kans bij de Buldogs krijgen.

Draper zei dat hij best op Moordzaken zou willen werken, maar dat reserveagenten daar geen schijn van kans maakten. Hij draaide tegenwoordig twee diensten per week, soms drie. Hij zei tegen Hood dat hij ook rekruteerwerk voor de LASD had gedaan: beurzen, promotieacties op scholen, dat soort dingen. Hij zei dat hij graag met mensen omging. Hij zei dat het er bij de politie vooral om draaide dat de juiste mensen werden geworven.

Draper vertelde Hood over een vriendin in Azusa en een andere in Laguna. Hij zei dat hij graag een gezin wilde stichten. Misschien zelfs twee, of drie. Hij glimlachte. Hij was nu negenentwintig en vond dat het zo ongeveer tijd werd voor dat soort dingen. Hij werkte nog maar een of twee dagen per week in Prestige, hield alleen de boeken en de loonlijst bij, deed de inkoop en 'voorzag de Duitsers van bier'. Hij bezat een klein appartementengebouw in Bell, dat hem een vast inkomen opleverde.

Om een uur of twaalf hielden ze een dronken automobiliste aan, hun enige arrestatie. Ze was te dronken om op haar benen te kunnen staan. Toen ze haar op het bureau hadden afgeleverd en ingeschreven, zat hun dienst erop en klokten ze uit. Ze gaven elkaar een hand op het parkeerterrein en Draper liep naar een goed onderhouden maar oudere zwarte BMW M5.

Hood maakte de kofferbak van de politiewagen open en deed alsof hij de inhoud controleerde.

Toen Drapers auto grommend de straat in was gereden en uit het zicht was verdwenen, stapte Hood weer in de auto en pakte hij een opnameapparaatje onder de stoel vandaan.

22

De volgende avond reed Draper met zijn zwarte M5 door een zijstraat in Cudahy. Hij keek naar de problematische stad, die levend werd opgevreten door corruptie, bendes en schurken. Er werd tegenwoordig incidenteel gepatrouilleerd door de politie van Maywood, ingehuurd ter vervanging van de Los Angeles Sheriff's Department, die door Cudahy de laan uit was gestuurd. Maar Draper wist dat in werkelijkheid de burgemeester het voor het zeggen had, samen met Hector en Camilla Avalos. Je zou kunnen zeggen dat die drie in verdorven harmonie met elkaar samenwerkten, dacht Draper.

Het was vrijdag, en Israel Castro's schutter zat naast hem. Hij was slank en had kalme ogen en kortgeleden geknipt, dicht zwart haar. Hij was jonger dan Draper had gewild, maar daar was niets aan te doen. Draper had hem een gestolen roestvrijstalen Smith .357 Magnum-revolver gegeven en de jongen had de cilinder uitgeklapt en rondgedraaid en weer teruggeduwd. Een echte revolverheld, had Draper gezegd. De jongen had geglimlacht en het wapen achter de broeksband van zijn Wrangler gestoken. Hij had prachtige tanden.

De revolver zat nog steeds in de broek van de jongen, en die zat naast hem in de auto, en zoals gewoonlijk stonden Avalos' norse gangsters in de donkere straten van Cudahy om de auto naar het immense, groezelige hol te dirigeren.

Vrijdagavond, dacht Draper. Er is leven en er is dood.

'Victorio, ik vraag je opnieuw je mond te houden,' zei Draper. 'Jij bent een man van Herredia. Jij bent trouw aan Herredia. Je bent alleen bij mij omdat hij je heeft bevolen bij mij te zijn. Je wordt mijn nieuwe compagnon.'

'*Sí*. Ja.'

'Je moet me geen respect tonen. Avalos heeft geen respect voor mij en dat moet jij ook niet hebben.'

'Ik heb geen respect.'

'Je doodt hem pas wanneer ik het zeg. Pas dan. Ik zal dat zeggen met een blik, niet met woorden. Je moet dat perfect begrijpen en je moet het perfect doen. Dan zijn die andere vijfduizend dollar voor jou.'

'*Sí*. Herredia heeft *gueras putas*?'

'Ik weet niet of hij blonde hoeren heeft.'

Een pistolero leidde hen via de metalen schuifdeur het pakhuis in. Een ander bracht hen door de enorme, donkere ruimte. De grote M5-motor rommelde en het geluid kwam versterkt van de muren terug. Draper zag het stof opstijgen in de lichtbundels van zijn koplampen.

Aan het verre, zwak verlichte eind stonden nog twee gangsters te wachten. Toen Draper en Victorio uitstapten, werden ze gefouilleerd en werden hun wapens afgepakt. Draper zag dat Victorio een grote stiletto met zwart heft in zijn laars had verstopt, en een eenschots-pistooltje in zijn andere laars. Toen ze die dingen in beslag namen, wierp Victorio een minachtende blik op de mannen, en ook op Draper.

Toen duwde een van de mannen een zware metalen deur open en leidde hen naar een binnenplaats. Ze liepen over een pad dat in het bijna dode gras was uitgesleten en kwamen in een groot metalen gebouw. De tweede pistolero liep achter hen aan. Draper keek in het voorbijgaan naar de oude tafels en banken, de rijen industriële plafondlichten. Hij had altijd gedacht dat deze grote ruimte vroeger een machinewerkplaats was geweest, of misschien een assemblagelijn. Toen stapten ze in de kreunende, oude lift die hen twee verdiepingen omlaag zou brengen, naar het labyrint van kamers dat als Avalos' hoofdkwartier fungeerde en waarin zich natuurlijk ook de arena voor de hondengevechten bevond.

Terwijl de lift naar beneden ging, sloeg Draper zijn ogen neer. Niemand zei iets. Toen de lift rommelend tot stilstand kwam, schoof weer een andere man de deur voor hen open. Draper stapte uit en hoorde tot zijn verbazing dat de twee gangsters achter hem ook uitstapten. Meestal gingen ze terug naar boven en zag hij ze pas weer als het wegen, samenpersen en verpakken voorbij was.

Hij draaide zich om en keek een van hen aan. De man was een *culiche*; een Sinaloa-gangster van de oude stempel. Hij droeg een Wrangler met een vouw, struisvogelleren laarzen en een wit cowboyoverhemd. Hij deed Draper aan Victorio denken, en Draper gaf toe dat als Struisvogellaarzen en Victorio elkaar kenden, dit waarschijnlijk zijn eigen laatste dag onder de levenden was.

'Extra beveiliging vanavond,' zei hij.

'Moet van Rocky.'

'Rocky kan het weten,' zei Draper.

Struisvogellaarzen sprak in rap Spaans met Victorio, die Draper nors aankeek voordat hij antwoord gaf. Draper ving maar een paar woorden op: *Los Mochis, Tijuana, El Patrón* en natuurlijk *gueras putas.* Ze liepen door de kamer met grote ramen en de kamer die naar creosoot rook, en toen door de gang met de spinnenwebben aan het hoge plafond. Draper vroeg zich af hoeveel jaren die webben daar al hingen: levenloze flarden die meebewogen met de luchtstromen. Toen kwamen ze bij de ingang van het heiligdom en klopte Struisvogellaarzen aan.

Rocky deed open en de gewapende mannen trokken zich in de schaduw terug. Draper hoorde dat hun stappen zich verwijderden, waarna er een deur dichtklapte en er alleen nog stilte was.

Zonder iets te zeggen gingen ze naar binnen. Rocky bracht hen naar een kleine kamer met lege biervaten en een grote, kermisachtige popcornautomaat van glas waarin de afbeelding van een clown was gegraveerd. Draper stelde Victorio aan Rocky voor. Die keek dwars door de jongen heen en luisterde intussen naar zijn naam en naar de manier waarop hij sprak. Toen zei Rocky dat hij zijn overhemd moest uittrekken. Even later stond Victorio pezig en halfnaakt tegenover Rocky, die hem het keurig opgevouwen *guayabera*-overhemd gaf en tegen hem zei dat hij het moest aantrekken. Het was fris en wit en hing los, bestemd om bij tropische temperaturen te worden gedragen. Rocky gaf Victorio ook de roestvrijstalen revolver, waarvan het leek of die langs magische weg van Draper naar Victorio was overgegaan, van Victorio naar de inmiddels verdwenen gangster en naar Rocky en nu weer naar Victorio. Die nam het pistool met een knikje aan, en toen verdween het wapen onder zijn overhemd. Draper zag dat Victorio zo slank was dat hij onder de guayabera zelfs een slaapzak had kunnen verbergen.

'*No existan balas capaces de matar nuestros sueños*,' zei Rocky.

Er bestaan geen kogels die onze dromen kunnen doden, dacht Draper.

Rocky bracht hen van het kleine kamertje naar de ingang van de arena voor hondengevechten. Hij gebruikte twee sleutels om de gedeukte en bekraste stalen deur open te maken. Zijn handen trilden niet. De lasnaden glansden nog op de pas aangebrachte slotplaat.

Draper ging naar binnen en zag de vertrouwde arena, met de tribunes aan drie kanten en de glazen ruimte waarin Hector Avalos heen en weer liep. Zonder zijn pas te vertragen keek de man door de arena naar zijn vertrouweling, de gringopolitieman die als zijn koerier fungeerde en Herredia's nieuwe jongen.

Draper ging de trap op. Hij rook gemorst bier, sigarettenrook en daaronder de geuren van bloed, stront en angst. Avalos trok hem voor een beklemmende omhelzing naar zich toe en Draper voelde zijn kracht, al was de man dronken en stond hij onvast op zijn benen. Avalos had Draper nooit zelfs maar aangeraakt, en die vroeg zich af of de extra beveiliging en Avalos' plotselinge genegenheid iets met elkaar te maken hadden. Avalos perste bijna alle lucht uit Draper en duwde hem toen opzij. Zijn getatoeëerde tranen bewogen mee met de rimpels van een scheve grijns.

Avalos deed een stap achteruit. Hij negeerde Rocky, maar keek naar de jonge Victorio. Vervolgens liep hij om de jongen heen als iemand die een paard beoordeelt.

'*Culiche*, man?' vroeg Avalos.

'Ja.'

'Herredia's allerbeste?'

'Ja.'

'Spreek je meer dan één woord Engels?'

'Ja.'

'Jezus, je bent nog maar een kind. Een kind. Wil je een glas *reposado*, jongen?'

Victorio knikte en Avalos ging achter de bar staan en schonk tequila in vier whiskyglazen. Hij bracht er een naar Victorio, nam er zelf ook een en gaf Draper en Rocky met een knikje te kennen dat ze hun eigen glas moesten pakken.

Draper zag dat de bagage op haar gebruikelijke plaats bij de bar stond: vier koffers met wieltjes, zoals altijd met de handgrepen rechtop, alsof er elk moment kruiers konden binnenrennen om ze mee te nemen.

'Waar is Camilla?' vroeg Draper. De primitieve arena zag er zonder haar nog troostelozer uit. Draper had zich er altijd op verheugd haar te zien, met haar krachtige parfum, haar dure kleren, haar slangenharen en haar brede achterste. Het was jammer. Als je zakendeed, deed je vaak dingen die jammer waren.

'Die is winkelen. Winkelen! Waarom vraag je dat?'

'Gewoon, goede manieren.'

'Iets goeds is nooit gewoon.'

'Vuur is goed en gewoon.'

'Vuur! Wie geeft er nou om vuur?'

Avalos liet zich in zijn luie stoel zakken. Rocky stond bij de glazen schuifdeur, die kon worden opengemaakt om op de avonden dat er gevechten waren de kreten van de menigte, het grauwen van de vechtende honden en de geuren van allerlei gerookte substanties binnen te laten. Draper en Victorio namen de bank tegenover Avalos. Avalos pakte een pijp en een glazen potje uit de sigarendoos op de salontafel en schudde de crack in de zwart uitgeslagen pijpenkop. Met een aansteker in de vorm van een miniatuurvlammenwerper verwarmde hij het spul. Toen stak hij zijn hand uit en gaf de pijp aan Victorio.

De jongen nam een flinke trek, hoestte hard en kokhalsde. Er ging een huivering door hem heen en hij gaf de pijp terug aan Avalos.

Die hield de aansteker weer bij de crack en nam een teugje rook. Toen keek hij Draper aan en hield hem de pijp voor.

'Nee, dank je. Ik wil mijn hersencellen nog even houden.'

Avalos keek Rocky aan, maar hield hem de pijp niet voor.

'Laat Victorio het geld zien,' zei Avalos. 'Laat hem de weegschaal en de vacuümmachine zien. Laat hem zien hoe we hier in het mooie zuiden van Californië ons deel van de zaken van El Tigre doen.'

Draper reed een van de koffers naar de bar, legde hem neer, maakte de rits van het hoofdvak open en legde de losse pakjes bankbiljetten op de bar. Hij zette de digitale weegschaal aan, drukte op de resetknop en vergewiste zich ervan dat de weegplaat schoon en goed afgesteld was. Hij zette de vacuümmachine aan om deze te laten opwarmen en keek of er genoeg zakken waren. Hij wachtte tot Rocky's telefoon ging, maar die ging niet.

Victorio bleef staan wachten. Hij maakte een alerte en tegelijk ongeïnteresseerde indruk en Draper verbaasde zich over zijn grote acteertalent. Hij speelde zijn rol goed.

Rocky stond onbeweeglijk met zijn rug naar de glazen schuifdeur, zijn armen over elkaar, schijnbaar verstrikt in het net van zijn eigen tatoeages.

Avalos stond op en waggelde dronken naar de bar.

'In den beginne was er trouw,' zei hij tegen Victorio.

'Ja.'

'Dit is geen wereld voor egoïsme. De egoïsten zullen wegrotten. Vraag señor Coleman daar maar naar als jullie de lange rit naar het zuiden maken.'

Victorio keek Draper vragend aan. Die sloeg zijn ogen weer neer, zette de zakkeninvoer op de machine en floot zachtjes.

'Kijk me aan,' zei Avalos. 'Geloof je in de Vader en de Zoon en de Heilige Geest?'

'Ja, *mucho*.'

'Je bent geen Amerikaans staatsburger.'

'Ik heb goede papieren.'

'Je bent niet het soort man dat over de grens zou moeten gaan. Je ziet er verdacht uit; zelfs ik vind dat. Je ziet er schuldig uit. Je ziet eruit als de onheilige geest.'

Draper keek op naar Avalos en zag de dronken agressie in de man.

Rocky's mobieltje ging.

Avalos reageerde daar niet op. 'Er zijn dollars voor ons allemaal,' zei hij tegen Victorio. 'Week na week, en jaar na jaar, meer en meer. Maar alleen voor degenen die trouw zijn.'

Rocky hield de telefoon even bij zijn oor en liet hem toen zakken. 'Er zijn geen problemen,' zei hij.

Draper keek Victorio aan met iets nieuws in zijn ogen.

'Welke problemen zouden er zijn?' vroeg Avalos. 'Ik zei: welke problemen?'

De revolver raakte Avalos' buik bijna aan toen het eerste schroeiende schot dwars door hem heen ging en de glazen schuifdeur achter hem verbrijzelde. Zijn knieën knikten en Victorio schoot hem nog twee keer in zijn borst, en toen Avalos vooroverviel, wilde Victorio een kogel in zijn hoofd pompen, maar de revolver gaf een harde klik, en toen nog eens, en nog eens.

Victorio keek verward op. Rocky knalde hem dwars door het raam neer met twee oorverdovend harde schoten van een geweer met afgezaagde loop. De zware hagelkorrels gooiden Victorio de lucht in, en toen viel hij in een regen van glas omlaag en kwam met zijn gezicht omhoog midden in de arena terecht.

Draper duwde tegen Avalos met de punt van zijn schoen en een levenloze arm viel op de bebloede vloerbedekking.

Voor Drapers gevoel deed de tijd iets vreemds; de tijd haperde, bleef steken of schudde misschien alleen een beetje heen en weer. Toen was dat voorbij.

'We hebben het gedaan,' zei hij.

'We zullen ervoor branden in de hel, maar voorlopig nog niet.'

'Camilla?'

'We weten niet waar ze is.'

'Dat is goed. Ik ben blij dat ik zaken met je doe, Rocky. Het zal ons goed gaan.'

In stilte wogen en verpakten ze de bankbiljetten, en daarna stopten ze de pakken geld weer samen met oude kleren in de koffers. Draper keek nog even naar Avalos en Victorio, vooral om er zeker van te zijn dat er geen wonderbaarlijk herstel plaatsvond. Hij genoot ook van de belediging die hij hun aandeed, de respectloosheid: zo dicht bij de doden werken dat hij hun bloed kon ruiken.

Toen ze bijna klaar waren met het verpakken van het geld kwam een van Avalos' gangsters de arena in. Hij keek even naar wat daar te zien was, ging toen de trap op en keek naar Avalos, het geld en de mannen.

'Kan ik iets te drinken krijgen?' vroeg hij.

'De bar is open,' zei Rocky. 'Doe mij maar een biertje.'

Een paar minuten later kwam er weer een vertrouweling van Avalos binnen, en hij deed bijna precies hetzelfde als wat de eerste had gedaan: hij bleef staan en keek naar de Sinaloa-gangster midden in de arena, ging toen de trap op en keek met verbijstering en walging naar zijn vroegere baas.

'Geef hem wat te drinken,' zei Rocky tegen de eerste.

Toen kwam er nog een man, en nog een.

Tegen de tijd dat de laatste koffer vol was en de apparatuur was weggezet, waren er vier ex-Avalos-soldaten binnengekomen. Ongeveer de helft van Avalos' top, dacht Draper. De slimme helft. De helft die tot elke prijs voor het leven koos. Hij wist dat hij de anderen of Camilla nooit meer zou zien. Zo was het altijd gegaan en zo zou het altijd blijven gaan.

Rocky schonk drankjes in en gaf er een aan ieder van zijn mannen. 'De moordenaar uit Sinaloa heeft Hector vermoord,' zei hij. 'En dus heb ik zijn ogen gesloten. Dat is de waarheid. Zeg het tegen iedereen die je kent. Coleman en ik zullen vanavond het geld bij El Tigre afleveren. Jullie ruimen deze rommel op. Zorg ervoor dat Hector wordt gevonden, dan maken we er een mooie begrafenis van. Zorg ervoor dat de anderen niet gevonden worden.'

23

Hood nam een zaterdagnachtdienst om overuren te maken, maar vooral om te kunnen rijden. Het was een solopatrouille. De minuten kropen voorbij, maar de uren vlogen om.

Nadat hij op zaterdagmorgen om tien voor zes had uitgeklokt, reed hij met zijn Camaro naar Bakersfield en stond daar een tijdje bij het graf van Allison Murrieta. Het was haar verjaardag en ze zou drieëndertig zijn geworden. Hood bedacht dat ze grote verlangens had gehad en zich daar nooit voor had verontschuldigd. Dat was de voornaamste reden waarom ze niet meer onder de levenden was. Maar hij was niet hierheen gekomen om haar te analyseren of haar schuld toe te kennen, alleen om respect te betuigen en zich te herinneren hoe ze door het leven was gegaan. Hij proefde haar adem nog.

Toen hij klaar was, reed hij naar Los Angeles terug.

Om zes uur zondagmorgen belde Hoods oude baas bij de recherche. Die heette Bill Marlon en had nog steeds de leiding over de afdeling Moordzaken op het hoofdbureau van de LASD in Monterey Park.

'Charlie, ga naar Fifth Street, bij San Pedro Street.'

'Skid Row.' Dat was de bijnaam van die achterbuurt.

'Zo gauw mogelijk.'

'Wat is er aan de hand?'

'Je oude vriend Kick.'

Hood reed met grote snelheid door het rustige zondagmorgenverkeer. Hij kwam in de schaduw van de hoge gebouwen in de binnenstad en begaf zich in de onheilspellende duisternis van Skid Row. Voor Hood was dit het ergste van Los Angeles: een vierentwintig uur per dag, zeven dagen per week geopende bazaar van drugsgebruik, narcoticahandel en prostitutie, vaak uitgeoefend in mobiele toiletcabines die bestemd waren voor de daklozen die hierheen kwamen om hulp te ontvangen. Hij wist dat het een van de weinige plaatsen in het zuiden van Californië was waar rivaliserende bendes naast elkaar drugs kochten en verkochten; omwille van het snelle geld schortten ze de gewelddadigheden op. Er was heroïne op Broadway, crack in Fifth Street bij

Crocker Street en Main Street. Verslaafden, dealers, hoeren, straatcriminelen, gangsters, daklozen, hopelozen, krankzinnigen; het kwam daar allemaal samen, dacht Hood. Het was een galerij van de duivel. Of een feest van vijftig huizenblokken, als een feest voor jou pas compleet was met crack en seks in een toiletcabine.

Hij vond een parkeerplek bij San Pedro Street. Verderop, bij het kruispunt met Fifth Street, zag hij drie politiewagens van de LAPD met flikkerende lichten, een lijkwagen, een brandweerwagen en twee burgerauto's van de politie.

Toen hij bij de hoek kwam, zag hij twee mannen een afgedekt lichaam achter in de lijkwagen schuiven. Er had zich een rommelig groepje toeschouwers verzameld. Marlon praatte met twee brigadiers van de LAPD. Hij bedankte hen en nam Hood apart. Ze stonden in het portiek van een groezelig kantoorgebouw dat op zondag dicht was.

'Dat is Kick daar, bij de lijkenrovers,' zei Marlon. 'Deon Miller. Hij liep door Fifth Street, blijkbaar in zijn eentje. Er stopte een zwarte Silverado-pick-up naast hem. De bestuurder daarvan stapte uit en schoot op hem. Dat alles volgens de enige getuige, een Guatamalteekse bordenwasser die samen met vrienden een kamer in Los Angeles Street huurt. Hij was op weg naar zijn werk.'

Hood zag de lijkwagen van de forensische dienst wegrijden. Er zaten geen lichten of sirenes op de wagen; het was alleen maar de dood op wielen. 'Heeft die bordenwasser de bestuurder gezien?'

'Een blanke man of een lichte latino. Groot. Hij droeg een cowboyhoed en een donkere halsdoek over zijn gezicht. Laarzen en spijkerbroek. Lange zwarte jas. De hoed was natuurlijk zwart.'

Ongeveer wat Bradley Jones zou dragen om de dood van zijn moeder te wreken, dacht Hood.

Marlon haalde een digitaal fototoestelletje uit een tas aan zijn riem en prutste daar even aan voordat hij het aan Hood gaf. Op de zoeker waren de foto's van Kick scherp te zien in het ochtendlicht. Hij lag op het midden van de foto in een plas van bloed op het trottoir, zijn gezicht omhoog.

'Hoe het ook zij, Hood, ik weet nog wat Bradley Jones tegen ons zei. Ik herinnerde me dat jij hem geloofde. Ik dacht dat je je na wat er gebeurd is misschien een beetje verantwoordelijk voor hem voelde. Misschien was hij het niet, maar ik dacht dat je dit wel zou willen zien.'

Hood gaf hem zijn camera terug. 'Hij zei dat hij het zou doen.'

Marlon keek naar de politiewagens in de straat. 'Ga jij het aan die kerels vertellen?'

'Ik ga eerst met hem praten.'

'Dus je staat met hem in contact?'

'Ik kan hem vinden.'

'Misschien moest je dat maar doen.'

'Sinds wanneer reageer jij op oproepen van de LAPD?' vroeg Hood.

'Soms rij ik 's nachts rond,' zei Marlon. 'Ik kijk naar dingen en luister naar de politieradio. Ik kan niet slapen. Als er een melding van een mogelijke moord binnenkomt, gaat mijn bloed altijd sneller stromen.'

'Dat doe ik in sommige nachten ook.'

'Jij bent daar te jong voor, Charlie,' zei Marlon glimlachend. 'Zoek weer een leuk meisje. Zorg dat je moe wordt. Hoe bevalt de woestijn je?'

'Ik hou van de woestijn.'

'En Interne Zaken?'

'Ik zou liever weer bij de Buldogs zijn.'

'Dat komt misschien nog wel. Ik heb vroeger met Warren samengewerkt. Hij is oké.'

'Ik ben blij dat van jou te horen.'

'Ken je zijn verhaal?'

'Nee.'

Hood keek naar de bloedvlekken op het trottoir. Inmiddels was de zon op, maar Skid Rows was nog in winterschaduw gehuld. Een paar blokken verder stond Parker Center, het hoofdbureau van de politie, als een schrijn in het vroege zonlicht.

Ze praatten enkele minuten met de bordenwasser en hoorden nog een paar dingen. Hij zei dat de zwarte pick-up langzaam was komen aanrijden en vertrokken. Geen haast. Het was een lang geweer geweest; de loop was niet afgezaagd. De schutter zette het aan zijn schouder en mikte als een jager. In het donker, met alleen het licht van de straatlantaarns, was het niet goed te zien geweest. De bordenwasser was bang geweest dat hij ook zou worden beschoten, maar de schutter had zijn hoed even schuin gehouden en was weer in de pick-up gestapt.

Zijn hoed even schuin gehouden, dacht Hood: typisch Bradley.

'Laten we gaan rijden, Charlie. Dan vertel ik je over Jim Warren.'

Hood verplaatste zijn Camaro naar een betaald parkeerterrein. Marlon reed in zijn Yukon van een paar maanden oud. Het interieur rook nog nieuw en de politiescanner onder het dashboard stond zachtjes aan.

'Heb je van de Renegades gehoord?' vroeg hij.

'Getatoeëerde agenten van het vroegere bureau Lynwood.'

'Blanke jongens die er hard tegenaan gingen,' zei Marlon. 'Ze waren arrogant en dachten dat ze de baas waren over hun hele wereld. Ze lieten revolvers op de binnenkant van hun enkel tatoeëren, met daaronder de naam "Renegades" in prikkeldraadletters. Dat was in 1989, toen jij, hoe oud... negen of tien was? Het waren zware jaren op de bureaus in de getto's, en bureau Lynwood stond midden in South Central. Veel raciale spanningen tussen blanke agenten en zwarte burgers, veel problemen die daaruit voortkwamen. Warren was de oprichter. De Renegades waren van hem.'

Hood keek zijn vroegere baas aan. 'Ja,' zei Marlon. 'Dat zou je niet verwachten als je nagaat wat hij tegenwoordig doet. In die tijd hield Warren heilig vol dat ze goede agenten waren, echte professionals, de helden van het verhaal. Hij zei dat ze die tatoeages alleen lieten zetten om hun solidariteit te tonen, zoals bij de mariniers. Hij zei dat het niet een kwestie van macht of ras was, het ging er alleen maar om dat je een goede agent in een slecht deel van de stad was. Veel agenten van Lynwood wilden graag meedoen. Ze wilden niets liever dan dat die revolver en het woord "Renegades" op hun enkel getatoeëerd werden.'

'Je had ook de Vikings, de Reapers en de Saxons,' zei Hood.

'De Renegades waren de eersten en de hardsten. Uiteindelijk hebben Warren en de korpscommandant een uur achter gesloten deuren met elkaar gepraat. Na afloop van dat gesprek mochten de Renegades doorgaan met het lidmaatschap en de tatoeages. Dat gold voor alle groepen. De korpscommandant waste zijn handen in onschuld. Hij zei dat hij het niet goedkeurde, maar dat de agenten het recht hadden zich op die manier te organiseren. Toen kwam Roland Gauss.'

Hood had van hem gehoord, zoals iedere LASD-agent zijn naam kende. Roland Gauss was de beruchte Renegade die een reeks 'drugsinvallen' organiseerde, waarbij hij en twee andere agenten, alle drie in uniform, drugshandelaren oppakten, hun geld en koopwaar in beslag namen en de dope zelf verkochten.

'Toen Gauss door de FBI werd opgepakt, heeft Warren hem zo lang mogelijk gesteund. Maar de bewijzen tegen Gauss waren overweldigend, want iemand van zijn groep praatte honderduit tegen de aanklagers. En dus probeerde Gauss een lichtere straf te krijgen door ook te gaan praten en Warren als bendeleider aan te wijzen. Die beschuldigde hij ook nog van overspel, drugsgebruik en gokken. Warren werd geschorst. De media maakten veel werk van het Renegades-verhaal en ze volgden het tot aan de top: Warren. Ze gingen zelfs naar zijn huis, bleven daar wachten, maakten foto's van hem. Maar hij hield vast aan zijn verhaal. Hij liet alles over zich heen komen. Maandenlang. Toen het onderzoek was voltooid, moest Gauss terechtstaan, werd Warren van blaam gezuiverd en werden de Renegades voorgoed uit de LASD gezet. Maar Warren had die tatoeage op zijn enkel. Die hadden ze allemaal. De helft werd overgeplaatst of ging vervroegd met pensioen. Warren liet de tatoeage weghalen en nam een baan bij Interne Zaken die niemand wilde hebben. En je ziet wat er daarna is gebeurd: hij begon als een keiharde Renegade en eindigde als de heilige van Interne Zaken. Hij was er altijd op gebrand geweest boeven te vangen, en toen schakelde hij gewoon over op het vangen van boeven bij de politie.'

'Het lijkt iets persoonlijks,' zei Hood. 'Hij denkt dat het korps van hem is. Als je het korps kwaad doet, doe je hem kwaad.'

'O ja, persoonlijk is het zeker. Zijn vrouw is aan een hartaanval gestorven toen het onderzoek nog aan de gang was. Ze had een slecht hart, maar al die stress was niet bevorderlijk. Ze hadden een goed huwelijk. Dat kon ik zien. In mijn ogen was zij het grootste slachtoffer van die hele ellende, naast het feit dat het publiek ons voor nazi's aanzag. Warren wil nu dat nooit meer iemand als Roland Gauss een politie-insigne krijgt.'

'Dat is een goede zaak.'

'Mensen als Warren hebben een goede zaak nodig om voor te strijden. Ze hebben behoefte aan een vijand met een gezicht. Ze hebben een verhaal nodig, en een rol die ze zelf in dat verhaal kunnen spelen. Ikzelf heb nog vijf jaar voor de boeg en dan ben ik weg. Dan ga ik naar Montana of Idaho. Nogal clichématig voor een politieman, maar dat kan me niet schelen. Dat wil zeggen, als ik mijn vrouw kan overhalen en nog vijf jaar overleef. Mijn bloeddruk is te hoog. Mijn cholesterol is te hoog. Ik word dikker. Ik ben vaak moe omdat ik 's nachts niet kan slapen. Ze zeggen dat het de werkdruk is, maar ik weet het niet. Wat is druk? Iedereen staat onder druk. Het politiewerk was vroeger gewoon een baan, maar op de een of andere manier ben ik in de loop van al die jaren toch moe geworden. Ik ben niet als Warren. Of als jij.'

Hood en Marlon hadden het eerste deel van dit gesprek een jaar eerder gehad, kort voordat Marlon hem bij de Buldogs haalde. Marlon was in Vietnam geweest, en Hood in Irak, dus ze hadden dingen met elkaar gemeen. Marlon was infanteriesergeant geweest, en Hood onderzoeker bij de NCIS. Marlon wist wat het was om in de jungle te worden overvallen, en Hood wist wat het was om in een woestijnstad te worden overvallen. Maar Hood wist ook hoe het was om door je eigen mensen te worden gehaat. Hij had zich verraden en alleen gevoeld. Hij begreep dat Jim Warren er behoefte aan had mannen te vinden in wie hij kon geloven. Hood had die behoefte ook.

'Denk je dat Kick door Bradley Jones is doodgeschoten?' vroeg Marlon.

Hood knikte. 'Gisteren zou ze jarig zijn geweest. Ik hoop dat ik het mis heb.'

'Ik ook,' zei Marlon. 'Ik mocht Bradley wel. Hij zou op een dag bij de politie komen.'

'Dat heb ik tegen hem gezegd.'

'En wat vindt hij ervan?'

'Het idee staat hem wel aan, maar dat wil hij niet toegeven.'

'Hij gaat nog steeds met een paar van die gangstertjes om?'

'Ik denk van wel.'

'Heeft hij nog de pest aan jou?'

'Meestal wel.'

'Misschien komt hij daaroverheen.'

'Hij zet een koers uit en houdt zich daaraan, net als zijn moeder.'

'Dom. Ik bedoel niet dat ze dom was. Je weet wat ik bedoel.'

24

Hood belde Erin en vertelde haar over Kick.

'Bradley is de hele avond hier geweest', zei ze. 'Hij is hier nog, in de schuur. Hij is met de motor van de pick-up bezig.'

'Ik moet hem spreken.'

'Ik kan je niet precies vertellen waar we hier zijn.'

'Ik weet waar het is.'

'Maar...'

'Maak je geen zorgen. Ik zie jullie binnen een uur.'

Hood had Bradleys adres gekregen van de politie van de California State University in Los Angeles, waar Bradley zich had ingeschreven, maar nooit lessen had gevolgd. Hood was er via de reclassering achter gekomen dat iemand van Bradleys bende – de vervalser – op hetzelfde adres woonde. Het verbaasde Hood niet dat ze in Antelope Valley te vinden waren. Bradley woonde aan een slecht onderhouden landweg in een huis dat niet zijn eigendom was, ver van Los Angeles.

Een paar minuten later reed Hood met de Camaro door Soledad Canyon Road naar Acton, waar enkele honderden mensen over een paar kilometer verspreid woonden, met nette huisjes, grote percelen, paarden, heuvels en een blauwe hemel.

Toen hij Soledad Canyon Road verliet, kwam hij eerst op een brede, pas geëgaliseerde zandweg die naar het noorden leidde. De tweede zandweg was smaller en had al gauw een ribbelig oppervlak, dat de stijve ophanging van Hoods IROC te lijf ging en het interieur dreigde te verwoesten. De derde zandweg was nog smaller, maar niet ribbelig. Hij stopte voor een draadgazen hek, haalde de ketting met het slot van de buizen af, trok het hek open, negeerde het bord met VERBODEN TOEGANG en reed door. Toen hij uitstapte om het hek dicht te doen, hing er een zachte stofwolk om hem heen.

Verderop werd de weg beter. Hij zag een weide en enkele koeien. De salie en het vossenstaartgras groeiden dicht opeen en zagen er gezond uit door de regen. Hij kwam langs een beekje en een rotsmassa. Het leek Hood een geschikte plaats om eikels te vermalen, pijlpunten te snijden en de wacht te houden. Eerst dacht hij dat hij een eekhoorn op het hoogste punt zag zitten, maar toen besefte hij dat het een bewakingscamera was.

Hood reed een lange bocht om en een helling af en kwam bij een groot veld, dat schuin opliep, met bovenaan gebouwen. Het veld was omheind en hij zag paarden; sommige graasden, andere keken naar zijn auto. Hood kwam bij een elektrisch gaashek met een luidspreker en een toetsenpaneeltje.

Hij drukte op de oproepknop en wachtte. Een stel dobermannpinchers en een kleine jack russell stonden aan de andere kant van het hek te blaffen en te grommen. Hij drukte nog eens op de knop. Er zat geknetter bij Bradleys stem.

'Rot op, Hood.'

'Mooie honden.'

'Prettige dag verder.'

'Kick is dood. Ik kan dit bezoek officieel maken of niet.'

'Wat schiet ik op met dat "niet"?'

'Dan mag je het hek openmaken en hier thuis met me praten.'

'Anders sleep je me naar het bureau en ga je de stroomstok gebruiken? Of doen jullie tegenwoordig aan waterboarding?'

'Als je dat wilt. Ik wil Erin gedag zeggen en ik zeg geen nee tegen een kop koffie.'

Hood hoorde Bradley nu met iemand praten. Hij klonk niet blij. Ten slotte ging het hek open en stormden de dobermanns naar Hoods kant van de auto, slank, gespierd, agressief, hun oren gespitst. De terriër kon zich ten slotte niet meer inhouden en begroef zijn tanden in de poot van de dobermann voor hem. Die draaide zich gillend om en de jack russell rende weg. Maar ze raakten de Camaro niet aan. Ze bleven er bijna precies een meter vandaan. Toen Hood even op het gas trapte en ze voorbijreed, verspreidden ze zich naar weerskanten van de weg en renden ze helemaal tot aan het huis voor hem uit, met de terriër ver achter ze aan.

Hood parkeerde op het rondgaande asfaltpad voor het huis. Het was een groot, laag huis met verbleekte gele verf en een dak van gekromde shingles die graag wilden branden. In plaats van gordijnen hingen er felgekleurde badhanddoeken voor de ramen. Er was een veranda met een luifel aan de voorkant, en een oudere man stond aan de reling naar Hood te kijken. Hij droeg een spijkerbroek, slippers en een USC-sweatshirt. Hij had een zonnebril op. De honden stonden naast elkaar op de veranda om ook naar Hood te kijken.

Hood zette de motor uit en liet een ruit zakken.

'Jij bent Hood.'

'Wie ben jij?'

'Bradley heeft me alles over jou verteld. Je bent hier op privéterrein.'

'Iemand heeft me binnengelaten.'

'Ik ben eigenaar van dit land en dit huis. Er is voor betaald. Ik zal hier doodgaan en dat vind ik best. Je moet ergens doodgaan, dus het kan net zo goed bij je honden zijn.'

'Dat kon weleens eerder gebeuren dan je denkt, met dat dak.'

'Ik heb alle begroeiing rondom het huis laten weghalen. Ze raden vijftig meter aan, maar ik ga tot honderd. Ik doe iets extra's voor dingen waar ik om geef.'

'Je praat veel voor iemand zonder naam.'

'Preston.'

'Nou, Preston, waar is hij?'

'Kom maar boven. Deze kant op.'

'Luisteren die honden naar je?'

'Als ze dat niet deden, zou je het al weten.'

De veranda moest nodig gelakt worden en kraakte. Twee van de honden roken aan Hoods broek en schoenen, en de andere hijgden en keken naar hem. Preston duwde de deur met zijn schouders open en Hood volgde hem naar binnen. In de huiskamer zag hij versleten leren banken, oude concertposters die met punaises op de muur zaten en twee akoestische gitaren die op hun standaarden stonden te glanzen. In de hoek stond een kleine vleugel, glimmend en imposant.

'Erin is muzikante,' zei Preston. Hood keek hem aan en zag dat hij bij het praten zijn hoofd in een vreemde stand hield. 'Kom mee.'

Preston leidde hem door de huiskamer en een korte gang. Hij liep een klein keukentje in, dat donker was en voor zover Hood kon nagaan, spaarzaam ingericht. Achter de keuken bevond zich een eetkamer, en aan de tafel daarvan zat een dikke vrouw van in de vijftig in een blauwe ochtendjas. De *Sunday L.A. Times* lag in stukken naast haar op de vloer en op de tafel voor haar lag een stapel reclamefolders en bonnen.

'Dat is Wanda,' zei Preston, en hij keek met die vreemde stand van zijn hoofd naar de vrouw. 'Die houdt vast het wereldnieuws bij.'

'Jij bent Hood,' zei ze.

'Dat kan ik voor niemand verborgen houden,' zei hij. Hij besefte dat Preston blind was.

'Ze zijn in de schuur de zoveelste auto aan het verwoesten,' zei Wanda.

'Kom nou,' zei Preston.

Hij leidde Hood naar buiten. Ze liepen om een garage met gebarsten pleisterwerk heen, volgden een pad en kwamen in een kleine tuin. Het pad dat ze volgden lag smal en uitgesleten tussen het onkruid. De honden volgden.

Bradley was in de schuur. Hij boog zich tot aan zijn schouders in de motor van een oude witte F-150. Clayton, de vervalser, stond tegenover hem en had zich ook diep over de motor gebogen. Hood knikte naar Erin, die aan het eind van een picknickbank onder een van de ramen van de schuur zat. Ze had een kleine gitaar op een van haar dijen en hield haar arm eromheen. Tussen de bank en haar been zat een notitieboekje met een potlood geklemd. Stone, de autodief, zat op het andere eind in een dik, gebonden boek te lezen. Tussen hen in stonden een pot met iets wat dampte, een omgekeerde mok en een asbak met een brandende sigaret.

Preston liep naar de werkbank toe, tastte naar de stoel, zette hem achterstevoren, ging zitten en keek in Bradleys richting. De honden verspreidden zich om hem heen op de koele betonvloer.

'Kijk eens wat ik heb gevonden,' zei hij.

Bradley richtte zich op en keek Hood aan. Hij liet een momentsleutel een radslag door de lucht maken en ving hem bij de handgreep op. 'Iemand die zelf op je terrein binnendringt en voor je deur staat, is makkelijk te vinden.'

Erin zwaaide en glimlachte zwakjes, maar keek Hood niet aan. Clayton keek even naar hem. Stone keek niet op van zijn boek.

'Nou, wat wil je, Charlie?' vroeg Bradley. 'Zeg het nou maar meteen. Ik heb werk te doen.'

'Ongeveer vier uur geleden heeft iemand Kick doodgeschoten,' zei Hood, al wist hij waar dit heen ging.

De stille schuur werd nog stiller.

'Ik heb een kop voor je,' zei Erin. 'Neem wat koffie, Charlie.'

Hij liep erheen, keerde de mok om en schonk in. Hij zag een zorgelijke blik in Erins ogen toen ze weer naar de gitaarsnaren keek. Hood liep naar de pick-up en ging tussen Bradley en Clayton in staan. De cilinderkop was eraf en de cilinders lagen bloot. Hij zag de verbrande, zilverzwarte koolstof binnenin.

'Kick was een onvolwassen kind. Hij speelde spelletjes in een genadeloze wereld,' zei Bradley tegen de motor. Toen keek hij Hood aan. 'Dus ik heb helemaal geen medelijden met hem. Het enige wat ik een beetje jammer vind, is dat ik hem niet zelf overhoop heb geknald.

Maar dat risico zou groter zijn geweest dan Kicks leven waard was. Zoals je hieruit waarschijnlijk wel kunt afleiden, en zoals al deze mensen je zullen vertellen, ben ik hier sinds gisteravond geweest en ben ik al sinds vanmorgen voor zonsopgang in deze schuur.'

Bradley gooide de momentsleutel weer in de lucht en ving hem op.

'Dat klopt,' zei Preston. 'Ik heb hem niet uit het oog verloren.'

Bradley liet zijn sleutel op de vloer vallen en het ding kwam met een klap neer. Clayton liet die van hem ook vallen. Stone liet het boek met een doffe klap op de vloer neerploffen, Erin liet haar notitieboekje vallen en Preston zette zijn bril af, richtte zijn dode witte ogen op Hood, en ze barstten in lachen uit.

Hij glimlachte en wachtte tot de hilariteit voorbij was. 'Nou, je getuigen zijn dus twee criminelen, een blinde en een vrouw die van je houdt.'

Ze riepen 'boe' naar hem. Erin sloeg de snaren van haar gitaar hard aan, geen akkoorden, alleen maar dissonantie. Hood wist niet of ze hen wilde overstemmen of met hen meedeed.

Toen veegde Bradley zijn handen af aan een T-shirt dat ooit wit was. 'We maken maar een geintje, Hood. Kom mee, dan praten we.'

Ze liepen naar buiten en Bradley ging voor hem uit over een pad dat van het huis naar een rotsmassa leidde. Het werd warmer. Hood zag een veldje met Californische papavers gretig bloeien na de regen, de eerste papavers die hij in dat hele jaar zag.

'Ben je gisteren naar het graf geweest?' vroeg Hood.

'Ik kwam boven aanrijden, langs het mausoleum. Ik ging bijna naar beneden, maar toen zag ik jouw Camaro, en ik had geen zin om jou op de verjaardag van mijn moeder tegen te komen. Met alle respect.'

'Ik had mijn moeder ook niet met jou willen delen.'

'Ik heb hem niet vermoord. Ik zou geen zes maanden hebben gewacht. Ik heb mijn beslissing daarover al lang geleden genomen. Hij is een Southside Crip en heeft overal vijanden. Ik was het niet. Al die mensen in de schuur zullen je vertellen dat ik hier was.'

'Dat kan ik zien. Maar je voldoet aan het signalement en het tijdstip wijst ook in jouw richting.'

'Waar?'

'Skid Row.'

Bradley schudde zijn hoofd, alsof het beneden zijn waardigheid zou zijn om iemand in Skid Row te vermoorden.

'Hoe?'

'Met een geweer. Zwarte cowboyhoed, donkere doek over zijn

gezicht; in de stijl van de outlaws. Spijkerbroek en laarzen. Hij was lang, blank of licht latino. Reed in een zwarte Silverado.'

'Nou, je zult hier nergens een zwarte Silverado vinden.'

'Dat wil ik wel geloven.'

'Maar ik heb een spijkerbroek. En laarzen. Ik heb zelfs een Mossberg-geweer in mijn kamer, en een vinger om de trekker mee over te halen.'

'Als ik Erin moet vragen waar je was, Bradley, zie ik of ze liegt.'

'Ga je gang. Ik wíl dat je het haar vraagt. Je zult zien dat ze de waarheid spreekt, net als de anderen. Heeft zij je verteld dat we hier zijn?'

'Ik heb je gevonden via de administratie van de universiteit.'

'Ik heb niet één les gevolgd.'

'Je hebt je ingeschreven en dit adres gebruikt. Het staat op de website van de universiteitspolitie.'

Hij keek Hood aandachtig aan en grinnikte toen zacht. 'Ik denk erover bij de politie te solliciteren. Bij de LASD of de LAPD. Wil je me nog steeds helpen erbij te komen?'

Hood wist waar Bradley zijn gevoel voor dramatiek vandaan had, zijn vertrouwen in zijn bluf, zijn geloof dat hij de wereld naar zijn hand kon zetten.

'Praat met me, als je dat serieus wilt, Bradley.'

'Ga je me bij de politie verlinken om wat ik over Kick heb gezegd? Dat is allemaal verleden tijd, man.'

'Ook zonder mij kunnen ze het verband wel leggen.'

'Ik heb hem niet vermoord, Charlie. Dit is de laatste keer dat ik dat tegen jou zeg.'

Hij keek Hood hard en strak aan. Hij had een krachtige kin. Overtuiging? Provocatie? Gekwetste trots? De waarheid glijdt door de schijn heen, dacht Hood.

'Bradley, je kunt iemand vermoorden en je achter je vrienden verbergen zonder dat iemand je iets kan maken. Maar daar kom je niet voorgoed mee weg. Vrienden blijven niet altijd vrienden.'

'Ja, meneer de sheriff, potverdorie.'

'Leer van je moeder.'

'Jij weet niet wat ik van haar heb geleerd.'

'Ze heeft zichzelf laten vermoorden om niets. Je moet het verband begrijpen tussen wat je doet en de gevolgen daarvan. Zij begreep dat, maar ze kon zich niet beheersen. Bijna, maar niet helemaal. Jij moet dat wel. Bradley, je kunt in dit leven alles doen wat je maar wilt.'

'Ik doe precies wat ik wil.'

'Met criminelen omgaan? Erin bij jouw rottigheid betrekken? Jij weet niet wat je hebt, want het is je allemaal gegeven, en je denkt dat je het verdient. Je bent een verwend kind in het lichaam van een man. Allison heeft je gepamperd. Je had al veel eerder een schop tegen je kont moeten hebben.'

'Probeer het maar.'

'Op jouw leeftijd moet je tegen je eigen kont schoppen.'

'Jullie ouwe lullen zeggen allemaal hetzelfde.'

'Dat ga jij ook doen, als je lang genoeg leeft.'

'Dat je met mijn moeder hebt geneukt, geeft je niet het recht mij te commanderen.'

'Op dit moment zou ze zich voor je schamen. Ze had een groot hart. Ze probeerde te zorgen voor de mensen die van haar hielden.'

Hood draaide zich om en liep in zijn eentje over het pad naar de schuur terug. Hij zag de mannen en de honden. Clayton bood hem een biertje aan. De jack russell volgde hem. Erin had de schaduw van de voorveranda opgezocht. Ze had de gitaar over haar knie en verborg haar gezicht achter haar rode haar. Het notitieboekje lag bij haar voeten, met de pen erbovenop, en er was met rode inkt iets op de bladzijde geschreven.

Ze schudde haar haar van haar gezicht weg en keek op naar Hood. Mooi als ze was, liep ze naar hem toe. Haar schoonheid trof hem bijna als een klap.

'Was hij hier de hele morgen, zoals hij zegt?'

'Elke minuut,' zei ze, en Hood zag dat ze loog.

'Heeft hij je bedreigd?'

'Kom nou, Charlie. Dat zou hij niet doen.'

'Vertel me meer.'

'Er valt niets te vertellen. Echt niet.'

'Schrijf een nummer over een jongen die bereid is zijn meisje te laten arresteren om zelf onder een moord uit te komen.'

'Te laten arresteren?'

'Belemmering van de rechtsgang... Meineed... Je gaat de gevangenis in, Erin.'

Ze keek even op, veegde met een knokkel een traan weg, het plectrum nog in haar hand. 'Hood? Niet doen. Alsjeblieft, ga hier weg voordat hij terugkomt. Als hij me ziet huilen, denkt hij verkeerde dingen.'

'Je hebt mijn nummers, als ik iets voor je kan doen.'

'Wat je voor me kunt doen, is weggaan.'

Hood schopte hard tegen de reling. Erin kromp ineen en de terriër blafte verwoed. Hood liep het trapje af naar zijn auto. Hij was woedend en schaamde zich daarvoor.

Hij reed het pad af, trapte op het gaspedaal en keek in het spiegeltje. Het kleine hondje verdween in een wolk van stof en Erin keek hem na.

Hij gebruikte die middag om een gesprek te hebben met een plaatselijke tv-verslaggeefster die een item had gemaakt over de speelgoedactie van het politiebureau Lancaster van het jaar daarvoor. Ze gaf hem een dvd-exemplaar van het programma.

Toen hij in het Hol terug was, speelde hij de dvd op de computer af en kreeg precies waarop hij had gehoopt: de stem van Terry Laws.

'Nou, het is het minste wat we kunnen doen voor kinderen die weinig kansen in het leven hebben. Het maakt ons bij de LASD allemaal erg gelukkig om in deze tijd van het jaar een beetje vreugde te brengen.'

Hij luisterde wel tien keer naar die woorden van Laws. Toen speelde hij de kopie af van het 911-bandje dat hij van Warren had gekregen. Maar het anonieme telefoontje klonk zo vervormd dat Hood niet met zekerheid kon zeggen of het de stem van Terry Laws was.

En dus probeerde hij Drapers stem.

'Goed. Want ik wil niet dat iemand onzin uitkraamt over Terry.'

Opnieuw waren er niet veel overeenkomsten te horen. Hoe meer hij luisterde, hoe minder het naar een van hen tweeën klonk.

Hij belde zijn spectrografische onderzoeker en stuurde de opnamen naar hem toe.

25

Op dinsdagmorgen verscheen Hood als getuige in rechtszaal 8. Ariel Reed liet hem vertellen over de gebeurtenissen van het afgelopen jaar die Interne Zaken op het spoor hadden gebracht van een corrupte inspecteur die er een crimineel warenhuis op na hield in Long Beach.

Ze vroeg hem hoe hij de informante, Allison Murrieta, had leren kennen en waarom hij had gedacht dat ze te vertrouwen was.

Hood sprak de waarheid. Zijn oren galmden een beetje en hij hoopte dat hij geen kleur kreeg. De terechtstaande hoofdinspecteur keek hem nors aan en fluisterde regelmatig in het oor van zijn advocaat. Er zaten een paar LASD-agenten in de zaal – de trouwe supporters van de verdachte – die soms glimlachten om iets wat Hood zei. Rechter Mabry keek hem strak en nieuwsgierig aan en de jury was een waas voor hem: dertien gezichten die hij probeerde te vermijden.

Onder het kruisverhoor probeerde de verdediging Hood op een oversekste sukkel te laten lijken.

En inmiddels onderhield u intieme betrekkingen met mevrouw Jones? Ja.

Dus u twijfelde nooit aan haar motief om te zeggen dat de verdachte gestolen goed verkocht?

Ik wist dat ze hem kwaad wilde doen.

Is het ooit bij u opgekomen dat ze de hoofdinspecteur gebruikte om uw aandacht van haar eigen criminele activiteiten af te leiden?

Nee. Ze had haar eigen criminele activiteiten al toegegeven.

Maar Mabry vond Ariels protesten terecht en herinnerde de verdediger eraan wie hier terechtstond.

Toen de middagpauze begon, was Hood klaar. Ze lunchten in de kantine.

'Je deed het goed,' zei ze.

'Ik hoop dat we winnen.'

'Ik win. Het lukte ze niet de onrechtmatigheid van de arrestatie aan te tonen, en dat zou hun beste kans zijn.'

Na het eten praatten ze een tijdje over van alles en nog wat. Twee agenten die aan de kant van de verdachte stonden, gingen bij hen in de buurt aan een tafel zitten nadat ze eerst even verrast naar hen hadden gekeken. Een van hen sprak en de ander lachte.

Ariel keek hen aan. 'Kan ik iets voor u doen?'

Ze wendden hun ogen af. Ariel kreeg een telefoontje, stond op, liep naar een raam en keek naar buiten. Hood zag haar knikken, maar niet veel zeggen. Toen ze terugkwam, keek ze sceptisch.

'Laten we een luchtje scheppen,' zei ze.

Ze stonden in het fletse stadse zonlicht voor de ingang van het gerechtsgebouw. De auto's reden langzaam en de voetgangers liepen vlug.

'Vroeger rookte ik,' zei ze. 'Dan stond ik vaak hier.'

'Ik rook nog steeds een enkele keer.'

'Ik kan dingen niet een enkele keer doen. Dat is ook een karakterfout, net als dat atomen splijten.'

'Er zijn veel ergere dingen.'

'Charlie, kijk me aan. Eichrodt is met vlag en wimpel door de beoordeling gekomen. Zowel zijn geheugen als zijn spraak is enorm verbeterd. Dokter Rosen gaat aanbevelen hem terecht te laten staan voor de moord op Lopes en Vasquez. Mijn baas wil mij in dat team hebben. Ik heb ja gezegd.'

'Ik geloof niet dat hij ze heeft vermoord.'

'Hij krijgt zijn kans.'

'Hij is er misschien in geluisd door twee agenten.'

Ariel schudde haar hoofd en keek naar de straat. 'Het leven bestaat uit bochten, Charlie. Het is niet recht, zoals een dragrace. Had iemand me dat maar verteld.'

Ze glimlachte vaag en haar bruine ogen keken hem onderzoekend aan.

'Laten we hier in de straat ergens gaan lunchen,' zei hij.

'We hebben net geluncht.'

'Laten we het nog een keer doen.'

'Goed.'

En het was goed. Hood had in het afgelopen halfjaar geen aangenamer uur meegemaakt. Hij at de tweede lunch ook helemaal op, waarschijnlijk van de zenuwen. Ze praatte aan één stuk door. In tegenstelling tot de juriste die hij op de rechtbank had gezien was Ariel privé bescheiden, goedlachs en een beetje maf. Ze noemde haar familie, vooral de vrouwen, 'een zootje ongeregeld met een obsessie voor snelheid', en de mannen 'zinloos energiek'.

Hij liep met haar mee naar het gerechtsgebouw en voelde dat de kou van de laatste winterdagen over de stad neerdaalde.

In de parkeergarage ging zijn telefoon. Het was een meisje met een suikerzoete stem en ze zei dat ze met hem wilde praten over Londell Dwayne.

26

Patrice Kings was een meisje met een mokkabruine huid, olijfbruine ogen en een kalme blik. Haar haar was lichtbruin en lang. Ze droeg een zwarte spijkerbroek, tennisschoenen van rood canvas en een suède jasje met een kraag en manchetten van imitatievossenbont. Haar tas was groot en slap en bezet met glinsterende steentjes. Ze stond te wachten bij de kaartjesloketten op het parkeerterrein van het gemeentestadion, onder de opgehangen straaljager, precies waar ze had gezegd dat ze zou staan.

Het werd al een beetje donker. Er zat een oranje streep in de westelijke hemel en de woestijnkou daalde neer.

'Zullen we een eindje lopen?' vroeg ze. Ze keek Hood aan alsof ze hem in haar geheugen prentte.

'Goed, laten we gaan lopen.'

Ze waren al in de wijde bocht van het buitenveld toen ze weer sprak.

'Op de avond dat die politieman doodging, was Londell bij mij.'

'Dat verhaal heb ik al eerder gehoord.'

'De man van het motel in Palmdale kan het bevestigen. Hij zal zich ons herinneren. En er stond daar nog iemand anders achter de balie, een vrouw.'

Hood maakte de knoopjes van zijn blazer dicht tegen de kou, zette de kleine boord omhoog en stak zijn handen in zijn broekzakken. Hij had zich gekleed met het oog op de rechtbank. Ze keek hem aandachtig aan.

'Welk motel en welke mensen?'

'De Super Eight. Kevin. Grote, blanke kerel, jong. De vrouw heette Dolores.'

'Verder nog iemand?'

'Niemand.'

'Alleen Londell en jij?'

'Alleen Londell en ik.'

'Vertel eens.'

Verderop zag hij de kaartjesloketten van het stadion, en de straaljager. Er stonden niet veel auto's op het parkeerterrein. Volgens het bord boven de ingang was het eerstvolgende evenement komend weekend een show van klassieke auto's, honderden auto's.

'Er valt niet veel te vertellen. Hij heeft een vriendin. Hij wilde niet dat iemand van mij wist. Nog niet.'

Opnieuw keek ze Hood onderzoekend aan. Hij had wel vaker mensen ontmoet die meer ervaring hadden dan bij hun leeftijd paste, maar nooit in die mate als bij Patrice Kings.

'Hoe oud ben je?'

'Ik word zestien.'

'Wanneer?'

'Als ik veertien en vijftien heb gehad.'

'Je bent veertien.'

'Tot september.'

'Je bent veertienenhalf.'

'Ik weet hoe oud ik ben.'

'Heeft Londell je hierheen gestuurd?'

'Ja. Hij is bang. Hij heeft Crips achter zich aan om het een of ander, en ook Eighteenth. En de politie zoekt hem voor de moord op die kerel die Londells hond heeft zoekgemaakt. En je weet wat dat betekent: ze schieten eerst en stellen dan pas vragen.'

'Hij moet zichzelf aangeven, Patrice. Zonder hem kunnen we zijn alibi niet bewijzen. Het is niet genoeg dat jij nu met me praat.'

'Ik wist wel dat je dat zou zeggen.'

'Londell weet het ook. Zeg tegen hem dat hij mij moet bellen, dan haal ik hem op en breng hem naar het huis van bewaring. Er wordt niet op hem geschoten en hij wordt niet mishandeld. Binnen houden ze de gedetineerden van elkaar gescheiden, dus daar kunnen de Crips en Eighteenth hem niets doen.'

'Hij vertrouwt geen smerissen.'

'Hij vertrouwt mij genoeg om jou hierheen te sturen. Waarom heeft Londell mij hiervoor uitgekozen?'

Ze keek Hood doordringend aan. 'Hij zei dat je voor een blanke kerel wel meeviel en gevoel voor humor had. En iets over je oren.'

Hij zei bijna dat hij naast de politieman in de auto had gezeten die door Londell zou zijn vermoord, dat hij de getuige was die Londell aan een dodelijke injectie kon helpen. Maar als hij dat zei, zou dat meteen een eind maken aan alle communicatie met Londell Dwayne.

'Hij heeft niemand vermoord,' zei Patrice.

Ze waren terug bij de kaartjesloketten en begonnen aan een tweede rondje.

'Waar is hij?'

Ze keek hem weer aandachtig aan.

'Het is de enige manier om hem te helpen,' zei Hood.

'Ik weet wat je denkt. Hij behandelt me goed. Bij mij is hij rustig en grappig en we gebruiken geen drugs. En hij heeft geen wapens bij zich. Londell houdt niet van wapens. Hij zit altijd in de problemen, maar daar krijgt hij genoeg van. Hij denkt er zelfs over om bij een vakbond in Los Angeles te gaan. Ze hebben daar een afdeling van metaalbewerkers die ex-gangsters aanneemt, en bij de metselaars kan hij ook terecht. Als hij daarover praat, klinkt het goed. Ik kan horen dat hij het meent. Hij is niet lui.'

Ze liepen verder door het stadion. Toen Hood naar haar keek, zaten er tranen in haar ogen.

'Weet je, Hood, ik ken hem. Londell kan iets worden. Hij moet er alleen zelf in geloven. Hij heeft bijvoorbeeld een heleboel dingen van de Detroit Tigers, terwijl hij nooit in Detroit is geweest. Hij vindt gewoon dat D er goed uitziet. Hij is op zoek naar respect voor hemzelf, weet je. De wereld heeft hem zo lang een stuk stront genoemd dat hij daar zelf bijna in gaat geloven. D, man. D. Voor hem is dat niet Detroit, maar Dwayne.'

'En je was die nacht bij hem?'

'De hele nacht. Dat wil ik wel zweren; ik wil er wel voor tekenen.'

Hood geloofde dat ze de waarheid over Londell sprak, zoals hij ook geloofde dat Erin loog over Bradley. Het is een kwestie van aanvoelen, dacht hij.

'Hij moet zich aangeven.'

'Kun je hem helpen als hij dat doet?'

'Hij wordt behandeld als ieder ander, Patrice. Ik kan hem geen voorkeursbehandeling geven.'

Hij zag haar naar een scheefhangende oude Mercury op het parkeerterrein kijken. Ze zwaaide. De auto startte en reed achteruit van de parkeerplek af en naar hen toe. Achter het stuur zat een jonge vrouw in een Raiders-jasje.

'Je zus?'

'Ja.'

'Weet ze van Londell en jou?'

'Ze is de enige.'

Patrice greep in haar tas, haalde er een plastic draagtas met enig gewicht uit en gaf hem aan Hood.

'Hier heb ik het allemaal opgeschreven: de namen van die Kevin van het motel en die Dolores, en hoe laat we daar aankwamen en welke namen we gebruikten. Maar wat nog het mooiste is: we waren aan het klieren met de digitale camera, en we hebben foto's gemaakt met de datum en de tijd erop. Zulke dingen kun je veranderen als je handig met elektronica bent, maar dat zijn wij niet, en we hebben ook foto's van de tv op de achtergrond, omdat we net zulke gezichten trokken als de mensen in de programma's, en je kunt kijken hoe laat die programma's waren en dan zie je dat we de waarheid spreken en dat we daar echt zijn geweest. Laat die foto's aan de motelmensen zien. Vraag ze of we daar waren. Londell was helemaal niet in de buurt van de kerel die is doodgeschoten. Het bewijs zit hierin. Onze toekomst zit hierin. En we willen de camera terug.'

'Dit zegt niets als Londell zich niet aangeeft,' zei Hood.

Hij hield haar de tas voor, maar ze draaide zich vlug om en rende naar de auto. Ze stapte in en trok het portier dicht. Toen de Mercury wegreed, wees Patrice naar hem.

Hij draaide zich om en zag Londell tegen een van de balies van de kaartjesloketten staan.

'Je bent door de auditie gekomen, al wist je daar niet eens van,' zei hij. 'Anders zou je me nooit hebben gezien.'

'Nou, hier ben je dan.'

'Ja, hier ben ik. Ik geef het op, man. Het lukt me nooit om aan twee gekke vriendinnen, honderd woeste nikkers en een miljoen smerissen te ontsnappen. Breng me maar meteen naar de rechter. Ik ben onschuldig.'

Hij draaide zich om naar de muur, hield zijn handen achter zijn rug en spreidde zijn benen. 'Ik geloof in Amerika. Nou en of.'

Op weg naar het huis van bewaring praatte hij alleen maar over zijn pitbull Delilah, die gekidnapt was door Terry Laws en later was verdwenen.

'Ze is in de heuvels, opgejaagd door de coyotes,' zei hij. 'Ik heb tegen Laws gezegd dat hij verantwoordelijk was. Hij zei dat hij goed voor haar zou zorgen. Gelul, man. Een smeris die Laws heet. Nou is ze weg.'

27

De volgende morgen praatte Hood met drie mannen en een vrouw die in de afgelopen twee jaar bij de politie met Coleman Draper hadden samengewerkt. De mannen zeiden alle drie dat hij een bekwame reserveagent was. Ze zeiden dat hij zich professioneel en krachtdadig opstelde, maar beleefd met het publiek omging, de LASD-procedures goed kende en vertrouwd was met het materieel. Ze zeiden dat ze best weer met hem op patrouille zouden willen, maar toch liever met een echte collega.

De vrouw was Sherry Seborn, een agente van in de dertig. Ze was aantrekkelijk en droeg geen ring, en ze werkte zeven jaar bij de politie. Ze zei dat ze met Draper patrouilles reed toen ze kort voor Kerstmis vorig jaar nachtdiensten ging draaien. Ze zei ook dat Draper zich professioneel opstelde en goed met het publiek omging. Ze hadden een automobilist aangehouden van wie ze dachten dat hij dronken was, en toen de man agressief werd, had Draper hem gekalmeerd, geboeid en achter in de politiewagen gezet.

Maar toen ze in een hoekje van de kantine op het politiebureau zaten, zei ze zachtjes dat ze liever geen patrouilles meer met Draper reed. Ze had tegen haar superieuren gezegd dat ze hem niet meer bij haar in een auto moesten zetten. Ze keek naar buiten, waar het koud en helder was. In de verte liet een passagiersvliegtuig een wit spoor in de blauwe hemel achter.

'Eerst maakte hij indruk op me,' zei ze. 'Die dronken kerel wond zich steeds meer op en Coleman bracht hem tot bedaren. Hij praatte hem gewoon de handboeien in. Dat was in het begin van de dienst. Later, toen we die kerel hadden afgeleverd, vroeg ik hem naar de arrestatie van Eichrodt. Hij zei dat het een klerezooi was geweest, en toen praatte hij aan één stuk door. Hij zei dat hij nooit meer zo'n vechtpartij wilde. Vertelde me over zijn hechtingen en kneuzingen.'

'Dat klinkt nog niet zo verkeerd,' zei Hood.

'Misschien was het te goed. Die indruk kreeg ik van Coleman: hij was te goed.'

'Er moet meer aan de hand zijn geweest. Anders had je niet met de patrouillebrigadiers over hem gepraat.'

Ze keek hem aan en streek een golf dicht bruin haar achter haar oor. 'Ik heb geen reden genoemd. Dat hoef ik niet.'

'Noem mij dan de reden.'

Ze nam een slokje frisdrank en keek hem aan. 'Ik hou niet van Interne Zaken.'

'Ik ook niet.'

'Ik heb meegemaakt dat goede agenten lelijk in de knoei kwamen door jullie.'

'Ik ook. Help me.'

Ze keek opnieuw naar buiten en toen weer naar hem. 'In de eerste pauze belde hij iemand met zijn mobieltje. We zaten in een cafetaria. Hij praatte in de telefoon terwijl hij zijn bestelling opgaf, praatte toen hij betaalde en praatte toen hij zijn koffiekopje oppakte en er melk en suiker in deed. Hij praatte met een vrouw; dat kon ik nagaan. Hij had me al verteld dat hij niet getrouwd was. Zijn stem klonk soepel en bemoedigend, met nu en dan een Spaanse zin. Ik ken Spaans. Hij zei prachtige dingen tegen haar. Een echte minnaar. Hij zei dat hij gauw naar haar toe zou komen. Goed. Dat vond ik prima.

Maar later in de dienst voerde hij nog een telefoongesprek. Ik reed, en toen ik opzij keek, zag ik hem door de voorruit kijken, helemaal in beslag genomen door het gesprek. Hij keek niet één keer in mijn richting. De radio stond zacht, dus wat kon ik doen? Ik luisterde. Hij praatte weer tegen een vrouw, maar zijn stem klonk nu heel anders. Hij sprak met een kalm gezag en vertelde haar precies hoe ze een probleem op haar werk moest oplossen. Ze was serveerster of zoiets, en op een avond was er een kerel naar haar toe gekomen, en Draper zei precies tegen haar wat ze tegen hem moest zeggen en op welke toon ze dat moest doen, als ze die kerel weer zag. Hij noemde haar naam: Juliet. En ik dacht, die vent is een schoft. Niet omdat hij tegen haar zei wat ze moest doen en tegen haar praatte alsof ze in zijn macht was, maar omdat ze een ándere vrouw was. Dat moest wel. Toen ik dat besefte, drong ook tot me door dat Coleman wilde dat ik het hoorde. Hij keek me geen moment aan, maar hij was blij dat ik luisterde. En toen hij eindelijk ophing, stak hij het mobieltje weer in de houder aan zijn riem en keek me met een glimlachje aan. Die glimlach zei: *dit is iets tussen jou en mij, schatje.* Toen zei hij: "Sherry, kies voor het leven." Ik vroeg hem wat hij daarmee bedoelde en hij haalde alleen zijn schouders op. Ik zei iets grappigs terug. Maar Draper zat me niet lekker. Een man die er goed uitzag, blijkbaar ruim in het geld zat, en die voor politiemannetje speelde, zijn vrouwen bedroog en tegen mij zei waarvoor ik moest kiezen. Ik koos ervoor om niet meer met hem op pad te gaan.'

'Sprak hij die eerste vrouw ook met haar naam aan?'

'Dat heb ik hem niet horen doen.'

'Hoe eindigde die dienst?'

'Professioneel. Snel. Ik klokte uit en ging zo gauw mogelijk naar de kleedkamer. Ik heb hem daarna alleen weleens op het appel gezien. Hij glimlacht, maar probeert geen praatje met me te maken. Hij is er niet zo vaak.'

'Heeft hij nog meer over Shay Eichrodt gezegd?'

Ze schudde haar hoofd.

'En over Terry Laws?'

'Hij zei dat het een beste kerel was en dat hij veel van hem had geleerd.'

'En zijn zaak, Prestige German Auto?'

'Hij zei dat die zaak hem goed geld opleverde en dat hij zijn handen niet eens meer vuil hoefde te maken.'

'Praatte hij over zijn familie?'

'Hij zei dat zijn vader vroeger reserveagent in San Diego County was.'

'En over een broer en zus?'

'Nee.'

'Israel Castro?'

'Nee.'

'Wat nog meer?'

'Hij had het over werving,' zei Seborn. 'Dat vond ik vreemd. Ik ken geen enkele agent die het leuk vindt om folders en aanvraagformulieren uit te delen. Hij zei dat hij graag aan werving voor het korps deed; scholen, banenbeurzen, kermissen, noem maar op. Hij zei dat hij altijd op zoek was naar die ene speciale persoon.'

'In welk opzicht speciaal?'

'Dat zei hij niet.'

'Wat nog meer? Het maakt niet uit wat, Sherry. Al had hij het over het weer.'

Ze keek uit het raam en toen weer naar Hood. 'Hij had het over Mexico. Hij zei dat hij graag ging vissen in Baja. Hij zei dat hij dat daar elke vrijdag deed. Hij nam dan altijd een lading goede, gebruikte kleren, elektronica en blikken met eten mee voor een goed doel in Baja. De jonge mensen daar zijn gek op Levi's-spijkerbroeken, zei hij. En op

173

alles wat elektronisch was. Hij zei dat het hem een goed gevoel gaf als mensen hun dromen opbouwden.'

'Dromen opbouwen. Build a Dream.'

'Ja, zoiets.'

'Elke vrijdag?'

'Elke vrijdag. Samen met Terry Laws.'

28

Een paar minuten later had Hood zijn Camaro met een andere agent geruild voor een Volkswagen Jetta en reed hij naar Prestige German Auto. Dat bedrijf was gevestigd in Venice, ruim een kilometer bij het strand vandaan in een zijstraat van Venice Boulevard, in een wijk met zowel bedrijven als woningen.

Hij wachtte even in de hal terwijl een man met twee klanten afrekende, hun de sleutels en bonnetjes gaf en hen oprecht bedankte voor hun klandizie. Zijn overhemd was wit en schoon en had een ovale patch waarop HEINZ stond.

Hood keek naar de bijzondere wielen en banden in de displays, de Duitse ophangingssystemen die daar te koop waren en de verschillende gadgets voor Duitse auto's. Maar hij keek vooral naar de BMW-, Daimler Benz-, Porsche-, Audi- en Volkswagen-certificaten die door de bekwame monteurs van Prestige German Auto waren behaald. Het waren er zes: Klaus Winer, Dieter Brink, Joe Medina, Eric Farrah, Richard Tossey en Heinz Meier. Op de balie zag hij zes bakjes met kaartjes van elk van hen.

Toen het Hoods beurt was, vroeg hij om een olieverversing en filtervervanging. Heinz constateerde dat Hood geen vaste klant was, maar hij liet hem de offerte lezen en ondertekenen. Het bedrag was vijfentachtig dollar.

'Duur,' zei hij.

'Het is een inspectie op twintig punten.'

'Dat is meer dan vier dollar per punt. Ik heb gehoord dat jullie goed zijn. De koppakking moet binnenkort vervangen worden. Als ik tevreden ben over dit karwei, maak ik daar een afspraak voor.'

'Goed, goed. Dank u, meneer...' Hij keek naar het papier. 'Welborn.'

'Als u nog vragen hebt, kunt u me hier vinden.'

Hood gaf hem de sleutels, liep nog eens langs de displays en ging toen in de hal zitten. Er zaten daar vier andere klanten tv te kijken en de krant te lezen. Er waren gratis koffie en mineraalwater, en er stonden automaten. Aan de muren hingen posters van snelle Duitse auto's.

Terwijl Heinz met het opdrachtbriefje naar de werkplaats ging, liep

Hood naar de balie en pakte een kaartje van iedere monteur. Toen ging hij naar buiten en bleef even op het kleine parkeerterrein staan. Het was een koude, vochtige dag, met een beetje mist van zee. Hij liep om het blok van grotendeels kleine, witte huizen en oude houten schuttingen heen. Er waren daar een massagesalon, een broodjeszaak en de praktijk van een helderziende, van dinsdag tot en met vrijdag geopend van elf uur 's morgens tot twee uur 's middags.

Toen hij bijna op het parkeerterrein van Prestige German Auto terug was, zag Hood een bijna twee meter hoge muur van structuurbeton die vrijwel langs het trottoir liep. Daar was een artistiekerig houten hek in aangebracht met een geoxideerde koperen brievenbus en een intercom. Hij wachtte tot er even geen verkeer in Amalfi Street was, ging toen op zijn tenen staan en keek over de muur. Hij zag een kleine bungalow achter de werkplaats op het terrein van Prestige German Auto. De zonwering was dicht en er stond geen auto op het smalle pad. Drapers huis, dacht hij. Dit adres had op zijn aanvraagformulier uit 2005 gestaan.

Toen Hood in het kantoor van Prestige German Auto terug was, keek hij naar de rekening en vroeg welk merk filter ze hadden gebruikt.

'Het is een filter dat door Volkswagen is goedgekeurd. En ja, de Jetta lekt olie. Dat komt waarschijnlijk door de koppakking. En het repareert zichzelf niet, hmmm?'

'Ik wil graag de eigenaar spreken,' zei Hood.

'Meneer Draper is er niet. Ik ben verantwoordelijk voor de gang van zaken. Is er een probleem?'

'Helemaal geen probleem. Ik wil alleen graag de mensen kennen met wie ik zakendoe.'

Heinz keek nog eens goed naar de jongeman die tegenover hem stond, greep toen in een bakje en gaf hem een van zijn kaartjes.

'Ik ben Heinz Meier.'

Hood gaf hem een hand, betaalde cash en ging weg.

Toen hij in zijn kamer in het gevangeniscomplex terug was, vond hij binnen een uur de Prestige German Auto-monteur die hij zocht.

Eric Farrah was acht maanden geleden opgepakt voor winkeldiefstal. Hij was op borgtocht vrijgelaten, maar was ervandoor gegaan en uit zijn baan bij Valley BMW in Encino verdwenen. Hij werd ervan beschuldigd een kistje Fuentes-sigaren ter waarde van tweehonderd dollar te hebben gestolen. Omdat hij ervandoor was gegaan, zou hij vijfduizend dollar boete moeten betalen. Het zou hem ook op een openhartig gesprek met Charles Robert Hood komen te staan. Hij was tweeëntwintig en zag eruit als een jongen met wie Hood in Bakersfield op school had gezeten, een getalenteerde *bronco*ruiter.

Hood ging weer naar Prestige German Auto en volgde Farrah na sluitingstijd naar diens auto, die verderop in Amalfi Street geparkeerd stond. Toen Farrah hem hoorde aankomen, draaide hij zich om. Hood bood hem een sigaar aan.

'Dat is een Fuento, net als de sigaren die je hebt gepikt. Ik ben politieman. Loop niet weg.'

'Fuck. Shit.'

'Bewaar nou nog een paar schuttingwoorden voor later. Geef me je autosleutels.'

Farrah keek Hood woedend aan, maar stak toen zijn hand in de zak van zijn broek met vetvlekken en liet een zwaar stel sleutels in Hoods handpalm vallen. Hood drukte twee keer op de knop en de portieren van Farrahs BMW kwamen met een schokgeluid van het slot. Hood maakte het portier aan de passagierskant open en gaf Farrah een teken. Farrah dacht er nog even over om weg te rennen, nam Hood aan, maar deed dat niet en stapte in.

Hood stapte aan de bestuurderskant in en startte de motor. 'Nergens voor nodig dat we de aandacht trekken.'

'Hé, wie ben jij? Waar is je insigne?'

'Ik rij nu de hoek om en zet hem daar neer.'

'O, man. Dit is grote shit.'

Hood parkeerde een blok verder onder een magnoliaboom. Hij liet Eric Farrah zijn insigne zien en vertelde hem wie hij was.

'Jij en ik gaan een praatje maken, Eric. Als ik tevreden ben, stap ik uit en loop ik weg, en dan zie je me misschien nooit meer terug. Als ik niet tevreden ben, breng ik je naar het huis van bewaring. Ook als je geld voor een goede advocaat hebt, zit je een paar weken opgesloten, want de rechter laat je geen tweede keer op borgtocht vrij en je wordt niet alleen verdacht van winkeldiefstal, maar je bent ook verdwenen toen je op borgtocht was vrijgelaten. Je zit nog langer in de bak als je op een toegevoegde advocaat moet wachten, maar dan spaar je wel geld uit. Zo werkt het. In beide gevallen mag je de sigaar houden die ik je heb gegeven.'

Eric Farrah was een jongeman met een roze huid, donzige, witte bakkebaarden en expressieve blauwe ogen. Hij had wit krulhaar.

'Waarover wil je praten?'

'Over Coleman Draper.'

Farrah keek hem aan met zijn mond een beetje open. Eerst stond er twijfel op zijn gezicht te lezen, toen opluchting, toen een sluw glimlachje. 'Dat wil ik wel.'

'Dat dacht ik al.'

'Wat heeft hij gedaan?'

'Dat is de laatste vraag die je gaat stellen.'

Farrah vertelde Hood dat hij nu zeven maanden bij Prestige German Auto werkte. Hij had met zijn vrienden bij Valley BMW afgesproken dat ze hem niet zouden verlinken toen Heinz belde om te informeren of hij een goede werknemer en een bekwame monteur was geweest. Nadat hij indruk op Heinz had gemaakt, had hij de dag daarop een gesprek met Coleman Draper gehad. Ze dronken koffie in Drapers kamer aan de gang achter de hal. Draper was jonger dan Farrah had verwacht. Hij had een nonchalante indruk gemaakt, maar was toch wel in Farrah geïnteresseerd geweest: de plaats waar hij was opgegroeid, zijn scholen, zijn reizen, de plannen die hij met zijn leven had. Ze praatten even over het repareren en onderhouden van Duitse auto's, het concept van klanttevredenheid, en toen over het salaris, de secundaire voorzieningen en de taken.

'Toen vroeg hij me opeens hoe lang ik al voor de politie op de vlucht was. Ik zei dat ik niet wist waar hij het over had, en hij zei dat op mijn gezicht te lezen stond dat ik voortvluchtig was. En dus vertelde ik hem hoe het zat. Hij schudde zijn hoofd alsof hij teleurgesteld was. Hij zei: "Riskeer nooit gevangenisstraf voor sigaren." We praatten een tijdje. Aan de muren van zijn kamer hingen ingelijste foto's die gemaakt waren door een zekere Helmut. Geile dingen. Toen stond Draper op, stak me zijn hand toe en zei dat ik de volgende dag kon beginnen. Hij zei dat ik met hem moest komen praten als ik weer de neiging voelde sigaren te stelen. Hij zei dat als ik zelfs maar een bougie van hem pikte, hij mijn armen zou laten breken. Ik geloofde hem.'

'Heb je ooit weer de neiging gevoeld sigaren te stelen?'

'Nee. Ik zou ze toen ook niet hebben gestolen, maar ik was dronken. Ik had er het geld voor. Het was een slechte dag. Het gebeurde gewoon.'

'Hoe vaak zie je hem?' vroeg Hood.

'Misschien... eens per maand. Dan is het een minuut hier, een minuut daar. Hij komt binnen, hangt wat rond en kijkt een tijdje naar ons. Praat een beetje, kijkt misschien naar wat we aan het doen zijn. Hij is een steengoede monteur. Hij kan geblinddoekt een Porsche tot op het chassis uit elkaar halen en weer in elkaar zetten.'

'Ooit privé met hem omgegaan? Een biertje na het werk, een lunch?'

'Hij ging een keer tegen de kerstdagen met ons lunchen in het West Beach. De mensen daar kenden hem. De gastvrouw en serveersters waren gek op hem. Dat waren stukken. Hij betaalde voor alles. Hij zei niet veel, luisterde vooral. Duitsers mogen graag praten. Ik denk dat hij ze wel grappig vindt. Het lijkt wel of Draper er nooit helemaal bij is, of hij altijd iets anders aan zijn hoofd heeft. Dat wil niet zeggen dat hij niet oplet. Hij is met zijn gedachten gewoon bij meer dan één ding tegelijk.'

'De andere monteurs praten over hem. Wat heb je gehoord?'

'De Duitsers denken dat hij homo is. Sommige jongens denken dat hij ooit crimineel is geweest, en sommige denken dat hij vroeger politieman was. En omdat hij meteen kon zien dat ik in de problemen zat, zou ik ook zeggen dat het een van tweeën is. Hij betaalt ons heel goed, en we hebben een goede verzekering en krijgen vrije dagen, maar we weten allemaal dat als we iets pikken of geld afromen, we diep in de stront zitten. Joe zag hem op het vliegveld uit een dure auto stappen. Klaus zag hem in een restaurant in Laguna.'

'Welk restaurant?'

'Dat zei Klaus er niet bij.'

Hood keek naar buiten, naar de straat in Venice, de huizen die dicht op elkaar stonden, de barsten in het trottoir, de slaphangende elektriciteitsdraden. Juliet, dacht hij. Serveerster of zoiets in Laguna.

'Er is nog wel iets anders,' zei Farrah. 'Op een avond, eind augustus, kreeg ik ruzie met mijn vriendin en moest ik de flat uit. We woonden aan Washington Street en ik liep dus naar mijn werk, gewoon om ergens heen te gaan waar zij niet was. Ik kocht een sixpack en dacht: ik gebruik mijn sleutel en ga in de personeelstuin achter de werkplaats zitten. Dat is niet meer dan een grote betonplaat, een parasol, een picknicktafel en een asbak die van een zuiger is gemaakt. Er is een draadgazen omheining, afgedekt met latjes omdat Drapers huis aan de andere kant staat. Bij de bovenkant zijn twee van die latjes gescheurd, zodat je vanaf de picknicktafel het pad, de garage en de voorkant van het huis kunt zien. Als ik drie blikjes ophev, komt er een auto naar Drapers huis rijden. Het is een uur of tien. En ik weet dat ik daar eigenlijk niet zou mogen zijn, maar ik heb de buitenlampen uit gelaten, dus ik zit daar in het donker en kijk door het gat. Het is de M5-2000 van Draper, zwart op zwart, Dinan-chip, meer dan vijfhonderd pk, en die kun je allemaal horen. Dan komt er een rode Ford F-250 met verlengde cabine en camperopbouw achter hem aan. Met voorzieningen om zware aanhangers te slepen. Draper stapt uit, en uit die Ford komt een grote, gespierde kerel. Ze praten niet. Draper maakt de kofferbak van de BMW open en Spierbundel maakt de achterklep en de laadklep open. Ze pakken twee koffers met wieltjes uit de kofferbak van de M5, en nog twee van de achterbank, en schuiven ze in de laadbak van de pick-up. Het zijn grote koffers en gezien de manier waarop ze ermee sjouwen, zijn ze redelijk zwaar. Dan maakt Draper zijn garage open en haalt hij drie doorzichtige plastic bakken tevoorschijn. Er zitten visspullen in: grote, glanzende molens, korte, dikke hengels en nog meer visgerei. Draper en Spierbundel zijn heel efficiënt bezig. Ze zeggen niets. Ze doen alles vlug, maar ze hebben geen haast. Zo te zien hebben ze het vaker gedaan en is het iets belangrijks. Ze gedragen zich niet als twee vrienden die gaan vissen. Zo zien ze er trouwens ook niet uit. Want het is een warme avond en ze hebben vrijetijdskleding aan, spijkerbroek en poloshirt, en ze hebben allebei een pistool in een heupholster zoals politieagenten hebben, hoog op de riem zoals je bij rechercheurs ziet. Net als jij hebt.'

'Welke avond van de week?'

'Vrijdag. Mijn betaaldag. Maar Margo is dan altijd moe omdat ze de hele week bij Von heeft gewerkt, en ik wil leuke dingen doen. En dus maken we ruzie. Vrijdag is een pechdag voor ons. Het was ook op een vrijdag dat ik die sigaren stal.'

Vrijdag, dacht Hood. Build a Dream. Rijden met vier volle koffers, met een pistool op zak om de lading te beschermen. Visspullen? Spijkerbroeken voor de armen?

Hij vroeg Farrah hoeveel geld Prestige German Auto per week omzette, en hij zei dat het ongeveer twintigduizend dollar was. Dat betekende een jaaromzet van meer dan een miljoen. Naast bedrijfsleider Heinz en vijf fulltime monteurs waren er een parttime boekhouder, een glazenwassersbedrijf en een oude schoonmaker die Draper in dienst hield, al deed die man eigenlijk niet veel. Farrah vertelde Hood dat hij tegenwoordig 29,50 dollar per uur verdiende. De eerste zes maanden had hij 25 dollar per uur verdiend. Dat was vijf dollar per uur meer dan hij bij Valley BMW had gekregen. Volgens Heinz kreeg je bij Prestige snel en royaal opslag.

'Zolang je maar keihard werkt en de klanten als vorsten behandelt,' zei Farrah. 'Dat lukt me wel. Ik ben goed met auto's. Ik hou ervan met mensen te werken. Heinz doet de zaken met de klanten. Hij mag de klanten vaak het gevoel geven dat ze gierig zijn als ze niet doen wat hij zegt dat nodig is. Hij zegt dat de meeste mensen in het westen van Los

Angeles niet gierig willen overkomen. De motor van een Benz S-klasse afstellen kost achthonderd dollar, en een koplamp vervangen kost zeshonderdvijftig, op mij komen die mensen niet gierig over. Als je een S-klasse cabriolet met startkabels aan de gang brengt, kan dat je de computer van de cabriolettop kosten, 3.600 dollar, dank u wel meneer. Zulke dingen gebeuren vaak.'

Hood zag twee tienerjongens over het trottoir naar hen toe slenteren; wijde broeken, Raiders-jasjes en spierwitte sportschoenen. Ze keken naar Hood, en hij keek terug, en ze keken een andere kant op.

'Farrah,' zei hij. 'We spreken het volgende af. Als jij tegen Draper zegt dat wij met elkaar hebben gepraat, ga je meteen achter de tralies. Dat is een feit.'

'Niet doen.'

'Het is aan jou.'

'Ik hoef niet voor hem te zorgen. Ik zorg voor mezelf.'

'Zo denken de meeste sukkels in de gevangenis er ook over. Dus misschien moet ik je daar nu meteen naartoe slepen. Dan weet ik zeker dat je niet met je baas gaat praten.'

'Dat hoeft niet. We hebben een deal, man. Je hebt het beloofd.'

'Wanneer heb je hem voor het laatst gezien?'

'Vorige maand. Hij kwam thuis na een eindje hardlopen. Het was 's morgens vroeg.'

Hood schreef zijn nummer op een vel uit zijn notitieboekje en legde het tussen hen in.

'Ik kan mensen helpen die mij helpen,' zei hij.

'Kun je het probleem van die sigaren laten verdwijnen?'

'Dat betwijfel ik. Er zijn andere dingen.'

'Noem er eens een.'

'Geef me een reden, en je komt erachter.'

Hij stapte uit en stak de straat over naar Prestige German Auto.

29

Hood kwam laat op de middag in Laguna aan. In de openbare lees-zaal schreef hij de nummers van restaurants uit het telefoonboek over, en daarna liep hij over Coast Highway terug naar Hotel Laguna.

Hij at buiten op het terras. Omdat er weinig klanten waren, kon hij een tafel bij de reling nemen, waar hij eens met Allison Murrieta had gezeten. Hij stelde zich voor dat ze tegenover hem zou zitten. Hij bedacht dat herinneringen zowel een zegen als een last zijn. De zon zat als een dikke, rode kip op de oceaan en zonk toen weg in duisternis.

Bij kaarslicht belde Hood de restaurants van zijn lijst in alfabetische volgorde en vroeg telkens of Juliet daar werkte. Hij vond geen enkele Juliet tot aan zijn twaalfde poging, een restaurant dat Del Mar heette. Ze was net bezig klanten naar een tafel te brengen. Hood bedankte degene met wie hij sprak en verbrak de verbinding.

Hij ging aan de bar van Del Mar zitten en keek door het raam naar de zwarte oceaan. Hij keek ook naar Juliet, die als gastvrouw in de hal stond en telkens bezoekers naar hun plaats bracht. Ze was aan de lange kant, en ze was heel mooi. Haar glimlach was afgemeten, maar haar haar was blond en hing los. Ze droeg hoge hakken en een zwarte jurk zonder rug. Ze ging ongedwongen met de gasten om en begroette sommigen van hen met hun naam.

Toen het even wat rustiger was, kwam ze naar de bar en vroeg de barkeeper om een sodawater met limoen.

'Ik hou van Laguna als het zo rustig is,' zei Hood.

'Woon je hier?'

'Ik kom hier alleen op bezoek.'

'Ik vind het hier altijd mooi. Ik denk dat er op de hele wereld geen betere plaats is om te wonen. Ik ben gek op Laguna.'

'Ik woon in Los Angeles. Dat heeft ook veel om van te houden, maar ook veel om juist niet van te houden.'

'Ik hou van de musea en van restaurant Spago.'

'Vorige week ben ik naar de dragraces in Pomona geweest. Dat was erg leuk.'

Ze keek hem een beetje twijfelend aan en nam een teug door twee dunne, rode rietjes. 'We hebben hier geen dragraces. We hebben dragqueens.'

'Dat is grappig.'

'Ik ben Juliet.'

'Ik ben Rick.'

'Wat doe je?'

'Beveiliging.'

'Werk je voor de TSA?'

'Ik werk vooral voor bedrijven. Bescherming van auteursrechten en patenten. Dat soort dingen.'

'De Chinezen lappen ze aan hun laars, hè?'

'Niet altijd.'

'Ik heb een keer een cursus Szechuan-koken gevolgd. Oeps, mijn plicht roept. Leuk met je gepraat te hebben.'

Ze streek even over de mouw van zijn jasje en ging terug naar haar plaats, voordat het volgende groepje van vier personen met een vlaag koude maartse wind naar binnen kwam.

Hood bleef nog even en ging toen weg. Op weg naar buiten knikte hij haar toe. Hij ging in de Camaro aan de overkant van Pacific Coast Highway zitten wachten. Ze kwam om tien uur naar buiten, gehuld in een zwarte leren jas, met een rode doek om haar hals en een rode tas over haar schouder. In plaats van de schoenen met hoge hakken droeg ze nu witte sportschoenen, en ze liep in een pittig tempo over Pacific Coast Highway naar het zuiden. Hood stapte uit en volgde haar aan de andere kant van de straat. Er liepen zoveel mensen dat hij niet opviel. Haar haar ging glanzend op en neer in het licht van de straatlantaarns en etalages. Ze maakte grote passen en keek niet achterom. Bij het Laguna Royale nam ze een pad naar de hal. Ze liep langs de wand met brievenbussen, stak een wit kaartje in een andere deur, trok hem met beide handen open en verdween.

Hood wachtte nog enkele minuten, stak toen Pacific Coast Highway over en liep de hal in. Hij vond brievenbussen van een J. Brown, een J. Astrella en een J. Clayborn.

Hij liep naar zijn auto terug en bleef daar met gebogen hoofd in zitten, uitkijkend naar een zwarte 2000 M5. Hij reed met de Camaro terug en vond een parkeerplek tegenover het Royale. Vanaf die plaats kon hij de ingang van het parkeerterrein goed in de gaten houden. Een uur later, kort voor middernacht, zag hij een zwarte M5 richting aangeven om naar het Royale te gaan. In het licht van de straatlantaarns zag hij een bos wit haar en heel even Drapers gezicht toen de auto de draai maakte om de helling naar de garage af te rijden.

Hood zat een uur in zijn auto naar de radio te luisteren. Hij was te ver buiten de county om het radioverkeer van de LASD te kunnen ontvangen en luisterde dus maar naar het nieuws. Draper en Juliet waren nergens te bekennen.

Het was ook te laat om Jim Warren te bellen, maar hij deed het toch. Zoals altijd praatte Warren langzaam en duidelijk. Hood vroeg hem om een gps-transponder, die hij op Coleman Drapers privéauto wilde zetten, en een draagbare ontvanger om hem te kunnen volgen. Hood wist dat hij eigenlijk een gerechtelijk bevel nodig had om zo'n apparaat op de auto van een verdachte te mogen zetten. Hij wist ook dat Interne Zaken een macht bezat die boven de wet uit ging, zelfs boven de grondwet uit. Een politieman die onder verdenking van Interne Zaken staat kan zich niet op zijn zwijgrecht beroepen, hij moet zelfs de meest belastende vragen beantwoorden, want anders verliest hij zijn baan, pensioenrechten en reputatie en kan hij nooit meer een betrekking bij de politie krijgen. Hij moet zijn insigne en pistool inleveren zodra een superieur erom vraagt. Zijn werk en salaris kunnen tijdens een onderzoek worden stopgezet. Hij weet nooit wanneer hij wordt opgeroepen om tegen zichzelf of een andere politieman te getuigen en hij heeft geen recht op een advocaat, tenzij hij terecht moet staan.

Zoals de meeste agenten was Hood daarom bang voor Interne Zaken en had hij een hekel aan die afdeling, maar hij was bereid een uitzondering te maken voor Coleman Draper.

En dus zette hij voor Warren uiteen wat hij wist: dat Vasquez en Lopes die nacht waren aangehouden, maar het niet konden navertellen; dat Laws, net als waarschijnlijk Draper, kort na het moment dat Vasquez en Lopes werden vermoord, grote hoeveelheden geld ontving; dat Laws en Draper elke vrijdag daarna werk hadden gedaan waarmee ze ongeveer zevenduizend dollar per keer verdienden. Vervolgens zette Hood uiteen wat hij vermoedde: dat Laws en Draper Shay Eichrodt in de val hadden laten lopen en hem bewusteloos hadden geslagen om zichzelf te dekken.

'Je denkt dat ze de koeriers hebben vermoord en hun route hebben overgenomen,' zei Warren.

'Ja, dat denk ik.'

'Welke rol speelt Londell Dwayne daarbij?'

'Dat weet ik nog niet.'
Er volgde een lange stilte.
'Ik zal zien wat ik kan doen,' zei Warren.

30

De volgende morgen stond Hood buiten de verhoorkamer en keek hij door een doorkijkspiegel naar Londell Dwayne, die door Bentley en Orr werd ondervraagd.

Dwayne zat geboeid aan een stalen tafel. Zijn enkelboeien waren vastgemaakt aan ringen in de vloer en hij droeg de gele overall die aan gewelddadige verdachten werd verstrekt. Hij was moe en had doffe ogen.

Bentley zat tegenover hem in een kraakhelder, wit overhemd zonder das. Hij droeg een zilveren kruis aan een ketting om zijn dikke, zwarte hals. Er lag een map voor hem op de tafel, en daarnaast lag een digitale recorder.

In een hoek van de kamer stond een statief met een videocamera die door de verhorende politieman kon worden uitgezet voor 'off the record'-verklaringen. Hood wist dat die verklaringen op video werden opgenomen met twee verborgen camera's, de ene in een hoek en de andere achter Dwayne in een vals verwarmingsrooster.

Orr liep heen en weer.

Dwayne leunde achterover en liet zijn geboeide handen op zijn schoot vallen.

'Ik ga dit niet opnemen,' zei Bentley. 'Ik hoop dat we een eerlijk gesprek kunnen hebben. Van man tot man, jij en ik, een prettig gesprek.'

'Praat maar,' zei Londell.

'Jij zit heel diep in de problemen,' zei Bentley.

'Ik heb een alibi.'

'Dat denk je maar. Londell, je staat onder arrest omdat je wordt verdacht van de mishandeling van twee politiemensen. Dat was met dat traangas. Reken maar op één jaar gevangenisstraf. Je staat onder arrest omdat je wordt verdacht van het bezit van een machinegeweer. Dat is de M249 SAW die ik persoonlijk onder je matras bij je thuis verborgen heb zien liggen. Nog een jaar gevangenisstraf en een boete van tienduizend dollar. Er wordt onderzoek naar je gedaan vanwege ontucht met een veertienjarig meisje. Nog een jaar in de gevangenis. En weet je wat?'

Dwayne keek hem kwaad aan. 'Wat?'

'Dat is het góéde nieuws.'

'Dat is bijna allemaal gelul. Ik heb met traangas naar die agenten gespoten omdat ik werd achtervolgd terwijl ik niks had gedaan. Ik heb in mijn hele leven niet eens een echt machinegeweer gezien. Ik heb nooit een echt machinegeweer aangeraakt. En ik heb echt geen ontucht met Patrice gepleegd. Ik heb de liefde met haar bedreven. Ze vroeg me erom, en ik deed het. Dat zal ze je vertellen.'

'Ook dat is ontucht. Ze moet achttien zijn, Londell. Dat weet iedereen. Ga me niet vertellen dat je het niet wist.'

Dwayne schudde vermoeid zijn hoofd, maar zei niets.

'En dat is nog niet je grootste probleem, want ik wil met je praten over de moord op agent Terry Laws.'

'Praat maar een eind weg. Ik was er niet bij.'

'Zijn collega zegt iets anders. Hij was er wel bij. Hij zat naast Laws in de politiewagen. Hij zegt dat jij de schutter was.'

'Ik kan niet helpen wat zijn collega zegt.'

'Maar hij kent jou, Londell, het was je vriend Hood.'

Londells glazige blik volgde Orr, die door het kamertje liep. 'Hood? Als het Hood was, weet hij dat ik het niet was.'

'Jij bent hier degene die blind is, Londell. Je ziet niet eens hoe diep de stront is waar je in zit.'

'Heeft Hood gezegd dat ik het was?'

Hood zag het ongeloof op Londells gezicht. Dwayne schudde zijn hoofd en trok een gezicht alsof hij zojuist iets viezigs had doorgeslikt.

Bentley leunde achterover en sloeg zijn grote armen over elkaar. 'Londell, je kunt dit op twee manieren spelen. Je kunt blijven liegen en uitvluchten verzinnen, en dan maken we gehakt van je met die ooggetuige en met wat we nog meer aan bewijzen hebben. We komen zo over die bewijzen te spreken. Of je helpt ons en wij helpen jou. Je vertelt me wat er gebeurd is, de doodgewone waarheid, en ik help je een eerlijk proces te krijgen, of helemaal geen proces. Je zult vast wel je redenen hebben gehad. Waarschijnlijk zijn dat redenen die ik kan begrijpen. Misschien komt het allemaal door je hond Delilah. Ik weet wat er met Delilah is gebeurd. Laws nam haar mee en raakte haar kwijt, of verkocht haar, of erger. Ik heb ook een hond, man, en ik zou iedereen verrot schoppen die dat dier iets deed. Maar Londell, je kunt hiervoor de doodstraf krijgen. Je hebt een politieman doodgeschoten waar een andere politieman bij was. Artikel 190 van het Californische Wetboek van Strafrecht is voor kerels als jij geschréven.'

Londell liet zich in de stalen stoel onderuitzakken. 'Waarom wil Hood me kapotmaken?' vroeg hij zachtjes. Hij schudde zijn hoofd en keek in Hoods richting. 'Ik heb die smeris niet afgemaakt en ik krijg geen dodelijke injectie. Dat is mijn antwoord.'

'Toch krijg je die, als je geen schoon schip maakt en ons vertelt wat er gebeurd is.'

Londell ging rechtop zitten en boog zich naar Bentley toe. Hij maakte plotseling een soepele, energieke indruk. 'Ik weet meer dan jij. Jij bent hier de stomkop, niet ik.'

'Vertel me wat je weet.'

'Nou, ik weet dit: ik was bij Patrice toen die smeris werd doodgeschoten. Dat kunnen twee mensen van het motel je vertellen. We hebben foto's gemaakt met de datum erop. Dat is bewijs voor elke jury op de wereld. Je kunt me naar de rechtbank slepen, maar dan win ik. Ik win omdat ik kan bewijzen dat ik daar niet eens was. Het is zo simpel dat zelfs jij het kunt begrijpen, Bentley.'

Bentley stond op en zuchtte. Orr bleef voor Londell staan en keek op hem neer.

'Die mensen van het motel weten het niet zeker,' zei Bentley zachtjes. 'Ik heb ze jullie foto's laten zien en ze wisten het niet zeker. Getuigen die het niet zeker weten, komen bij de rechtbank niet ver.'

'Dat is een leugen. Hoe kan het nou dat ze het niet zeker weten?'

'Waarom zouden ze liegen?'

Londell leunde achterover en kreeg weer die doffe blik in zijn ogen. 'Dan zijn er nog de foto's die we hebben gemaakt.'

'Iedereen kan de datum en de tijd op zo'n foto veranderen, Londell. Dat weet je.'

'Dit is niet grappig meer. We hebben Will Smith op tv, op de achtergrond. We probeerden net zulke gezichten te trekken als hij. Dat bewijst welke avond het was toen die foto's werden gemaakt. Het bewijst dat wij daar waren, dat ik niet met de tijd en de datum heb geknoeid.'

Bentley legde zijn beide handen op de tafel en boog zich naar Londell toe. 'Ik ben met de camera naar het televisiestation geweest dat de *Fresh Prince* uitzond. De aflevering op jouw camera is niet de aflevering die ze op die avond uitzonden.'

'Lul niet! Het is die aflevering waarin de vader van het meisje met een parachute uit het vliegtuig springt en Will Smith achterlaat, maar Will Smith kan niet vliegen. Dan vindt Will Smith de andere parachute en springt hij ook en komen ze in dezelfde boom terecht!'

'Het station heeft die aflevering niet uitgezonden op de avond dat Terry Laws stierf. Ze hebben hem de avond daarvóór uitgezonden.

Ik denk dat je de datum en de tijd hebt veranderd, Londell. Dat denkt het tv-station, en dat denk ik.'

Londell boog zich nu naar voren en liet zijn voorhoofd op zijn geboeide handen rusten. Even later ging hij weer rechtop zitten.

Het verbaasde Hood dat Bentley en Orr zoveel leugens vertelden. Ze hadden hem al verteld dat de motelmedewerkers Londell en Patrice met bijna volledige zekerheid hadden geïdentificeerd, en dat de aflevering van de *Fresh Prince* die avond inderdaad in het zuiden van Californië was uitgezonden. Maar Hood wist ook dat creatieve ondervragingen een manier zijn om bekentenissen los te krijgen van schuldigen: die geven het dan gewoon op. En de onschuldigen? Nou, sommigen van hen geven het ook op. Hood dacht niet dat Londell dat zou doen. In elk geval niet nu.

'En hoe zit het dan met het machinegeweer dat we hebben gevonden, Londell?'

Londell ging weer rechtop zitten. Hij keek Bentley strak aan, die nog steeds aan de andere kant van de tafel boven hem uit torende. Hij keek Orr aan, die met zijn armen over elkaar tegen een muur leunde. Hij keek naar de grote spiegel waarachter Hood verborgen zat.

'Als je tegen me zegt dat je een machinegeweer hebt gevonden dat van mij is, ontplof ik en vlieg ik dwars door het plafond, helemaal naar de maan, en dan leef ik daar voor altijd in totale vrijheid, ver van liegende criminelen als jij.'

'Vlieg maar weg,' zei Bentley. 'Stuur me een kaartje.'

'Ik kan niet met jou praten. Ik wil een advocaat. Ja, met al die leugens die jij vertelt, heb ik honderd advocaten nodig.'

'Londell, zeg je dat je Terry Laws niet hebt vermoord? Nou, als je de waarheid spreekt, heb je helemaal geen advocaat nodig. Weet je waarom? Als je een advocaat neemt, gaat hij met ons onderhandelen, en dan komt daaruit voort dat je voor lange, lange tijd achter de tralies verdwijnt. Hij zal denken dat hij je een dienst bewijst. Hij zal denken dat hij zijn werk doet. Als je je nu achter een advocaat verstopt, maken we gehakt van je: jong, zwart gehakt.'

'Ik had een pistool, een .25, waarmee ik nooit heb geschoten. Dat had ik legaal gekocht en jullie hebben het in beslag genomen en daarna heb ik het niet meer gezien. Ik weet niet eens hoe je met een machinegeweer moet schieten. Wat moet ik nou met een machinegeweer?'

'Het lag bij je thuis.'

'Ik ben erin geluisd. Jullie hebben me erin geluisd. Ik wil die honderd advocaten nu meteen.'

'Weet je dat wel zeker? Het is je recht, Londell. Ik zeg alleen: zodra je er advocaten bij haalt, kun je het wel schudden.'

Orr had de verhoorkamer verlaten en stond nu met Hood achter de doorkijkspiegel.

'Jullie gaan er hard tegenaan,' zei Hood, 'maar hij wijkt geen centimeter.'

'Hij is een harde rotzak.'

'Hij is óf onschuldig óf de beste leugenaar die ik ooit heb meegemaakt.'

'Ik moet steeds denken aan dat machinegeweer in zijn bed,' zei Orr. 'Maar hij weet zich goed te weren, hè? Het lijkt wel of hij kwader is omdat wij liegen dan omdat hij gepakt is. Dit wordt nog goed. Kijk maar.'

Alsof hij het had gehoord, ging Bentley weer tegenover Londell zitten. Hij keek hem een hele tijd aan met Sonny Liston-puilogen: halfdood en half peilloze diepte.

Londell keek terug, moe maar met grote minachting voor de leugenaars met wie hij te maken had.

Bentley maakte de map open en wierp een foto van twintig bij dertig centimeter als een speelkaart over de tafel.

'Vertel me hier eens over.'

Londell legde de foto met zijn vinger recht voor zich neer en keek ernaar. 'Dat is een machinegeweer in een bed.'

'En raad eens waar dat bed staat.'

'Ik weet het niet, maar ik kan je wel vertellen waar het niet staat. Het is niet mijn bed. Dat is niet mijn huis. En dat is niet mijn machinegeweer.'

'Raad nog eens.'

Hood zag Bentley nog eens drie foto's voor Londell neerleggen. Zelfs buiten de kamer kon Hood zien dat ze de vondst van het geweer bevestigden: een foto van Dwaynes slaapkamer, van de gang die naar de huiskamer leidde, van de huiskamer met de deur open, zodat je de vlakke Palmdale-woestijn kon zien.

Londell dook over de tafel op Bentley af, maar de enkelboeien hielden stand en Bentley boog nonchalant als een superieure bokser zijn hoofd buiten zijn bereik. Londell kwam met een dreun op het staal neer, zijn geboeide polsen gestrekt, de ene kant van zijn gezicht omlaag, zijn enkels nog verankerd aan de ringen in de vloer. Hij haalde moeizaam adem. Hij keek met wilde ogen naar Bentley op, of misschien naar Hood.

'Waarom behandel je mij, een zwarte net als jij, op deze manier?

Waarom haat je me? Je probeert de verkéérde te executeren. Je hebt gewoon een nikker nodig die je kunt lynchen, en ik ben de lul. Je ziel is dood, man. Rot op, Bentley.'

Londell trok zich over de tafel terug en liet zich weer in de stoel zakken.

Bentley keek even naar hem en tikte toen op de deur. De bewaarder liet hem eruit. Hij kwam bij Orr en Hood staan en enkele ogenblikken keken ze met zijn drieën naar Londell Dwayne, die onderuitgezakt in zijn stoel zat. Hij keek op, hield zijn beide geboeide handen omhoog en stak zijn middelvingers op.

'Eigenlijk hebben we alleen de SAW,' zei Bentley. 'En jou als getuige, Charlie. En de agenten die zeggen dat Londell woedend op Terry Laws was omdat die Delilah bij hem weghaalde.'

'Ik kan hem niet met zekerheid identificeren,' zei Hood. 'Ik kan niemand identificeren die een doek om zijn hoofd heeft en een zonnebril op, en dan ook nog 's avonds en in een regen van machinegeweerkogels.'

'Dat zou zijn verdediger zeker naar voren brengen.'

'Het zou de waarheid zijn.'

'Ja, Charlie, ik zie het probleem. Morgen wordt hij voorgeleid voor de mishandeling, het geweer en de ontucht. De rechter zal een hogere borgsom vaststellen dan Londell kan betalen. Op die manier houden we hem lekker hier, terwijl we de bewijsvoering opbouwen voor de moord op Terry.'

Ze keken nog even naar Londell. Toen wendde Bentley zich tot Hood. 'Wat zegt je gevoel, Charlie?'

'Hij was het niet.'

'Waarom niet?'

'Je weet hoe het met gevoel is,' zei hij. 'Het voelt wat het voelt, maar het zegt niet veel.'

Hood zag twee grote agenten de verhoorkamer binnenkomen. Ze deden Dwayne handboeien om, maakten zijn enkelkettingen los en leidden hem de deur uit.

Toen Hood in de zon van de late ochtend over het parkeerterrein liep, kreeg hij een telefoontje van de stemanalist. Die zei dat het 911-telefoontje vanuit de buitenlucht was gekomen, in de wind, of misschien had de beller zijn hoofd uit het raam van een rijdende auto gestoken. Hij had de opname zo goed mogelijk schoongemaakt, maar het bleef onduidelijk. Het anonieme telefoontje over een schietpartij en Eichrodts vluchtende rode pick-up kon van Terry Laws, van Coleman Draper of van honderden miljoenen anderen zijn gekomen.

31

Ik bestel twee goede cognacs en kijk naar Sunset Boulevard. Het is na middernacht en het duurt nog een uur voordat de clubs dichtgaan. De lucht in Los Angeles is een milde mengeling van restaurantgeuren, uitlaatgassen en geuren die aan de menselijke paardrift doen denken, en het stijgt allemaal op van de boulevard. Ik neem die lucht in mijn longen voordat ik weer een sigaar opsteek.

De jongen pakt zijn cognacglas, laat de drank erin walsen en kijkt uit over de stad. Ik kan me nog goed herinneren dat ik een beetje jonger was dan hij nu is, eigenlijk nog niet zo lang geleden. Ik herinner me het enorme gevoel van bevrijding dat ik had na de tragische dood van mijn familie. Ik was helemaal alleen, afgezien van een paar vrienden en mijn honden. Plotseling leefde ik in een andere wereld.

'Ik weet waar dit verhaal heen gaat,' zegt hij.

'Je denkt dat je het weet.'

'Laws is verdoemd door zijn geweten.'

'Maar verdoemd tot wat? Dingen veranderen. Je zult het zien. Binnen een paar weken zag ik al verandering in Terry.'

'Hij krijgt spijt van zijn grillige gedrag.'

'Nee. Het is nog beter. Hij zíét het niet eens. Hé, een maand later zijn we weer op weg, en Terry vraagt me even te stoppen in Puerto Nuevo, het kreeftendorp ten zuiden van Tijuana.'

'Ik ben daar met Erin geweest.'

'Nou, Terry zegt dat hij me in Puerto Nuevo iets wilde laten zien. Hij zegt dat hij er zijn hele leven langs is gereden, maar het nooit echt heeft gezien. Maar door iets wat hem een paar dagen geleden is overkomen ziet hij het nu wel, zegt hij. Hij snapt het, zegt hij.'

'Je laat iets weg.'

'Geduld. Ik kan niets over de toekomst vertellen als ik geen heden heb om van uit te gaan, hè? Oké, dus ik rij in Terry's rode pick-up-truck. We zijn net de grens overgestoken naar Tijuana. Het is tijd voor de Mexicaanse douane. Een kwiek stel, neem dat maar van mij aan. We hebben 385.000 dollar en alle gebruikelijke visspullen achterin liggen, met als enige bescherming een camperopbouw, onze insignes, onze wapens en het feit dat we daar goed mee kunnen schieten. En nu zit Terry naast me en zeurt me aan mijn kop over Puerto Nuevo.

Ik interesseer me niet voor Puerto Nuevo. Voor mij is het geen toeristische trip. Ik wil alleen maar naar El Dorado rijden, mijn aandeel krijgen en naar huis terugkeren. En ik erger me dood aan Terry, zijn drinkgedrag, zijn grillige stemmingen, zijn geouwehoer, zijn nieuwe vriendinnetje, zijn zogenaamde ideeën. Maar we komen voorbij de Mexicaanse douane. Ik kijk in het spiegeltje en zie het douanehokje kleiner worden en de ambtenaren naar de volgende auto lopen. Als ik naar Terry kijk, zie ik dat hij met een vreemd glimlachje uit het raam kijkt. Hij heeft niets meer te drinken gehad sinds we uit Los Angeles zijn vertrokken. Hij heeft niet eens zijn gebruikelijke glas tequila met Avalos gedronken voordat we op weg gingen. Meestal is Terry op dit punt al dronken en begint hij aan zijn tweede flacon. Wat is er aan de hand?

We parkeren bij een heel klein kerkje aan een onverharde weg in Puerto Nuevo. Het is kil en mistig voor juni. Ik ruik de oceaan, die dichtbij is, en ik ruik ook de kreeften die liggen te koken in de tientallen Puerto Nuevo-restaurants in de dorpsstraten. Als tiener ben ik hier vele keren met Israel en andere vrienden geweest, om te drinken en kreeft te eten en daarna onze roes uit te slapen in Tijuana.

"Hier is het," zegt Laws.

"Dit is een kerk."

"Kom mee naar binnen. Ik ben hier niet meer binnen geweest sinds ik een jongen was. Ik wil je iets vragen."

En dus loop ik achter hem aan naar binnen. Ik heb me nooit op mijn gemak gevoeld in kerken. Ze geven me het gevoel dat ik onbelangrijk ben. Ik voel de wreedheden die in de loop van de eeuwen in naam van God zijn begaan, maar zelfs dat kan me die avond met Terry niet opbeuren. De kerk is klein en eenvoudig, zonder vestibule, alleen een rij banken en een verhoogd altaar met een klein gebrandschilderd raam erachter. Het kruis is glad en nogal klein. Ik zie kaarsen, plastic bloemen en schilderingen van heiligen op dik verlakte planken die aan de muren hangen. Het is er koel en ik vind dat het naar wierook en schimmel ruikt. Laws loopt naar het altaar, blijft dan staan en draait zich glimlachend naar me om. Omdat die kerk zo klein is, lijkt hij nog groter dan hij al is. Daarbinnen lijkt hij bijna een reus.

"Laurel en ik gaan trouwen op de laatste zaterdag van augustus."

"Van dit jaar?"

"Ja, Coleman. Over negen weken. En ik wil jou als getuige."

"Nou, goed. Dat is geweldig, Terry. Ze is vast een fantastische vrouw en jij verdient haar."

"Ik herinner me dit uit mijn kindertijd. Pa bracht ons hier een paar keer heen om het opspuitende water te zien, kreeft te eten en toeristendingen te kopen. En ik weet nog dat ik in dit kerkje stond. Hier waar wij nu staan. En ik weet nog dat ik hier iets voelde. Het was iets wat bewoog in mijn hart, als gekriebel, alsof je een kind bent en met grote snelheid over een glooiende weg rijdt met je vader of moeder achter het stuur, weet je nog wat voor gekriebel dat was?"

"Voor mij was dat seksueel."

"Nou... Hoe dan ook, ik heb dat gevoel in geen dertig jaar meer gehad. Tot afgelopen zondag, toen ik met Laurel naar de kerk ging."

En natuurlijk begrijp ik het: Terry's gelukzalige blik, zijn alcoholloosheid, zijn naderende huwelijk, zijn hernieuwde belangstelling voor deze kerk. Het was net of ik onder aan een berg stond die op het punt van instorten stond. Angst? Afgrijzen? Ik weet niet of er een woord is om een catastrofe te beschrijven die nog niet gebeurd is, maar vast en zeker zal plaatsvinden.

"Je hebt Jezus gevonden."

"Hij heeft mij gevonden. Coleman, ik heb nooit geweten hoe erg ik het nodig had om gevonden te worden. Het is net als het gevoel dat ik dertig jaar geleden in deze kerk had, maar dan tien keer zo sterk. Vijftig keer zo sterk."

"Ik ben erg blij voor Laurel en jou, Terry. En voor Jezus en jou. Maar we moeten naar de wagen terug. Mexico is geen land waar je ons soort bagage onbeheerd moet achterlaten."

"Ik ben blij dat jij op die dag bij me bent, man. Laurel zal het ook geweldig vinden."

Ik klop Laws op zijn schouder en doe mijn best om te glimlachen. Ik kijk in zijn blije ogen, maar het lukt me absoluut niet om te doen alsof ik me nergens zorgen over maak. Ik ben blij dat Laws een fortuin heeft gevonden, en een vrouw met fantastische benen die met hem wil trouwen, en ook nog Jezus. Maar ik kan de diepzwarte gedachte niet van me afzetten dat Terry een gevaarlijke compagnon aan het worden is. Ik voel duisternis op de plaats waar Terry het gekriebel van God voelt.

Als die avond bij Herredia het diner is opgediend, vraagt Terry aan Herredia, de oude Felipe en mij om ons hoofd te buigen en te bidden. Terry dankt de Heer voor de overvloed en voor de grote vriendschappen die tussen ons zijn ontstaan. Hij vraagt God het voedsel te zegenen voor Hem, en hij zegt tot slot een dankgebed in de naam van Jezus Christus, onze Heiland, amen. En dan praat hij de hele maaltijd door over zijn persoonlijke relatie met Jezus en informeert hij recht-streeks naar de ziel van al zijn tafelgenoten. Hij zegt dat hij graag voor ons bij de Heer wil getuigen als we er klaar voor zijn. Hij noemt Laurel enkele keren als de vrouw die hem door Christus heeft gered. Als het diner voorbij is, kijk ik Herredia aan. El Tigre heeft hetzelfde duistere gezicht als op de eerste avond dat we bij hem kwamen, je weet wel: alsof hij zich niet afvraagt óf hij iemand gaat doden, maar hóé.'

'Jullie hebben een probleem,' zegt de jongen.

'Maar luister. De volgende dag vertrekken we met Herredia's vissers-boot vanuit Ensenada en varen we met grote snelheid naar het zuid-westen. Het is een tweemotorige Bertram van zeventien meter, met outriggers en aastanks, volledig uitgerust om aan wedstrijden deel te nemen. De motoren hebben nog maar enkele tientallen uren gedraaid, zegt Herredia, maar dat was zo ongeveer het enige wat hij zei. Hij was kwaad en dat was goed te merken.

En dan is er ook nog het probleem dat ik niet vis. Als jongen nooit gedaan, en als man ook niet. Ik geef niks om vissen, behalve op mijn bord. Maar zoals je weet, had ik Terry en mijzelf aan El Tigre verkocht met visspullen die ik hem cadeau deed en waarvan ik sommige per-soonlijk had aangeprezen. Je weet wel, de internationale broederschap van hengelaars. Omdat ik merkte dat Herredia op een dag misschien met ons uit vissen wilde gaan, ben ik een paar keer een halve dag met een vissersboot vanuit Long Beach mee geweest om te proberen er iets van te leren.

Nu heb ik al mijn acteertalent nodig om de rol van ervaren zeevisser te spelen. De houdingen en taal van de vissport kosten me niet veel moeite, maar met de juiste houding en de juiste woorden kom je er niet als je kunstaas moet kiezen, vastmaken en gebruiken dat goed genoeg is om een wild dier in de maling te nemen. Ik concentreer me op het vissen zoals ik me in mijn hele leven nog nooit op iets heb ge-concentreerd, behalve misschien op het verleiden van vrouwen. Ik pak het voorzichtig aan en vang zowaar een paar kleinere vissen. Ik kan het bijna niet geloven! Herredia ziet natuurlijk dat ik niet echt erg goed ben, maar dat vindt hij prima. Hij drijft de spot met me en zet me op mijn nummer, hangt de macho uit zoals je van zo'n kerel zou ver-wachten. Maar de vissen willen bij mij niet meer bijten, en zo langza-merhand ben ik bang dat ik word ontmaskerd. Als Herredia nu eens beseft hoe erg ik heb gelogen toen ik hem al dat visgerei gaf? Ik krijg pijn in mijn buik. Ik werp niet goed meer en mijn lijn raakt in de war en krijgt knopen. Mijn zelfvertrouwen is naar de maan. Ik prik verdomme ook nog met een haakje in mijn duim en trek het eruit en probeer ondanks de pijn te blijven vissen, maar er wil nog geen sardientje bijten. Zelfs diep in het water voelen de vissen dat ik er niks van kan. Ik zie Herredia naar me kijken. Misschien vraagt hij zich af of hij een geweer moet gebruiken of het fileermes dat ik Felipe die ochtend zag scherpen. Ik ga eraan.

En dan? Nou, dan doet Terry Laws iets waar Terry Laws heel, heel goed in blijkt te zijn. Hij vist. Terry is snel en handig met de knopen, hij kan met een snelle polsbeweging honderd meter lijn uitgooien, hij is een genie met kunstaas, en als hij beetheeft, trekken zijn grote armen de hengel soepel en vlug in. Niet één vis – zelfs niet een dorade van vijftien kilo – breekt zijn lijn of bevrijdt zich van zijn haak. Hij is overal tegelijk. Telkens wanneer ik opkijk, is Terry er en heeft hij beet, zijn hengel gekromd, zijn lijn gierend door de spoel doordat een grote vis de diepte in vlucht. Dan rent hij langs de hoge reling en voorkomt hij dat zijn lijn met de andere verstrikt raakt en zijn vis onder de boot komt. Hij glijdt en glibbert over het natte dek en houdt zich in evenwicht. Ik weet dat als Terry overboord gaat, hij waarschijnlijk al verdronken is voordat we hem terug aan boord hebben gehesen, maar dat schrikt hem helemaal niet af.

Natuurlijk is het Terry's sleeplijn die beet krijgt. Hij rent naar de achtersteven, pakt de hengel vast, trekt de lijn aan en gaat in de vechtstoel zitten. Hij zet zijn benen schrap en trekt de hengel helemaal krom. Dan geeft hij de vis wat ruimte, laat de lijn een paar meter vieren en trekt hem weer strak. Ik juich als ik Laws met dat dier zie vechten. Na twintig minuten is hij drijfnat van het zweet en kan hij niet meer dan vijftig meter lijn hebben gewonnen. Maar na een halfuur wordt de vis blijkbaar moe. Terry haalt uit alle macht steeds meer lijn binnen en dan zien we ongeveer vijfenzeventig meter bij de boot vandaan een gestreepte marlijn uit het water springen. Zijn flanken draaien en kronkelen in het zonlicht en hij smakt met een explosie van zilver in de zee terug. Een kwartier later krijgt Felipe de vis met een hijshaak te pakken en sleept hij hem het dek op, waar de marlijn spartelt en om zich heen mept en dat zwaard van hem in iemand probeert te steken. De kam op zijn rug gaat omhoog en omlaag en zijn kieuwen gapen steeds langzamer en oppervlakkiger. Als de vis dood is, neemt Terry hem in zijn armen en maakt Herredia zelf foto's van hem. Ik heb hem nooit zo gelukkig meegemaakt. De marlijn weegt negenentachtig kilo.'

'Dus Terry redt zichzelf met vissen?'

'Val me niet in de rede. Als we die avond in El Dorado terug zijn, overtreedt Terry zijn eigen alcoholverbod en drinkt hij drie dubbele tequila's voor het eten. Hij wankelt als we onze plaatsen in de eetkamer innemen en probeert de schuld te geven aan het deinen van de boot. De vrouwen dineren die avond met ons mee, iets wat in Herredia's domein maar zelden gebeurt. Ze zijn smaakvol en duur gekleed en Terry complimenteert ieder van hen met haar uiterlijk. Hij zegt dat Jezus van prostituees hield omdat ze schaamte kenden.

Na het eten gaan we naar de biljartkamer. We spelen eightball en drinken nog wat meer. De stereo staat aan en twee van de vrouwen dansen, terwijl de twee anderen naar *Under the Tuscan Sun* kijken. Terry schenkt een groot glas single malt in en gaat in een grote leren fauteuil zitten. Het is een oude stoel die al tientallen jaren in gebruik is – in Herredia's gebruik natuurlijk – en Terry ploft er gewoon in neer en onthaalt de aanwezigen op verhalen over het dagje vissen. Hij moet hard praten om boven de stereo en de video uit te komen. Hij praat over het vertrouwen dat je moet hebben om te kunnen geloven dat een vis zal toehappen. Hoe het is om een vrouw verliefd op je te laten worden. Daarna vertelt hij hoe het is om iemand te doden, wat dat met je ziel doet. Tien minuten later valt zijn glas op de tegelvloer aan scherven, nadat hij eerst een straaltje vocht op zijn overhemd, zijn broek en Herredia's mooie stoel heeft achtergelaten. Hij snurkt.

O ja, ik vind het prachtig zoals het gaat. Herredia buigt zich over de biljarttafel om te kijken hoe hij gaat spelen, en als dat glas kapotvalt, komt hij overeind en loopt om de tafel heen naar me toe. Hij tikt met de punt van zijn keu tegen mijn borst, zodat er een wolkje blauw poeder op mijn overhemd achterblijft. Maar de blik in zijn ogen verrast me. In die ogen zie ik niet de ingehouden woede van de vorige avond, maar de weemoedige, trieste uitdrukking die hij had toen hij voorstelde Hector en Camilla Avalos te vermoorden.

"Het is voorbij," zegt hij zachtjes.

"Ja."

"Erg gevaarlijk."

"Carlos, je hebt helemaal gelijk, maar ik vraag je hem nog één kans te geven."

"Eén kans om wat te doen?"

"Zo is hij thuis niet. Maar als hij hier komt, voelt hij zich veilig en moedig en denkt hij dat hem niets kan overkomen. Hij denkt dat hij hier tegen zijn demonen kan vechten."

"Demonen winnen altijd. Hij moet ze niet opzoeken."

"Ik kan hem bij ze vandaan leiden."

"Dat heb je al eerder gezegd."

"Geef het kind een kans om een man te worden. Doe het omwille van onze vriendschap."

"Coleman, je bent toch niet achterlijk?"

"Nee."

"Hij was al zwak toen jullie hier voor het eerst kwamen. Zijn handen beefden toen hij die eerste nacht probeerde de koffers open te maken. Nu beeft zijn hele lijf, niet alleen zijn handen."

"Je hebt mijn woord. Als ik hem niet op de rails kan krijgen, weet ik wat er moet gebeuren."

"Bedenk wel: overal om ons heen ligt de woestijn. Hij heeft vandaag de beste vis gevangen. Hij is gelukkig."

Ik kijk naar de dansende vrouwen, de bewusteloze Terry, de oude Felipe die bij de deur zit, het geweer naast hem tegen de muur. El Tigre kijkt verslagen. Blijkbaar heeft hij nu al spijt van wat hij gaat doen.

"Hij is van jou."

"Dank je."

De volgende morgen maak ik Terry in alle vroegte wakker. Ik verwacht iets, de plotselinge verschijning van mannen die ik niet ken, het doorladen van een geweer, het metalen fluisteren van een mes dat uit een leren schede wordt getrokken. Maar ik dwing mijn spieren in beweging te komen, laad de auto in, krijg Terry op de passagiersplaats en rij weg. Het is nog donker als we uit El Dorado vertrekken. Niets is donkerder dan een nacht in Baja California.'

De jongen knikt. Het is onmogelijk zijn zelfvertrouwen weg te nemen. Je kunt het hooguit een heel klein beetje aantasten.

'Dus dit verhaal gaat ook over de domheid van El Tigre,' zegt hij.

Ik buig me naar hem toe. 'Als ik jou was, zou ik niet zo hard praten.'

Hij snuift, maar bloost. Ik vind hem een geweldige jongen.

'We zijn nu gekomen bij het deel van het verhaal waarin de chaos is omgeslagen in kansen en de kansen weer zijn omgeslagen in chaos. We zijn bij het deel van het verhaal gekomen waarin Terry Laws ontdekt hoe zijn eigen ziel in elkaar zit.'

'Ik zal de drugs, seks en rock-'n-roll missen.'

'Daar blijft nog genoeg van over. Nog een cognac?'

'Ik ben al dronken.'

'Dan ga ik op een andere avond verder met het verhaal. Het verdient iets beters dan een dronken publiek. En natuurlijk wil ik met je over Kick praten.'

De jongen kijkt me zo scherp aan als hij kan. Hij kan nog helder zien, maar ik weet dat zijn gedachten wazig zijn. Zijn concentratievermogen is uitstekend en hij kan ook heel goed tegen alcohol, maar er zijn grenzen aan elke macht op aarde.

'Oké,' zegt hij. 'Kick. Dat verhaal verdient iets beters dan een dronken verteller.'

'Ik verheug me erop je vriendin te ontmoeten.'

'Ja.'

'Wil er iets goeds met ons gebeuren, dan moet ze weten dat ze vanaf het allereerste begin hier bij ons was. Ze moet er van het begin af aan bij betrokken zijn. We hebben het hierover gehad.'

'Tot ziens dan.'

32

Shay Eichrodt stak zijn grote handen uit en Hood maakte de boeien vast, zij het niet te strak. Eichrodt droeg een oranje gevangenisoverall in plaats van de lichtblauwe van de psychiatrische inrichting. Hij had zijn haar laten groeien tot stoppels, maar zijn gezicht was gladgeschoren en nog erg bleek.

Dokter Rosen hield zijn ene arm vast en Hood de andere. Toen ze buiten kwamen, bleef Eichrodt staan om naar de lucht, de bladerloze bomen en de functionele, fantasieloze gebouwen van de psychiatrische inrichting Atascadero te kijken.

'Mmm.'

'Deze kant op, Shay,' zei Rosen.

Hood stelde Eichrodt en Rosen aan Ariel Reed voor en vertelde Eichrodt nog een keer dat ze een van de officieren van justitie was geweest die ervoor hadden gezorgd dat hij in Atascadero werd opgenomen.

Hij torende boven haar uit en stak haar beide handen toe. Ze ging in zijn schaduw staan en schudde ze.

'Langer haar nu,' zei hij.

'O. Ja, ik laat het groeien.'

'Ik ook.'

Hood vertelde hem opnieuw dat Ariel met hen mee zou rijden naar de gevangenis, als hij dat nog wilde. Hood herinnerde hem aan zijn rechten en zei dat Ariel naar zijn verhaal wilde luisteren om daarna een advies uit te brengen aan het Openbaar Ministerie. Het werd als een informeel gesprek beschouwd. Eichrodt zou niets onder ede verklaren en niets van wat hij zei kon op de rechtbank tegen hem worden gebruikt. Hood zei tegen hem dat hij nu nog van gedachten kon veranderen over de aanwezigheid van een officier van justitie, en dat hij ook onderweg nog van gedachten kon veranderen.

'Je moet dit lezen en ondertekenen,' zei Hood.

Hij hield Eichrodt een klembord voor, en die nam het in beide handen, ging met zijn rug naar de zon toe staan en las het. Het kostte hem bijna vijf minuten. Toen hij klaar was, knikte hij. Hij nam Hoods pen en zette zijn handtekening op de onderkant van de tweede bladzijde, boven 'Verdachte'.

Ze reden over de snelweg langs groepjes eiken en velden die groen waren van de regen. De bomen langs de weg maakten strepen van het zonlicht. In zijn spiegeltje zag Hood dat Eichrodt naar buiten keek en nauwelijks met zijn ogen knipperde. Als een hert dat zich bespied voelde. Hood keek even naar Ariel en zag dat zij ook naar buiten keek. De strepen zonlicht gleden over haar heen naar Eichrodt toe.

Eichrodt vertelde zijn versie van de arrestatie. Zijn herinneringen leken helder, al had hij soms even tijd nodig om de juiste woorden te vinden. Hij gebruikte straattaal en schuttingwoorden die hij niet had gebruikt toen Hood met hem praatte.

Eichrodt zei dat hij uit een café in Victorville op weg was naar zijn huis in Palmdale. Hij werkte 's avonds. Om twaalf uur was hij vrij, ging naar de Hangar totdat die om twee uur 's nachts dichtging, zat dan tot drie of vier uur met de barkeeper en een stel vrienden te drinken en soms drugs te gebruiken, en reed naar huis. Elke avond hetzelfde café, dezelfde mensen. De Hangar was een gore kroeg, maar het bier was er goedkoop. Toen ze hem aanhielden, was hij onder invloed van alcohol, methamfetamine en PCP. De agenten waren een kleine, blonde gluiperd en een flikker met spieren. Hij liet hun zijn rijbewijs zien en stapte uit toen ze zeiden dat hij dat moest doen. De spierbundel zei dat hij met zijn gezicht naar de wagen moest staan en zijn handen achter zijn rug moest doen, en dat deed hij. De spierbundel boeide hem. Eichrodt keek naar de stoffige, rode lak van zijn pick-uptruck, zei hij, toen de eerste klap met de wapenstok hem tussen zijn schouderbladen trof. Hij draaide zich om en viel de agent aan door zijn hoofd als stormram te gebruiken. Beide agenten gebruikten hun wapenstok.

Eichrodt keek onder het praten uit het raam. Hood zag dat hij niet helemaal met zijn gedachten bij het verhaal was. Hij had ook aandacht voor de glooiende heuvels van Midden-Californië.

Eichrodt zei dat ze hem eerst buiten gevecht probeerden te stellen door tegen zijn benen en bovenlijf te slaan, maar hij zakte niet in elkaar. De methamfetamine maakte hem snel en de PCP verdoofde de pijn en hij dacht dat het hem zou lukken het gevecht te winnen en weg te komen. Hij trof de spierbundel een keer hard op zijn voorhoofd, maar dat was de enige voltreffer die hij uitdeelde. Het gevecht ging minutenlang door en hij hijgde als een hond. Er kwam bloed in zijn ogen en hij kon bijna niets meer zien. Hij schatte dat hij dertig tot veertig keer geraakt werd, waarvan ongeveer tien keer toen hij al op handen en knieën zat en te uitgeput was om zichzelf te kunnen beschermen. Hij zei dat smerissen meestal niet op je hoofd sloegen, omdat daar veel bloed van komt en je te gauw iemands hersenen inslaat, maar deze klootzakken sloegen juist veel op zijn hoofd. Er zat bloed op de schoenen van beide agenten en op de broek van de man met de spieren. Er lagen ook een paar tanden van hem op de grond. Intussen hadden de handboeien in zijn polsen gesneden.

Het volgende dat hij zich herinnerde, was dat hij wakker werd in een ziekenhuis. Mensen maakten foto's van hem en de flitslichten maakten hem kwaad. Dat laatste herinnerde hij zich pas sinds kort, zei hij. Later was er een leuke verpleegster die Becka heette en sproeten en groene ogen had. Zijn hechtingen deden pijn en stonken. Toen kwamen de lange dagen in het ziekenhuisbed. Zijn hechtingen deden geen pijn meer, maar jeukten des te meer. Toen werd hij geopereerd om de zwelling in zijn hersenen te beperken, en daarna volgden wazige weken waarin hij niet begreep wat er gebeurd was of wat er gebeurde.

Daarna kwamen de lange, verwarrende uren bij de rechtbank. Daar had hij alleen van begrepen dat zijn hachje op het spel stond, maar hij kon zich er geen moer van herinneren. Het was nog het ergste dat hij zich wel dingen kon herinneren, maar niet de woorden had om een herinnering te beschrijven, en daarna was die herinnering ook altijd weer verdwenen. Hij zei dat je geheugen het enige was waar je wat aan had. Zonder geheugen zouden we allemaal een soort stenen zijn.

Eichrodt zei dat hij na de rechtbank had willen doodgaan, en in de psychiatrische inrichting hing hij zich op aan een reep beddenlaken, maar door zijn gewicht begaf de sprinkler aan het plafond het, en toen stond hij midden in de kamer met de strop om zijn nek terwijl het water naar beneden viel, niet dood maar wel ijskoud. Een paar dagen later voelde hij zich wat beter. De medicijnen maakten herinneringen los, maar hij dacht dat het koude water er ook iets mee te maken had, en verdomd als dokter Rosen hem niet had verteld dat Amerikaanse psychiaters de maniakken vroeger in koud water onderdompelden, in de hoop dat ze door de schok van hun gekte genazen, maar ze vroren alleen maar halfdood. Hij zei dat dokter Rosen een genie was.

Hood reed, luisterde en zei niets. Ariel draaide zich om op haar stoel om oogcontact met Eichrodt te houden, en ze maakte aantekeningen.

Ze vroeg of de agenten hun pistolen hadden getrokken toen ze naar zijn auto liepen.

Hij zei van niet.

Ze keek Hood en toen Eichrodt weer aan en vroeg hem of ze iets tegen hem zeiden.

Hij zei dat ze alleen maar naar zijn rijbewijs en autopapieren vroegen, en of hij even wilde uitstappen. Toen ze op hem insloegen, gromden en kreunden ze alleen maar, alsof het een karwei was waar ze doorheen moesten.

Ze vroeg naar het witte busje, naar Lopes en Vasquez.

Hij zei dat ze hem daar op de rechtbank ook steeds naar vroegen. En hij probeerde het zich steeds te herinneren en praatte zichzelf misschien aan dat hij zich iets herinnerde wat nooit was gebeurd. Want als je iets kon vergeten wat was gebeurd, kon je je net zo gemakkelijk iets herinneren wat niet was gebeurd, hè? Maar nu wist hij dat hij nooit een wit busje had gezien, en ook geen dode mannen en geen geld. Hij zei dat hij die hele avond verdomme niks interessants had gezien, totdat hij de lichten van die smeris in zijn spiegeltje kreeg en gestopt was en dat blonde mannetje en die spierbundel uitstapten. En als hij echt al dat geld had gepikt en in zijn wagen had gelegd, moesten die agenten het toch hebben gevonden en ingeleverd? Ja toch? Nou, waar maakte iedereen zich druk om?

Ze reden een tijdje in stilte.

'Man,' zei Eichrodt. 'Zag je die buizerd daar?'

'Een roodschouderbuizerd,' zei Ariel.

'Hij had wat in zijn klauwen.'

'Het leek een eekhoorn,' zei Ariel.

'Het leek mij een hotdog, maar ik weet het niet.' Hij keek naar de vogel die over een helling zeilde. 'Bedankt voor het ritje. Ik ga nu een... fuck, u weet wel...'

'... een dutje doen,' zei Ariel.

'U kunt mijn kapotte geest lezen.'

Hij liet zijn grote hoofd tegen de hoofdsteun zakken en viel in slaap.

Enkele minuten later gaf Ariel een vel uit haar notitieboekje aan Hood. Daarop stond: 'Herinnert hij zich de waarheid, of herinnert hij zich dat hij moet liegen?'

Hood haalde zijn schouders op en ze schreef opnieuw.

'Ik kan niet geloven wat ik heb gehoord. En toch geloof ik er ieder woord van.'

Hood knikte en bleef in zuidelijke richting over Highway 101 rijden. Ze stopten in Carpinteria om te lunchen en gingen in de koele middaglucht op het terras zitten, waar geen mensen waren om de oranje reus aan te staren. Eichrodt concentreerde zich op zijn eten en at langzaam. Toen de zon achter de wolken vandaan kwam, draaide hij zijn gezicht ernaartoe en deed hij zijn ogen dicht.

'Ik ben nooit zo erg in elkaar geramd,' zei hij. 'Ik voel me er oud door. Ik kan dat soort shit niet meer hebben. Sturen jullie me naar de gevangenis?'

Een korte stilte.

'Shay,' zei Ariel. 'Ik weet niet wat we met je moeten doen.'

Hij knikte en glimlachte. Zijn onnatuurlijk witte valse tanden glansden in al hun perfectie.

'Ik vind het mooier nu het langer is,' zei hij, en hij wees met een stukje kabeljauw naar haar haar.

'Dank je, Shay. Eet nu je lunch op.'

Hij knikte en keek haar ondeugend aan.

Nadat ze Eichrodt bij de gevangenis hadden afgeleverd, dineerden Hood en Ariel die avond in de Pacific Dining Car en dronken ze iets in de Edison. Dat alles zou Hood zijn salaris van die hele dag hebben gekost, maar Ariel stond erop de helft te betalen, en het lukte haar op deze drukke avond een goede tafel in de Edison te krijgen.

Ze nam een slokje van een *appletini*. Haar blik was op de mensen gericht, maar blijkbaar staarde ze alleen maar wat voor zich uit.

'Je hebt vandaag iets goeds gedaan, Charlie. We zullen de zaak tegen Eichrodt opnieuw in overweging nemen. Nu Laws dood is en Draper onder verdenking staat, moeten we de zaak misschien uitstellen of laten vallen. Dat kan ertoe leiden dat we Draper in staat van beschuldiging stellen. Als je nagaat hoeveel details Eichrodt ons vandaag heeft gegeven, denk ik dat een jury hem zou geloven. Ik geloofde hem wel. Voor het grootste deel.'

'Goed dat je hem vroeg of Laws en Draper hun pistolen hadden getrokken toen ze naar hem toe liepen,' zei Hood. 'Dat is belangrijk.'

'Het zette me aan het denken. Als die agenten echt dachten dat ze een dubbele moordenaar met een wagen vol drugsgeld aan de kant hadden gezet, zouden ze hun pistolen in de aanslag hebben gehad. Op dat moment dacht ik dat die kerel misschien de waarheid sprak.'

'En Rosen kan een medische verklaring voor het herstel geven,' zei Hood. 'Hij is stoffig, sympathiek en geloofwaardig.'

Nu was het Hoods beurt om naar de mensen in de bar te kijken en zich af te vragen wat hij aan het doen was. Een halfjaar geleden had hij geholpen een collega-politieman op te pakken en was het hem niet gelukt een roekeloze vrouw in leven te houden. Hij was vrijwillig uit

Los Angeles naar Antelope Valley vertrokken, waar hij de tijd hoopte te vinden om nog eens rustig over de dingen na te denken. Maar nu zat hij bij Interne Zaken en was hij verwikkeld geraakt in een oude zaak met vermoorde drugskoeriers, verdachte agenten, raadselachtige stapels geld en een collega die met een machinegeweer overhoop was geschoten. Hood voelde zich net een sloopkogel.

'Wat is er?' vroeg Ariel.

'Vroeger vond ik het leuk om politieman te zijn.'

'Dat zou je nog steeds leuk moeten vinden. Je bent een goede.'

Hood vroeg zich af of dat waar was. 'In Anbar werd ik gehaat omdat ik achter soldaten aan zat die zonder goede reden een heel gezin hadden vermoord. Er waren wel een paar verkeerde redenen. En nu ben ik hier terug en ben ik de helft van de tijd bezig het leven van mijn eigen mensen te verwoesten. Ariel, ik ben bij de politie gegaan om de bóéven achter de tralies te zetten.'

'Maar die heb je in allerlei soorten. En soms in uniformen.'

'Ik heb geen medelijden met ze. Of met mezelf. Maar als ik in een team werk, wil ik ook in dat team geloven. Ik wil dat de situatie duidelijk is: wij en zij. Wíj en zíj. Ik wil in ons geloven. Ik wil aan onze kant staan. Zo simpel is het.'

'Simpelheid werkt bijna nooit.' Ze boog zich naar voren en liet haar glas tegen dat van Hood tikken. 'Charlie, als ik iemand mocht kiezen van wie je duizenden politiemannen kon klonen, zou jij het zijn. Je bent eerlijk en intelligent en betrokken bij de dingen die je doet. Veel meer is er niet nodig.'

'Duizend Hoods. Angstaanjagend.'

'Maar we hebben er maar één van jou. En eerlijk gezegd ben ik erg blij dat ik de vrouw ben die in deze bar tegenover je zit. Blij dat ik met jou in dezelfde molecule zit, Hood, het ene atoompje bij het andere.'

Ze keek hem met een zuinig glimlachje aan en hij zag de glinstering in haar ogen. Hij keek in die ogen en wat hij daarin zag fascineerde hem: iemand die bijzonder, onvervangbaar en mooi was.

'Straks ga ik nog snotteren,' zei hij.

'We hebben servetten.'

Hood glimlachte terug en nam een slokje uit zijn glas. Een oude man kwam door de bar naar hen toe. Hij liep langzaam en gebruikte een sierlijk bewerkte stok. Hij had wit, verzorgd haar en heldere ogen. Zijn pak was duur en goed gesneden. Toen hij bij hun tafel was, bleef hij staan. Hij steunde met beide handen op de stok en keek eerst Ariel en toen Hood aan.

'Het doet me goed twee jonge mensen te zien die gelukkig zijn,' zei hij. 'Geniet van elke sandwich.' Hij knikte en liep langzaam weg.

'Wat aardig van hem om dat te zeggen,' zei Ariel. Ze kreeg een kleur, die op haar lichte wangen bleef hangen. Haar donkere haar glansde en ze zag er stralend uit.

'Charlie, je weet dat ik graag rij. Noem eens iets wat jij graag doet.'

'Ik rij ook veel. Niet dat ik aan races meedoe. Gewoon rijden en door het raam kijken. Voor mijn werk rij ik uren en uren, en daarna rij ik nog meer. En dan droom ik over rijden. Als ik wakker word, rij ik opnieuw.'

'Waarom?'

'Ik ben op zoek naar iets wat me is ontglipt.'

'Wat dan?'

'Dat weet ik niet precies.'

'Waar glipte het vandaan?'

'Uit mij. Ik voelde gewoon dat het wegging. En ik woog mezelf en bleek anderhalf pond lichter te zijn. Maar je weet hoe die badkamer-weegschalen zijn.'

'Je neemt me in de maling.'

'Nee, echt niet.'

Ze keek Hood met haar kalme blik aan, de juridische blik waarmee ze als officier van justitie naar mensen keek. Toen trok ze haar stoel dichterbij en legde haar hand in zijn jasje, op zijn hart.

'Er zit daar nog iets, Charlie. Je bent niet helemaal leeg.'

Hood liet zijn gezicht naar het hare zakken, drukte zijn neus tegen haar slaap en ademde in. Ze draaide zich om en streek met haar lippen over de zijne.

'Laten we gaan rijden,' zei hij.

Hood reed met de Camaro naar Sunset Boulevard en zette toen koers naar de Hollywood Hills. Hij kwam langs de afslag die Allison Murrieta de vorige zomer had genomen en probeerde de herinnering aan haar nog even uit te stellen, maar dat was iets nieuws voor hem en hij voelde zich meteen ontrouw. Hij vond een ander uitkijkpunt, een eindje verderop. Hij parkeerde en liet de motor aanstaan, met de ont-dooier op een lage stand. Beneden hen maakten de donkere flanken van de hellingen figuren van de stadslichten, en daarboven hing een wolk voor de maan, stil als een geest. De sterren glinsterden in de hel-dere maartse avond.

'Laten we verdergaan met die kus, Hood.'

Ze gingen ermee verder. Zelfs met de ontdooier aan besloegen de ruiten, en Hood moest de airconditioning aanzetten om ze weer helder te krijgen. Hij graaide blindelings met zijn uitgestrekte arm naar de knoppen, terwijl hij zijn andere arm nog om Ariel heen had en hun lippen elkaar hartstochtelijk omsloten. Hij voelde zich net een tiener. Veel later reed Hood de heuvels uit naar Ariels auto, die nog op een terrein in de binnenstad bij de Edison stond. Hij bleef naast haar El Camino staan terwijl ze instapte.

'Kom mee naar mijn huis,' zei hij.

'Kun je een voortvluchtige crimineel vervangen door een atomen splijtende officier van justitie?'

'Je kunt niemand door iemand vervangen.'

'Vanavond niet.'

'Heeft iemand anders de eer?'

'Ooit.'

'Hij mocht zich gelukkig prijzen.'

'Hij is niet meer bij ons. Of wel?'

'Ik begrijp die vraag. Het spijt me.'

'Dit is genoeg. Dit is voldoende. Het was een goede kus.'

33

Die vrijdagavond volgde Hood de M5 van Draper. Hij bleef van Venice naar Cudahy drie of vier auto's achter hem en maakte de afstand nog groter toen de straten smaller werden. De ruiten van de BMW waren donkergetint, en Hood zag van de bestuurder eigenlijk alleen een profiel en iets blonds als hij een hoek om ging. Hood kende Cudahy als een ruig plaatsje, een gribus van bendes, drugshandel en bureaucratische corruptie. Ooit patrouilleerde de LASD daar, tegenwoordig een politiekorps met een slechte reputatie.

Hij wist ook dat een van Cudahy's criminele kopstukken, een gangster die Hector Avalos heette, de week daarvoor op enkele kilometers afstand dood was aangetroffen, gedumpt in een zijstraat in South Gate. Hood wist dat Avalos bij Cudahy hoorde, in verschillende gevangenissen had gezeten en verdacht werd van narcoticahandel vanuit die plaats. Ook had hij geruchten over hondengevechten gehoord. Avalos was goede maatjes geweest met het gemeentebestuur. Zijn begrafenis was een grote gebeurtenis geweest, maar voor zover Hood had gehoord was er niemand van het gemeentebestuur komen opdagen.

Toen hij op twee huizenblokken afstand langs de stoeprand stond, zag hij mannen uit de schaduw komen en Drapers auto van de straat af escorteren naar een gebouw dat eruitzag als een groot pakhuis. Hood hoorde het bulderen van een metalen roldeur die dichtging. De mannen waren weg. Hij reed een keer het blok rond, parkeerde uit het zicht in de donkere straat en wachtte af.

De laptop naast hem in de Camaro had een grote monitor met een helder scherm. De kleurenkaarten van het *locator*programma hadden vijf niveaus, van een close-up van één blok tot een overzicht van duizend vierkante kilometer. In alle gevallen werd de positie van Drapers auto aangegeven met een flikkerende rode X. Als zijn auto bewoog, bewoog het pijltje met een proportioneel gelijke snelheid. Het dichtstbijzijnde adres en de dwarsstraten stonden, indien van toepassing, vermeld in een venster op de rechterkant van het scherm. Toen Draper honderd kilometer per uur had gereden door de hoofdstraat van Cudahy, was dat venstertje een waas van letters en cijfers geweest, als een fruitautomaat die nog draait. Het locatorprogramma gaf zelfs piepsignalen, zodat Hood de afstand kon inschatten aan de hand van de toonfrequentie.

Anderhalf uur later kwam de zwarte M5 het pakhuis uit om de straat op te rijden. Hood liet Draper de eerste hoek om rijden en kwam toen zelf ook in beweging.

Er was weinig verkeer naar het zuiden, tot ze bij Santa Ana kwamen, waar een truck met nieuwe auto's geschaard was en alle rijbanen van de Interstate 5 had afgesloten. Het asfalt was bezaaid met nieuwe Toyota's, sommige op hun kant, andere ondersteboven, allemaal nog in de beschermende witte tape. Hood huiverde bij de aanblik van die ingedeukte nieuwe auto's. Het verkeer werd omgeleid via Seventeenth Street en vervolgens door Santa Ana en Tustin heen, om bij Red Hill weer op de Interstate te komen. Het kostte veertig minuten.

In San Clemente nam Draper plotseling de afrit bij de Avenida Palizada. Hood vroeg zich af of hij vermoedde dat hij werd gevolgd, maar zag niet hoe of waarom. Hood bleef een heel eind achter de BMW. Draper reed regelrecht naar een fastfoodrestaurant, waar hij naar het loket reed, bestelde, betaalde en zijn zakken in ontvangst nam. Binnen tien minuten zat hij weer op de snelweg.

Een uur daarna nam hij bij de grensovergang in San Ysidro de rijbaan voor personenauto's die naar Mexico gingen.

Vanaf het parkeerterrein van een Mexicaans verzekeringskantoor tuurde Hood naar Drapers auto. Zijn Steiner Night Hunter-kijker bracht hem heel dicht bij de M5, en de speciale lenscoatings lieten opmerkelijk veel licht toe. Er zaten vier auto's vóór Draper. Toen hij aan de beurt was, zag Hood hem papieren aan de man van de douane geven. Soldaten liepen om de M5 heen en inspecteerden hem met lome nieuwsgierigheid. Toen kreeg Draper zijn identiteitsbewijs terug en mocht hij doorrijden.

Zoals Hood had verwacht, verdween de flikkerende rode X. De virtuele wereld eindigde bij de grens, Mexico was vrij van het digitale net waardoor de Verenigde Staten werden verstrikt. Dat betekende dat hij nu iemand moest volgen die niet gevolgd wilde worden. Hij wist dat Draper hem dan in de gaten zou krijgen.

En dus legde hij de kijker neer en bleef hij een tijdje op het parkeerterrein staan. Toen reed hij naar de markt en kocht daar voedsel en dranken met veel cafeïne, en ook een koelbox en ijs om ze in te bewaren. Ten slotte kocht hij een plastic drinkfles voor het geval hij een hele tijd geen wc in de buurt zou hebben. Hij vond een parkeerterrein van het restaurant en parkeerde een eind bij het gebouw vandaan op een plaats waar hij het binnenkomende grensverkeer kon zien. Hij stond op ongeveer honderd meter afstand van het hokje van de Amerikaanse douane.

Hij at, dronk en luisterde naar de radio. Hij zette de piepsignalen op volle sterkte, liep een paar keer om de auto heen, dommelde toen in en at en dronk weer iets. Het werd middernacht, en toen twee uur, en toen tien over twee. Hij ging naar een ander parkeerterrein met een slechter uitzicht. Hij dommelde in en wachtte op de pieptonen.

Die kwamen kort na halfvier en Hood volgde de zwarte M5 door San Ysidro en over de Interstate 5 naar het noorden, richting Los Angeles. Hij bleef zes of zeven auto's achter, en omdat er zo vroeg in de ochtend weinig verkeer op de weg was, schoten beide auto's goed op.

Toen nam Draper de 57 in noordoostelijke richting en volgde die helemaal tot aan de 210. In Azusa nam hij de afslag. Hij reed over Azusa Avenue tot aan het punt waarop die in San Gabriel Canyon overging en nam daar de bocht. Omdat er bijna geen verkeer op die weg was, stopte Hood en keek hij naar het scherm. Draper verliet San Gabriel Canyon om Mirador Drive in te slaan, reed drie korte blokken en stopte bij 122 Clearwater. Hood wachtte tien minuten of de rode X weer ging flikkeren, maar dat gebeurde niet.

Toen reed hij naar Mirador Drive en een brug over de San Gabriel River op. De rivier had witte schuimkoppen en een hoge waterstand door de regen die de laatste tijd gevallen was, en Hood maakte zijn raampjes open om hem te horen. Toen hij op het hoogste punt van de brug was aangekomen, op de helft, zag hij het wachthuis aan de andere kant, nog zwak verlicht in de dageraad. Daarachter zag hij de mooie, nieuwe huizen die tegen de steile hellingen van de San Gabriel Mountains stonden. Toen hij dichterbij kwam, zag hij dat de slagboom omlaag was en er licht in het hokje brandde. Binnen zat een bewaarder, ineengedoken in een dik zwart jack. Hood stopte op de afrit kort voor het wachthuis, keerde de auto en reed over de rivier terug.

Toen hij in het Hol terug was, keek hij wie de eigenaar van 122 Clearwater in Azusa was. Dat bleek de Ronald Draper Stichting te zijn. Hij dacht daar een tijdje over na en ging toen na wie de eigenaar van de units 18, 29 en 45 in het Laguna Royale waren.

En zoals hij had gedacht, bleek een ervan eigendom te zijn van de Roxanne Draper Stichting.

In beide gevallen was de aankoop in de laatste anderhalf jaar gedaan. Hood belde de county en kreeg bevestigd wat hij al vermoedde: Coleman Draper was de enige bestuurder van beide stichtingen.

Omdat het zaterdag was, deed Hood er een hele tijd over om een ambtenaar van het Azusa Water District te vinden, maar toen hij eindelijk iemand vond, kon ze hem vertellen dat de waterrekening voor 122 Clearwater betaald werd door Alexia Rivas. Na nog een halfuur bellen had hij de adjunct-directeur van het Laguna-Moulton Water District aan de lijn, die zei dat de waterrekening voor unit 18 van het Laguna Royale betaald werd door Juliet Brown.

Hood ontmoette Jim Warren een uur later in een bar in Palmdale. Het was een typische drinkerskroeg, met een tv, een jukebox waarin alleen country te vinden was en een verschrompelde oude barkeeper, die een spijkerbroek en een rood cowboyoverhemd droeg, en een riem met een gesp ter grootte van zijn hoofd. In het midden van de bar stond een biljarttafel, maar daar werd geen gebruik van gemaakt.

Ze gingen met hun drankjes naar een lege nis achterin. In het licht van de zwakke plafondlamp zag Warren er oud en verweerd uit.

Hood vertelde hem over Drapers tocht naar Mexico en terug. Hij vertelde hem over de vrijdagavonden die Terry Laws altijd vrij had genomen sinds de moorden op Vasquez en Lopes, en de vistochtjes op vrijdagavond waarover Draper met agente Sherry Seborn had gepraat. Hood vertelde hem over het dure vastgoed in Laguna en Azusa dat Draper in de afgelopen anderhalf jaar had gekocht.

Warren nam een slokje van zijn bier. 'Heb je koffers of zoiets in Drapers auto gezien?'

'Zo dichtbij ben ik niet gekomen.'

'Dus misschien ging hij daar inderdaad vissen.'

'Misschien.'

'Charlie, als we op het verkeerde moment tevoorschijn komen, is het uit. Als we in actie komen en hij heeft het geld niet bij zich, dan droogt de hele zaak op en kunnen we niets meer beginnen.'

Hood dacht aan de rit van meer dan vier uur van Venice via Cudahy naar de grens, met een flikkerende X op het scherm van de laptop.

'Hoe groot is de kans dat hij je in de gaten had, Charlie?'

'Ik ben maar één keer dichtbij genoeg gekomen om zijn gezicht goed te kunnen zien. Hij keek voor zich uit en zag me dus niet. De rest van de tijd was ik zo ver weg dat ik een kijker moest gebruiken. Het was overal druk en ik ben nooit dicht achter hem geweest.'

'Weet je zeker dat hij het was?'

'Ja.'

'Volgde hij ongewone routes, stopte en wachtte hij, reed hij terug of maakte hij ontwijkende bewegingen?'

'Hij ging een keer eten halen in San Clemente. Verder reed hij in een rechte lijn.'

Hood zag weer voor zich hoe de M5 van Draper bij de grensovergang had gestaan, en hoe hij zowel op de heen- als op de terugweg nonchalant zijn identiteitsbewijs – natuurlijk zijn insigne – aan de autoriteiten had gegeven.

'We kunnen de douane een tip geven en ze laten ingrijpen bij de grens,' zei Warren. 'Als hij geld in zijn auto heeft, gaat hij voor de bijl. Zo niet, dan kan hij denken dat die controle gewoon pech was. Een willekeurige controle kan nooit kwaad, en wijzelf zitten er tweehonderd kilometer vandaan en blijven er helemaal buiten.'

'Hij zou niet geloven dat het willekeurig was,' zei Hood.

Warren knikte, leunde achterover en keek naar de barkeeper, die voor de tv zat. Een van de bezoekers zette zijn glas hard neer en de barman liep naar hem toe zonder zijn blik van het scherm af te halen.

'Volg hem vrijdag opnieuw,' zei Warren. 'Als we een patroon kunnen vaststellen, bedenken we misschien wel iets.'

'Dan moet ik een burgerauto hebben die niet op iets van ons lijkt,' zei Hood. 'De Camaro valt te veel op voor twee keer achter elkaar.'

'Huur maar iets. Laat het voor rekening komen van het nummer van Interne Zaken dat ik je heb gegeven. Hoe bevalt het Hol je?'

'Het is daar koud en ellendig.'

'Als kind ging ik vaak ijsvissen op Porter's Lake in Pennsylvania. Daar was het ongeveer net zo.'

'Ik ging op wintermiddagen fietsen door de olievelden van Bakersfield in Californië. Dat was heel anders.'

Een tijdje zaten ze zwijgend tegenover elkaar. De drinkers aan de tap waren stil en Hood hoorde het murmelen van de tv.

'Wat ging er verkeerd met de Renegades?' vroeg hij toen.

Warren keek Hood aan. Die had altijd graag naar de geschiedenis op de gezichten van oude mannen gekeken en hij zag nu dat er op dat van Warren veel geschiedenis te lezen stond.

'De Renegades waren een verkeerd goed idee. Op papier klonk het goed. We waren principieel, hard en doeltreffend, en we letten goed op elkaar. Jammer genoeg wordt de wereld niet beheerst door ideeën, maar door de menselijke aard. Dat wist ik toen nog niet.'

'De menselijke aard zoals die van Roland Gauss?'

'En door mannen als hij. Ze zoeken elkaar op. Voor sommigen van ons waren de eed die we aflegden en de tatoeages op onze enkels een erekwestie. Maar voor hen waren ze een excuus. Een grap.'

'Ik zie Roland Gauss in Laws en Draper,' zei Hood.

'Ik ook.' Warren boog zich naar hem toe en sprak zachtjes. 'Je moet Draper nog één keer schaduwen, Charlie. Ik weet dat je hem nu wilt oppakken, maar volg hem nog een keer naar het zuiden. We moeten hem leren kennen. Als we hem kennen, vinden we wel een manier. Ik wil hem hebben. En als we hem echt hebben, wil ik zijn mensen in Cudahy. En als we die hebben, wil ik zijn mensen in Mexico. Ik wil ze allemaal uitschakelen. Ze zuigen het bloed van dit land door een gouden rietje.'

Het zonlicht viel door de deuropening naar binnen, vervaagde, en was toen weg. Een echtpaar van middelbare leeftijd liep de bar in en werd verwelkomd met kreten en schouderklopjes, en de barkeeper schonk iets te drinken voor hen in zonder dat ze het bestelden.

'Reed en de verdediging hebben gisteren hun betoog gehouden,' zei Warren. 'Ik was erbij. Ze was geweldig. De juryleden kregen hun instructies en nu is het aan hen. Ariel en ik hebben na afloop een kop koffie gedronken. Je moet de groeten van haar hebben.'

Hood dacht aan Ariel die een betoog in de rechtbank hield en de jury behendig aan haar kant kreeg. Ze sloot haar kooi om de verdachte heen, een kooi die hij had helpen bouwen.

'Ik zal er nooit aan wennen mijn eigen mensen op te sluiten,' zei Hood.

'Ik ben er ook nooit aan gewend.'

'Het is de ergste baan die een politieman kan hebben.'

'Nee. Het is erger om te zien dat ze het straffeloos kunnen flikken.'

Warren vouwde zijn grote, knokige handen op de tafel en keek Hood aan. 'Wees vrijdag voorzichtig met Draper. Als hij iets grilligs of ongewoons doet, trap je op de rem en kom je naar huis. Je hebt daar geen enkele bevoegdheid. Ik heb de politie van San Diego verteld wat je gaat doen, maar ze staan niet te dringen om je te helpen. Ga niet voor cowboy spelen. Dat is ook iets van Interne Zaken, Hood: het grootste deel van de tijd ben je alleen.'

Hood wist nog van Anbar hoe het was om er alleen voor te staan. Toen had hij zich vaak afgevraagd of de kogel die hem zou treffen van een Irakees of van een van zijn eigen mensen zou komen. Volgens hem was er niets ergers op de wereld dan gehaat worden door je eigen mensen.

34

Die middag trok Draper zijn uniform van reserveagent aan en reed naar de California State University in Los Angeles om mee te werken aan de veertiende jaarlijkse banenbeurs 'Career Crusade'.

Hij liep langs de stands van de verschillende overheidsinstellingen, ondernemingen, vakbonden en arbeidsbureaus. De stad Los Angeles had een grote tent, evenals Santa Monica en Long Beach. De *Los Angeles Times* had ook een flinke tent en gaf honderden kranten gratis weg. De Bond van Detailhandelpersoneel was druk bezig. Er was zelfs een stand van de muzikantenbond, met een rommelig stel artiesten, onder wie een beeldschone, jonge, roodharige vrouw, die hem van achter haar zonnebril aankeek toen hij voorbijliep en haar toeknikte. Draper had er nooit bij stilgestaan dat muzikanten ook een vakbond hadden.

In de LASD-tent gaf hij de brigadiers Beverly Cresta en Mike Grgich en een stuk of wat geüniformeerde agenten een hand. Een tamelijk nieuwe politiewagen stond in de schaduw geparkeerd, pas gewassen en in de was gezet, de portieren open, de ramen ook open. Cresta had een prikbord samengesteld met foto's van en artikelen over het politiekorps, en een per afdeling ingedeeld schema van functieomschrijvingen en salarisschalen. Grgich zat naast een grote monitor waarop promotiefilms van de Sheriff's Academy steeds opnieuw werden afgespeeld. Hij was fors en gespierd en deed Draper aan Terry Laws denken, maar toen Draper hem een hand gaf, voelde hij de minachting die de man uitstraalde. Dat was een gebruikelijke reactie op reserveagenten.

Hij ging achter een klaptafel met folders, stickers en aanmeldingsformulieren op klemborden zitten. Het was een koele dag, maar de zon scheen zo fel dat hij zijn zonnebril opzette. Hij deed zijn best er vriendelijk en verwelkomend uit te zien. Draper had persoonlijk vier mensen voor zijn korps geworven. Twee van hen waren nu agent, een was nog met de opleiding bezig en de vierde was die winter afgevallen. Geen van de drie was in Drapers ogen bijzonder veelbelovend geweest. Ze waren rechtlijnig, saai en streefden er niet naar zich buiten het kader van het korps te ontwikkelen: ideaal voor de politie. Maar wie zou het zeggen? Als hij met de jonge mannen en vrouwen van Los Angeles bleef praten, vond hij vast wel iemand met de ambitie, moed en toewijding waarmee hijzelf zoveel had bereikt.

Draper begreep dat één persoon maar één persoon was en niet tot alles in staat was. Maar twee mensen waren veel meer dan twee keer zoveel. Twee waren een groep en konden gemakkelijk drie, vier of vijf worden, en een groep kon dingen doen waarover één persoon alleen maar kon fantaseren. Tot op zekere hoogte gold: hoe groter de groep, hoe beter het was.

Hij liet de zon zijn gezicht verwarmen en dacht aan de Renegades, en aan de kleine stapjes die ze tien jaar geleden hadden gezet, voordat ze tegen elkaar uitgespeeld, gearresteerd en ontslagen waren. Hij begreep dat een enkeltatoeage veel meer kon betekenen dan alleen het lidmaatschap van een groep binnen het korps: macht, reikwijdte, capaciteit. Draper wist dat hij de New Renegades kon leiden, als hij alleen maar de juiste mensen kon vinden. Hij was met Terry begonnen en wilde nu de draad oppikken waar Terry en hij hem hadden laten liggen.

Een jongeman met kromme schouders en een lijkbleek gezicht bestudeerde de folder met 'fysieke vereisten', legde hem op de tafel terug, tikte er peinzend op en liep weg.

Een forse, blonde vrouw kwam naar Draper toe. 'Wat is het aanvangssalaris?'

'4.083 dollar per maand voor een beëdigde agent,' zei hij. 'Ondersteunend en technisch personeel begint op ongeveer tweeduizend.'

'Dus je wordt niet rijk als je bij de politie gaat.'

'Wie heeft u gezegd dat u rijk zou worden?'

'Ik wil rijkdom.'

'Waarom?'

'Ik geloof dat ik het verdien.'

'U verdient niets.'

Draper zag Grgich zijn kant op kijken.

'Wat ik bedoel,' zei hij, 'is dat maar heel weinig mensen rijk worden door voor anderen te gaan werken. En het werk bij de politie brengt andere beloningen met zich mee.'

Ze haalde haar schouders op en liep weg.

Typisch, dacht hij. Ze wilden allemaal rijk worden, maar bijna niemand bezat de intelligentie om de weg naar rijkdom te vinden, en nog minder mensen hadden de ambitie en energie om een profijtelijk idee in daden om te zetten.

'Nou, wat is het aanvangssalaris?'

De vraag was bedoeld als persiflage op de strijdlustige toon die de forse vrouw had aangeslagen, maar het was een mannenstem. Draper herkende hem. Hij keek op naar de jongen. Die was lang en goed gebouwd, met lang zwart haar en een verzorgd sikje. Hij had de mooie roodharige muzikante bij zich. Ze droeg een lange zwarte jas, een spijkerbroek die dun uitgesleten was op de dijen, en rode cowboylaarzen. Ze keek aandachtig door de donkere glazen van haar zonnebril naar Draper.

'Het is de afgelopen dertig seconden niet gestegen,' zei Draper met een glimlach.

'Vierduizend dollar om elke dag je leven op het spel te zetten?'

'En weet je wat? Als je niet wordt ontslagen, krijg je opslag. Ben je student?' vroeg Draper.

'Dat was ik. Ik kan niet de hele dag stilzitten zonder dat ik iets leer wat ik nog niet weet.'

'Dus je weet alles al?'

De jongen keek hem strak aan. 'Ik weet meer dan een verveelde reserveagent als jij.'

Draper keek hem aan, maar de jongen wendde zijn ogen niet af. In plaats daarvan glimlachte of grijnsde hij, dat was moeilijk na te gaan. Draper merkte dat Grgich belangstellend toekeek, maar negeerde hem.

'Probeer maar eens iets,' zei de jongen.

'Kom nou,' zei het meisje.

'Nee,' zei de jongen. 'Stel me een vraag en kijk of ik het antwoord weet. Het moet iets zijn waarop jíj het antwoord weet, niet een idiote fantasievraag zoals een tweedeklasser zou bedenken.'

Draper leunde achterover en sloeg zijn armen over elkaar. Hij voelde dat Grgich zijn kritische aandacht op hem had gericht, maar trok zich daar niets van aan. De vorige avond had hij patience gespeeld voordat hij naar bed ging. 'Welke beroemde koning wordt weergegeven door hartenheer?'

'Karel de Grote. Ruitenheer is Julius Caesar. Alexander de Grote is klaverheer, en schoppenheer is David.'

'Wat is de oudste historische verwijzing naar een gebied dat Californië heet?'

'Een Spaanse roman die omstreeks 1500 is geschreven. De schrijver heette Montalvo. Mijn moeder was geschiedenislerares, dus met zulke dingen win je het niet.'

'Hij liegt niet,' zei het roodharige meisje.

Draper lachte. 'Oké, oké. Een manier om de tijd te meten die gebaseerd is op de beweging van de aarde?'

'Siderische tijd. Alleen door astronomen gebruikt.'

'Wat is dan een astronomische eenheid?'

'De gemiddelde afstand van de aarde tot de zon: veertien miljoen achthonderdzeventigduizend kilometer.'

'Frontolyse.'

'Het oplossen van een onweersfront. Frontogenese is de vorming daarvan.'

'Welk soort gif heeft de Mojave-ratelslang?'

'Een unieke mix van hemotoxisch en neurotoxisch gif. Het is de enige *Crotalus* met zo'n gif.'

'Als kind verzamelde hij slangen en hagedissen,' zei de muzikante. 'Hij maakte een hele lijst van Latijnse namen.'

'Wat ben jij,' zei Draper glimlachend, 'zijn discipel? Volg je deze jongen en aanbid je hem?'

'Het is eerder zo dat hij mij aanbidt.'

Grgich lachte hardop en schoof zijn stoel een klein beetje dichter naar Draper toe.

Die keek het glimlachende meisje aan en vroeg zich weer af hoe haar ogen er achter die zonnebril uitzagen. Alsof ze zijn gedachten las, schoof ze de bril omhoog en keek ze met prachtige blauwe ogen op Draper neer. Terwijl hij haar glimlach beantwoordde, zocht hij naar zwakheid in die ogen.

'Natuurlijk weet je ook het gemiddelde aantal haren op het hoofd van een roodharige,' zei Draper.

'Negentigduizend,' zei de jongen. 'Blonde mensen hebben de dichtste groei, met honderdtwintigduizend haren. Ik heb dat artikel ook gelezen, maar ik vroeg me af hoe ze het hebben geteld.'

'Hou eens op met opscheppen, jullie twee,' zei het meisje. Ze had een hese stem, een roomwitte huid en een krachtige hals. 'Het is de bedoeling dat je ons rekruteert voor de politie. Nou, vind je het leuk om politieman te zijn?'

'Ik vind het geweldig,' zei Draper.

'Ondanks de gevaren en het lage salaris?'

'De gevaren zijn kleiner en het salaris is hoger dan je denkt. Vind jij het leuk om muzikante te zijn? Welk instrument bespeel je?'

'Gitaar, piano en harp.'

'Harp. Als een engel?'

'Ik heb nooit een engel op een harp zien spelen.'

Hij stond op en stak de jongen zijn hand toe. 'Ik ben Coleman Draper.'

'Bradley Jones. Dit is Erin McKenna.'

'De laatste vraag voor jou, Einstein,' zei Draper. 'Ben je ook maar enigszins geïnteresseerd in een carrière bij de politie?'

'Ik ben enigszins geïnteresseerd in zo ongeveer alles.'

'We moeten praten.'

'We praten nu.'

'Hierna.'

Bradley Jones keek op zijn horloge. 'We komen terug.'

Ze kwamen tegen zonsondergang terug. Draper pakte spullen van de tafel en stopte ze in een van de kisten van brigadier Grgich. Grgich negeerde hem en ging nadrukkelijk voor Draper staan om Bradley en Erin een hand te geven en overdreven luid met hen te praten.

Draper reed met hen naar een bar aan Garvey Avenue in Monterey Park. Het was geen typische politiebar en het was ook geen ordinaire kroeg, maar toen ze langs de drinkers aan de tap liepen en een tafel achterin namen, zag Draper dat Bradley niet onder de indruk was.

De serveerster was al wat ouder en vroeg zich blijkbaar af of ze Bradley om zijn identiteitsbewijs moest vragen, maar Draper stond voor de leeftijd van zijn beide gasten in. Ze nam hun bestelling op en ging naar een andere tafel. Draper zag dat Bradley haar nakeek. Erin keek naar beide mannen en Draper keek terug. Hij zocht nog steeds naar zwakheid in haar, maar kon niets vinden.

Ze zaten een tijdje zwijgend bij elkaar. Draper keek naar de twee jonge mensen tegenover hem – Erin leek een paar jaar ouder, maar ze kon niet veel meer dan eenentwintig of tweeëntwintig zijn – en hoewel hij zelf ook nog maar negenentwintig was, voelde hij zich tot hen aangetrokken omdat ze jong waren en mogelijkheden hadden.

'Wil je muziek voor ons uitzoeken?' vroeg Bradley.

'Goed,' zei Erin. 'Dat doe ik voor je.'

'Ik hou van je, maar ik verdien je niet.'

Draper hoorde geen sarcasme in Bradleys stem, geen neerbuigendheid of verborgen betekenis. Hij herkende de woorden als iets wat hij tegen Alexia of Juliet zou zeggen. Zulke woorden had hij zijn hele leven uitgesproken. Het waren de belangrijkste woorden ter wereld: de woorden die mensen wilden horen.

'Ik heb een idee, schat,' zei Erin. 'Ik ben daar aan de bar.'

Ze drukte een kus op Bradleys wang en stond op, en Draper keek haar na toen ze naar de bar liep en haar tasje erop zette. Omdat ze haar lange zwarte jas over de stoel naast Bradley had laten hangen, kon Draper haar figuur beter zien. Ze was pijnlijk mooi en het was geweldig om haar daar op een zaterdagmiddag in haar eentje te zien zitten.

'Fantastisch,' zei hij.

'Dat zei ik toch? Ik verdien haar niet.'

'Nee, duidelijk niet.' Draper lachte en dronk. Erin liep naar de jukebox en terug naar haar kruk. Ze haalde een pen uit haar tasje en pakte een servetje van de stapel op de bar, en Draper zag dat ze er iets op schreef. Even later zongen de Stones opgewekt over het bedrijven van de liefde terwijl het buiten regende. Twee motorrijders klosten op hun laarzen naar binnen en gingen voorbij Erin aan de bar zitten. De een was lang en de ander breed. Bradley keek naar hen en de brede keek terug.

'Schrijft ze nu muziek?' vroeg Draper.

'Ze schrijft altijd muziek. Ze schrijft bijna alles wat de Cheater Slicks spelen.'

'Ik ben erg onder de indruk.'

'Dat wist ik wel.'

Draper liet zijn glas tegen dat van Bradley tikken en zette het precies in het midden van het viltje neer. Hij zag dat de motorrijders nu langs de tap liepen en aan weerskanten van Erin gingen zitten, en Bradley keek ook naar hen. Draper sprak nu met luide stem. Hij wilde dat Erin hem ook kon horen.

'Wat ik bedoel, Bradley, is dat de LASD een geweldige plek is om te beginnen. Je bent daar in het voordeel ten opzichte van burgers. Het is je basis en je kracht. Van daaruit kun je de hele wereld aan. Je kunt bureaucraat worden en opklimmen binnen de organisatie. Je kunt ook in de particuliere sector gaan werken, bijvoorbeeld in de bedrijfsbeveiliging. Je kunt je verkiesbaar stellen voor een ambt. In het dagelijks leven ben je gewapend. De wet staat aan jouw kant bij alles wat je doet. Als je iets wilt, kun je er recht op afgaan.'

Bradley zei niets. Hij keek strak terug naar de brede motorrijder, die zich van de tap had afgewend en er nu met zijn rug tegenaan leunde. De lange hield zijn ruige kop dicht bij Erin, en Draper hoorde hem met zijn diepe, knarsende stem een of ander verhaal vertellen, een grap, dacht hij, of misschien een verhaal over het leven op een motor. Draper zag dat de twee mannen hard en ervaren waren, geen weekendmotorrijders of alleen maar liefhebbers van het merk Harley-Davidson.

'Als je rijkdom wilt, ligt het voor het grijpen.'

'Mijn moeder zei dat je niet neemt wat je krijgt, maar krijgt wat je neemt.'

'Ze was wijs en mooi.'

'Ze is dood.'

'Die twee mannen gaan niet weg.'

'Dat zie ik.'

'Ze voelen zich uitgedaagd door mijn uniform. Ze weten dat Erin bij een van ons hoort en hopen dat ik het ben.'

'Nee.'

Draper hoorde de lange man met een hardere, schorre stem de clou van zijn verhaal vertellen, en zag dat Erin zich van hem afwendde en Bradley weer aankeek. Ze keek geërgerd. Ze trok haar tasje open en gooide haar pen erin. De brede man, die Bradley nog steeds aankeek, trok zijn ballen recht.

'Jezus,' zei Draper.

Bradley stond op, liep naar de bar en bleef daar staan. Draper stond ook op en volgde hem. Erin probeerde zich om te draaien op haar kruk, maar de lange man boog zich aan de ene kant dicht naar haar toe en de brede leunde aan haar andere kant achterover, en ze had niet de kracht om haar schouders te bewegen.

'Laat haar gaan,' zei Bradley.

'Ze is hier graag,' zei de brede man.

'En wij willen haar hier graag hebben,' zei de lange man, 'al heeft ze geen gevoel voor humor. Zeg, jongen, neuk je haar wel genoeg?'

'Ruimschoots genoeg, jongens,' zei ze, en ze probeerde zich met haar schouder langs de lange man te duwen, maar ze kreeg hem niet in beweging. Haar tasje gleed van haar schoot op de vloer.

Bradley kwam een stap naar voren, knielde neer, raapte het tasje op en stond daar met het riempje in zijn hand. Toen liet de brede man zich van de kruk af glijden en bleef hij staan. Hij was groter dan Draper had gedacht. Hij porde Bradley met zijn vinger aan.

'Ik mag je vriendin graag,' zei de brede man.

'Ik hou van haar. En ik mag jou niet graag.'

Erin was opgeschoven naar de ruimte die door de brede man was vrijgemaakt. Draper pakte haar hand vast en leidde haar naar de tafel terug.

'Genoeg, stelletje idioten,' zei hij. En tegen de barkeeper, die net een mobiele telefoon in zijn hand had genomen: 'Niks aan de hand. Geef ze een rondje.'

De brede man porde Bradley weer in zijn borst, en Bradley liet het tasje vallen, pakte met een soepele beweging de hand van de man vast, boog de pols met zijn duimen omlaag en draaide de hand toen hard om. De brede man gaf een schreeuw en zakte op een van zijn knieën, en Bradley draaide de pols van de man nog verder en de brede man graaide wild met zijn andere hand, maar Bradley ging een stap opzij en trok en draaide nog harder aan de pols. Draper hoorde de botten knappen, gevolgd door een kreet van pijn. De lange man kwam naar voren en gaf een stomp tegen Bradleys hoofd, maar die boog zich er al vandaan. Toen de lange man er een grote rechtse zwaaistoot op liet volgen, kwam Draper tussenbeide. Hij blokkeerde de stoot, liet zijn elleboog tegen het voorhoofd van de man dreunen, graaide met de vingers van dezelfde hand naar een van zijn ogen, draaide zich toen bliksemsnel om en dreef de muis van zijn linkerhand in de neus van de lange man. Er volgde een explosie van bloed en de lange viel achterover. Bradley sprong omhoog en trof de man met een bottenkrakende trap in zijn ribbenkast. De lange man zakte als een neergegooide deken op de vloer.

Dat alles duurde ongeveer tien seconden.

Draper gooide Erins jas over zijn arm en wees haar naar de uitgang. Toen pakte hij Bradley bij de kraag van zijn shirt vast en keek even neer op de lange man, die gekromd op zijn zij lag, hijgend en bloedend. De brede man zat nog geknield, bezweet en met een wit gezicht, zijn linkerpols akelig scheef in zijn rechterhand.

Bradley trok Draper weg en zette twee snelle stappen in de richting van de brede man, maar hij stompte of schopte niet. Hij keek alleen een hele tijd op de man neer en keek toen Draper weer aan.

'Als we hier blijven, word ik kwaad.'

'Laten we gaan.'

Draper trok hem naar Erin toe en gaf haar de jas. Toen liep hij naar de bar en bood de barkeeper en de serveerster zijn oprechte verontschuldigingen aan. Hij diepte vijf honderdjes uit zijn portefeuille op en legde ze bij de garnering en roerstokjes. 'Ik kom over een uur terug om te zien of alles in orde is.'

'Dat is goed, Coleman,' zei de barkeeper.

'Wie is die jongen?' vroeg de serveerster.

'Gewoon een jongen die bij de politie wil.'

'Nemen jullie hem aan?'

'Wat denk je?'

'Ik zou hem aannemen. Dat is makkelijker dan tegen hem te vechten.'

Draper liep naar de motorrijders toe. De lange man zat nu op zijn handen en knieën. Er lag een plas bloed onder zijn gebogen hoofd en er liep een straaltje uit zijn neus naar die plas. De brede man zat nu op de barkruk met een gezicht alsof hij kotsmisselijk was. Zijn gebroken pols begon al op te zwellen.

'Ik ben over een paar minuten terug,' zei Draper. 'Als jullie klootzakken dan nog hier zijn, arresteer ik jullie en gooi ik jullie achter de tralies.'

'Op een dag vermoord ik die jongen,' zei de brede man.

'Dan moet je wel hulp meebrengen.'

Draper reed met hen naar het parkeerterrein van de universiteit terug en liet zich door Erin de weg naar hun auto wijzen. Het was een klassieke Cyclone GT, die Draper voor het eerst had bewonderd toen hij Bradley een eeuwigheid geleden – in werkelijkheid maar enkele uren – had ontmoet. Draper maakte het portier voor Erin open en sloot het nadat hij haar had geholpen de sleep van haar lange zwarte jas goed naar binnen te krijgen.

'Mag ik je vriendje even lenen?' vroeg hij.

'Ja. Maar laat hem niet nog iemand in elkaar slaan.'

'Alleen even een praatje van politiemannen onder elkaar. Anderhalve minuut op zijn hoogst.'

Ze liepen langs de rij parkeerplekken, die nu voor het merendeel leeg waren, want de banenbeurs was afgelopen.

'Vertel Hood niet over vandaag.'

'Ik heb hem nooit iets verteld.'

'Het verhaal van Terry Laws gaat nog verder.'

'Dat weet ik.'

'Je krijgt het binnenkort te horen. Bradley, als jij degene was die Kick overhoop heeft geschoten: gefeliciteerd. Dat zou ik hebben gedaan. Ik hoop dat het klootzakje in zijn broek heeft gescheten voordat hij doodging. Ik had bewondering voor alles aan je moeder, behalve dat ze met Hood omging.'

Bradley keek Draper aandachtig aan. 'Daar was ik ook niet zo blij mee.'

'En nog één ding. Zoals je hebt gezien, moet je goed tegen Erin kunnen liegen als je uit het leven wilt halen wat erin zit. Afgezien daarvan kun je het leven opbouwen dat zij wil. Je kunt haar dromen werkelijkheid laten worden. En natuurlijk ook die van jezelf.'

'Jij bent de duivel in uniform,' zei Bradley.

'De meeste mensen kunnen geen duivels zien.'

'Ik zie jou. De meeste mensen zijn achterlijk.'

'Laten we dat op een dag samen bewijzen.'

Ze waren bijna bij de auto. Draper zag dat Erin door een zijraam naar hen keek. Hij wist dat ze de ondergang van Bradley zou worden, tenzij hij inderdaad een buitengewone jongen was. Zo ging dat nu eenmaal.

Bradley stapte in, startte de Cyclone en reed met gierende banden en een wolk van brandend rubber weg. Draper schudde zijn hoofd en stapte glimlachend in zijn eigen auto. Hij was ook jong geweest. Ongeveer op Bradleys leeftijd had hij de stoffige wegen van Jacumba verlaten voor het veelbelovende Los Angeles.

In sommige opzichten deed Bradley hem aan hemzelf denken. In andere opzichten zag hij dat Bradley ver bij hem achterbleef. Bradley had bravoure en intelligentie. Hij was enorm egoïstisch en kwam uit een crimineel milieu. Draper vroeg zich af of Bradley vanwege hun onderlinge overeenkomsten op een dag zou proberen hem te zien zoals hij werkelijk was. Draper was zijn hele leven dicht genoeg bij mensen gebleven om hen te beïnvloeden, maar ook ver genoeg bij hen vandaan om onbekend te blijven. Vader en moeder? Broer en zus? Ja, oké, en prima, hij had op de gebruikelijke manieren van hen gehouden. Maar hij wilde niet dat ze hem echt zagen zoals hij was. Weinigen hadden Coleman Draper gezien, en niemand erg lang. Maar hij dacht dat Bradley Jones weleens anders zou kunnen zijn.

35

'Hectors arena op avonden dat er hondengevechten zijn? Totale waanzin. Overal gangsters, en niet alleen Mexicanen. Elk Eighteenth-lid tot kilometers in de omtrek is erbij. Kaders van Crips en Bloods en Gangster Disciples. Ik zie daar ijzige Eme-kapiteins en glimlachende MS-13-moordenaars, Aryan Brothers, Nazi Lowriders en Aziatische bendes. En niet alleen bendeleden, de arena zit vol met freelancers die nergens lid van zijn, griezels in alle formaten en kleuren. Er is geen betere plek om naar mensen te kijken.

Er zijn sporters die ik uit de kranten ken, footballspelers, boksers, een bekende basketballer. Sommige toeschouwers hebben een vriendinnetje meegebracht. Alle drugs die je je maar kunt voorstellen worden daar openlijk gebruikt, weggespoeld met alle mogelijke drank, gevolgd door joints, hasjpijpen en wat ze verder ook maar roken. De rook hangt in een dichte wolk onder het plafond. Als tien van die mensen ergens anders op aarde bij elkaar zouden komen, zou het moord en doodslag worden. Maar op deze avonden is het anders. Deze arena is een heksenketel: het geboefte van Los Angeles gaat een avondje lekker los. Er worden geen zakengedaan. Allen zijn gelijk. Bendelidmaatschap heeft geen betekenis. Iedereen amuseert zich enorm.

"Moet je al die fucking mensen zien," zegt Laws.

"Dat is het enige wat ze níét doen."

"Ja. Laten we het geld halen en hier weggaan."

"Hector wil dat we blijven."

"Wat jij doet, moet jij weten, maar ik blijf niet."

"We zijn een team."

"We zijn zwaar in de minderheid, man."

En dus gaan we zoals gewoonlijk de trap op naar de vipbox. We gaan naar binnen. Rocky en drie van zijn schutters houden de wacht bij de ramen, terwijl Camilla de glazen schuifdeur op slot doet en Hector iets voor ons inschenkt uit een donkerblauwe fles zonder etiket.

Ze willen het gezellig maken, maar Terry en ik willen alleen het geld in ontvangst nemen en vertrekken. De koffers staan waar ze moeten staan, en het uitpakken, wegen, vacuüm verpakken en opnieuw in-pakken verloopt soepel. 408.000 dollar, een record. Avalos voorspelt dat Herredia ons allemaal een premie geeft, ja, ja, ja, een *grande* pre-mie! Hij is zo dronken als ik hem nog nooit heb meegemaakt, en nog steeds helder.

Ik sta achter de glazen schuifdeur en kijk naar de arena beneden. Ik vraag me af of God zich ook zo voelt als hij op de aarde neerkijkt. Wat een wereld: een getijgerde pitbull stort zich op een kleinere, zwarte hond, en de twee groepen van het publiek schreeuwen tegen elkaar in alsof hun eigen leven op het spel staat. Hoog op de tribune zakt ie-mand in elkaar en ze geven zijn slappe lichaam naar beneden door, maar niemand neemt de moeite te gaan staan. Ze geven hem gewoon hand over hand door als een grote zak bonen. Als hij beneden aan-komt, slepen twee jonge *vatos* hem naar een pad tussen de tribunes en gaan dan vlug naar hun plaats terug.

De pitbull heeft de zwarte hond nu bij de keel en de kleinere hond bijt zich in zijn poot vast, maar beide dieren zijn zo moe dat ze alleen maar hijgend kunnen blijven liggen. Wist je dat honden midden in een gevecht soms een paar minuten in een instinctieve symbiose gaan slapen voordat ze hun energie weer verzamelen om elkaar dood te maken? Nou, dat doen ze. Dan laat de zwarte hond de poot los en kan de pitbull rechtop staan en zijn bloederige tanden in de keel van de kleinere hond zetten. En dan schudt hij hem woest heen en weer, zoals pitbulls doen. Ik knijp mijn ogen halfdicht, want ik hou veel van hon-den en kan het bijna niet aanzien. Ik fluit iets. Het publiek schreeuwt om de dood, maar de eigenaar van de zwarte hond gooit een witte doek in de ring, en twee mannen met lassershandschoenen tot aan hun ellebogen springen op de honden af en trekken ze uit elkaar.

Laws trekt twee van de koffers op wieltjes naar de glazen schuifdeu-ren en komt dan terug met nog twee. Beneden komt er een boegeroep van de groep van de zwarte hond en is die van de pitbull helemaal gek geworden: ze gooien hun drank in de lucht en juichen uit alle macht. Iemand die voor arts moet doorgaan, gebruikt een zaklantaarn om de slappe zwarte hond met veel vertoon te onderzoeken. Hij draagt ook lassershandschoenen.

"Het gaat niet," zegt Laws.

"Wat gaat niet?"

"Dit aanzien en dan niet doodgaan."

"Negeer het dan."

"Dat bedoel ik. Je moet dood zijn om het te kunnen negeren."

"Rustig maar, Terry. Over vijf minuten zijn we hier weg."

Rocky en zijn drie mannen leiden ons de trap af. Buiten de box is het geluid veel harder, en een wilde muskuslucht snijdt dwars door de rook van drugs en tabak heen. Het lijkt wel of de hele arena elk moment kan ontploffen. Terry en ik lopen achter elkaar. Ieder van ons duwt een koffer voort en trekt er een mee, en al die koffers hobbelen de trap af tot de wieltjes op de vloer staan. We krijgen veel bekijks, maar niemand voelt er iets voor het op te nemen tegen vier geweren met korte loop, elk geladen met acht patronen.

Plotseling loopt Laws naar de arena. Hij zet de koffers rechtop en springt de ring in, en op dat moment weet ik dat dit het begin van het einde is.'

'Dat heb je al eerder gezegd,' zegt Bradley. 'Laws heeft je al twee keer eerder op de rand gebracht, bij Herredia.'

'Ik wist nu pas wat die rand was. Ik blijf staan en kijk naar Terry. Ik denk dat hij de hondenoppassers of de dokter gaat wurgen of misschien zelfs doodschieten. Omdat hij zo breed is, kan ik ze niet meer zien. Ik kan ook niet goed zien wat hij doet. Ik laat een koffer los en leg mijn hand op het pistool onder mijn colbertje. De schutters, die geacht worden het geld te beschermen, richten hun wapens nu op Terry.

Maar het publiek ziet wat ik niet kan zien, en het wordt even stil. Dan is er plotseling een dronken gebrul te horen. En als Terry uit de ring komt, heeft hij de verslagen zwarte hond in zijn armen en is zijn gezicht zo kalm als dat van een martelaar. Er is een Mexicaanse deken om de hond heen geslagen. De dokter springt over het muurtje en stopt een handvol van iets in de zak van Terry's jasje en Terry zegt iets tegen hem en de dokter zegt iets terug. Maar Terry houdt niet eens de pas in. Rocky neemt een van Terry's koffers en een van zijn schutters neemt de andere, en met zijn zessen en met een bijna dode hond lopen we naar de uitgang. We lopen naar de uitgang!

Ik rij met mijn Volkswagen Touareg naar het zuiden over de Interstate 5. In het spiegeltje zie ik Terry op de achterbank zitten, met het dier op zijn schoot. De auto ruikt naar bloed en angst, en Laws praat op gedempte toon met de hond en zegt dat het allemaal goed komt, je redt het wel, nog even volhouden, *amigo*.

"De dokter zei dat hij Blanco heet," zegt Laws.

"Hij is zwart, niet wit."

"Die dokter heeft ons geholpen. Echt waar. Ik heb hier een schaar en vlindersteken, en een heleboel antibacteriële zalf, en watten, verbandgaas en een rol witte tape. Wat zal Laurel veel houden van deze on- schuldige krijger."

"Waarschijnlijk gaat hij dood, Terry. Je moet ervan uitgaan dat hij doodgaat."

"Jij hoeft me niet te vertellen waar ik van uit moet gaan, Coleman. Er zijn grotere krijgers dan jij."

"Ik zeg je dat die hond kan doodgaan."

"Blanco gaat niet dood."

"Zorg dat er geen bloed op het leer komt, Terry."

"Het komt alleen op de deken. Brave hond. Brave Blanco. Hou vol, vriend."

De hond leeft nog als we twee uur later in San Ysidro zijn en ons aansluiten bij de rij auto's die de grens over wil. Laws en ik weten al- lebei dat het veel moeilijker is een Amerikaanse hond Mexico in en uit te krijgen dan grote hoeveelheden drugsgeld te smokkelen, en dus brengen we Blanco naar een diergeneeskundige kliniek die dag en nacht geopend is. Laws laat zijn insigne aan het personeel daar zien en vertelt min of meer de waarheid over Blanco en wat er met hem ge- beurd is. Hij geeft ze zijn creditcard en verklaart zich bereid ongeveer 1.200 dollar voor behandeling en verblijf van één nacht te betalen. De jonge dierenarts zegt dat Blanco een "redelijke" kans maakt. Terry zegt tegen de dokter dat de hond blijft leven. Neem maar van mij aan dat ik opkeek toen ik Terry op die manier hoorde praten. Ik had die toon nooit eerder van hem gehoord. De jonge dokter wordt een beetje bleek, knikt en wendt zijn ogen af.'

Ik kijk Bradley Jones aan, die de vlam bij een nieuwe sigaar houdt.

'En zo,' zegt hij, 'vond Laws zijn hart en verloor hij zijn verstand.'

'Zo ongeveer.'

'Als ik de onverharde zijweg nader, doe ik groot licht aan en kijk ik uit naar de stapeltjes stenen die de afslag aangeven. Terry denkt nog steeds aan de hond en heeft ook die bijna trieste, bijna tevreden uit- drukking op zijn gezicht, alsof hij op weg is naar de hemel of zoiets.

"Het is belangrijk dat Herredia vertrouwen in ons heeft," zeg ik.

"Wat bedoel je daar nou weer mee?"

"Er was die keer dat je in het zwembad viel. Er was die keer dat je in katzwijm viel in zijn stoel. Hij maakt zich zorgen over je bekering, Terry. Hij is bang dat die ons werk in de weg gaat zitten."

Laws wordt stil. Ik stuur de SUV van het asfalt af en hobbel door de berm naar de zandweg die naar El Dorado leidt. Het stof stijgt op in de lichtbundels van de koplampen, die recht de woestijn in schijnen.

"Dat heb je allemaal al eerder tegen me gezegd, Coleman."

"Blijf bij de les, Terry. Blijf kalm. Kies voor het leven."

"Ik heb gemoord voor geld. Ik heb vergiffenis gekregen van God. Ik zie daar geen tegenstrijdigheid in. Ik zie geen reden waarom God zich met ons werk zou bemoeien."

"God is niet onze werkgever. Herredia wel."

"Dan bid ik tot El Tigre."

"Terry, je moet God en je grappen voor je houden. Dat zou je inmiddels moeten weten. Ik kan je niet veel langer beschermen."

"Maak je geen zorgen. *Don't worry. Be happy.*"

"Ik maak me zorgen en ik ben niet happy."

"Het komt wel goed met Blanco.'"

Ik bestel een fles goede brunello en we kiezen weer twee sigaren. De avond is nog jong en beneden op de Sunset Strip komt de stemming er net in. Toen ik pas uit Jacumba in Los Angeles was aangekomen, had ik iets gehuurd aan Horn Avenue, een paar straten hiervandaan, maar uit geldgebrek kon ik daar maar twee maanden blijven. Ik had een bedrijf op te bouwen. Evengoed vond ik een Sunset-meisje, en we beleefden mooie momenten. Buitensporige vrouwen zijn gemakkelijk te herkennen, ze hebben een zichtbaar aura, zoals buitensporige mannen al eeuwen weten.

Ik proef de wijn en knik, en de serveerster schenkt in.

'Dus kort na middernacht zijn we in El Dorado. Zoals gewoonlijk worden we onder escorte naar binnen gebracht. Het is een maanloze nacht en ik voel de spanning in de lucht. Een helikopter cirkelt gestaag boven ons. Laws zit onder het bloed, maar gelukkig heeft hij altijd schone kleren bij zich. Hij excuseert zich om andere kleren aan te trekken. De Amerikaanse vrouwen zijn nergens te bekennen, en Herredia is er niet helemaal met zijn gedachten bij. Felipe let met zijn ene goede oog extra aandachtig op mij.

Het uitpakken en wegen verloopt vlot. Felipe weegt en verpakt ons aandeel. Laws zegt niet veel, en Herredia ook niet. We gebruiken een lichte maaltijd, en zes uur later zijn we bij de diergeneeskundige kliniek terug.

"Het gaat heel goed met Blanco," zegt de dierenarts. "Zijn toestand is stabiel en hij rust uit. Ik denk dat hij erbovenop komt."

"Wat heb ik je gezegd?" zegt Laws.

De dokter knikt en kijkt naar Blanco, die ligt te slapen in zijn bak. Laws tekent voor de rekening van 1.400 dollar en draagt de bak naar de Touareg. Ik neem de zak met pillen en zalfjes in ontvangst en zie de dierenarts opgelucht kijken als we weglopen.

San Ysidro ligt wazig en loom in de winterochtend. Ik kijk uit het raam en zie iets moois aan het stadje. En er probeert een gevoel bij me op te komen dat ik een hele tijd niet heb gehad – niet sinds Terry zich belachelijk maakte na dat vistochtje. Het gevoel dat alles goed komt. Alles is oké. Wat klinkt dat woord raar, als je het goed hoort en het gelooft. Ik kijk naar Terry en natuurlijk heeft hij Blanco op zijn schoot en kijkt hij met een vredige blik op het beest neer. Madonna met kind, of zoiets, denk ik. Alles wat nu gaat gebeuren, is goed. En zodra je tegen jezelf zegt dat alles goed komt, vindt God het tijd worden om je hoop de bodem in te slaan, nietwaar? Dus let nu goed op. Op dat moment zegt Terry het volgende.

"Heb jij er ooit over gedacht dit alles te bekennen? Het allemaal op papier te zetten of op een bandje in te spreken? Niet om het aan iemand te vertellen. Gewoon om een last van je ziel af te nemen."

"Nee, Terry. Daar heb ik nooit, nooit over gedacht. Nog geen seconde."

De adrenaline gaat met een schok door me heen. Ik kan niet geloven wat Terry daar zegt, al hoor ik het heel duidelijk. Een bekentenis!

"Dat heb je toch niet gedaan, Terry? Een bandje ingesproken of iets opgeschreven?"

"Misschien wel."

"Je hebt het gedaan of je hebt het niet gedaan."

"Ik heb het niet gedaan. Ik maakte een grapje."

"Maar Terry, als je het ging bekennen, hoe zou je het dan doen?"

"Op een dvd. Dan ben ik het zelf, mijn stem, mijn gezicht. Mijn hele zichtbare en hoorbare wezen. En dan zou niemand denken dat ik gedwongen of misleid was. Het zou de waarheid zijn. Ik zou met Eichrodt beginnen en dan de rest vertellen."

"En ik dan, Terry?"

"Jij? Jij bent mijn compagnon, en we hebben het meeste samen gedaan. Wat de moord op Vasquez en Lopes betreft, zou ik de helft van de schuld op me nemen. Dat ik de moed niet had om te schieten, wil nog niet zeggen dat ik minder schuldig ben dan jij. Maar ik zou jou ook moeten noemen. We hebben het hier over de waarheid. Je moet de hele waarheid vertellen, anders is het gewoon een van de vele facetten van een leugen. Ja? Begrijp je wat ik bedoel?'"

Ik schenk nog een glas wijn voor ons beiden in. Bradley kijkt me met nieuwe ogen aan, want hij ziet nu dat ik een reden had om Terry Laws

te vermoorden. Aan de andere kant weet hij dat ik Terry niet heb vermoord, want ik ben niet Londell Dwayne, of wie het maar is die Hood
die nacht heeft gezien. En dus vraagt Bradley zich net als de rest van
Los Angeles af: wie heeft Laws vermoord? En waarom? Natuurlijk
weet ik het antwoord op beide vragen. En ik zal Bradley die antwoorden geven als ik denk dat hij eraan toe is om door de volgende muur
van waarheid heen te breken.

36

'Vier nachten later, op dinsdag, patrouilleren we vanuit bureau Lancaster door de woestijn. Het is koud. Ik ben nog steeds niet bekomen van Terry's idee om alles te bekennen. Dat zijn de gevaarlijkste woorden die hij ooit tegen mij heeft gezegd. Hij is mijn vriend en ik ben het enige wat tussen hem en Herredia in staat, maar nu begrijp ik dat ik Terry niet voor zichzelf kan behoeden. Ik heb het gevoel dat ik gedwongen word voor rechter te spelen, dat Herredia's rijkdom, Laws' leven en mijn eigen toekomst als een massa gloeiende sintels op mijn schoot zijn geworpen.

Ik kijk naar het nieuwe winkelcentrum en het benzinestation van een onbekend merk, en ik zie een jonge zwarte man in een verlaagde rode Nissan. Hij heeft een getijgerde pitbull voorin zitten, die zijn dikke, platte snuit in de wind steekt.

"Dat is Londell Dwayne," zegt Laws.

"Het is niet Londells auto."

"Ik wist niet dat hij een hond had."

"Waarschijnlijk heeft hij beide net gestolen."

"Dat dacht ik ook."

En dus volgen we de rode Nissan twee blokken door Twentieth Street. We geven hem een lichtsignaal en laten de sirene één keer loeien, en de Nissan rijdt de stoffige berm in en komt tot stilstand. Laws stapt als eerste uit. Hij loopt naar de bestuurderskant van de Nissan, niet log en langzaam, zoals ik van hem gewend ben, maar doelbewust en vlug. Ik loop om de achterkant van Londells auto heen naar de passagierskant, zet de grote zaklantaarn met vier batterijen op mijn schouder en richt de straal door het raampje. Geen andere passagiers dan de hond. Er staan twee kratjes bier op de achterbank. Geen andere lading of verboden spullen. Alleen Londell Dwayne, die opkijkt als hij tegen Laws praat, en de hond die mij door de ruit aankijkt. Hij is groter dan de pitbull die afgelopen vrijdag bij Hector Blanco bijna heeft verscheurd. Hij ziet er gezond en goed verzorgd uit, maar een deel van zijn oren ontbreekt en er zitten oude littekens aan weerskanten van zijn snuit. Ik doe de zaklantaarn uit en kijk Laws over het dak van de auto aan.

"Mooie wagen, Londell. Waar heb je hem gestolen?"

"Ik heb deze wagen geleend, man. Van de broer van Latties vriendin."

"Laat me de papieren en je rijbewijs zien."

Ik zie Londell een portefeuille tevoorschijn halen en zijn rijbewijs aan Laws geven. Dan steekt hij zijn hand naar het dashboardkastje uit, en ik maak mijn holsterriempje los en leg mijn hand op de kolf van mijn pistool. De pitbull verplaatst zijn voorpoten en het lijkt of het beetje oren dat hij nog heeft opeens verstijft. Londell kijkt met zijn gebruikelijke slaperige, eigenwijze gezicht naar me op, maakt dan het dashboardkastje open, zoekt naar de autopapieren en geeft ze aan Terry.

"Vertel me over Latties vriend," zegt Laws.

"Hij heet Keeshawn en het is een toffe kerel. Keeshawn is op bezoek uit Los Angeles. Hij heeft me deze wagen geleend, dan kon ik wat bier voor ons halen. Dat bewijsstuk kun je op de achterbank zien staan. Dat wordt er op deze manier trouwens niet koeler op."

"Van wie is die hond?"

"Van mij. Gered van slechte mensen en nu tevreden en gelukkig in de mooie Antelope Valley."

"Hoe heet die hond?"

"Het is een teef, geen hond. En ze heet Delilah."

"Ben jij dan Samson?"

"Dat is niet het idee achter die naam. Ze is mooi en wordt begeerd door andere pitbulls. Die naam heeft niets te maken met mij."

"Stap uit de auto, Londell."

"Ja, meneer agent."

Ik zie Londell uit de kleine auto stappen, en ik zie dat de hond hem graag wil volgen, maar ze houdt zich in. Ze buigt zich naar de lege bestuurdersstoel en kwispelt hoopvol met haar staart. Het portier klapt dicht en de hond klimt op de bestuurdersstoel en kijkt naar haar baas. Ik wacht tot Dwayne door Laws tegen de auto is gezet en loop dan naar onze eigen wagen terug om het kenteken door te geven. Ik kijk naar Laws en Dwayne, die in het licht van de koplampen van de politiewagen staan. In het felle licht en met hun grote schaduwen zien ze er grotesk uit. Ze lijken net acteurs die van onderaf belicht zijn. Dwayne is slank en heeft een normaal postuur, maar in het felle licht lijkt hij een reus.

Ik zie dat Laws zijn ene hand op Dwaynes rug heeft gelegd en met zijn andere over Londells ribbenkast strijkt. Dan gaat Terry aan Londells andere kant staan en fouilleert hem met zijn andere hand. Hij grijpt onder Dwaynes sweatshirt naar de band van zijn wijde broek. Dan gaat Laws plotseling met een pistool in zijn omhooggehouden rechterhand achteruit, en meteen doet hij nog een stap achteruit, snel buiten bereik voor het geval Dwayne zich omdraait en er een uitval naar doet.

"Londell? Wat is dít?"

"Dat is mijn volkomen legale .25 pistool, een zelfverdedigingswapen dat ik op een wapenshow op de kermis heb gekocht."

"Maar je hebt het verborgen. Dat is in strijd met de wet. Dan krijg ik het idee dat je het misschien tegen mijn collega en mij wilde gebruiken."

De kentekencontrole komt binnen, en ik hang de radio weer op en loop naar de Nissan terug.

"Gestolen wagen," zeg ik.

"Nee! Jullie kunnen niet ontkennen dat deze wagen van Keeshawn is! Dat kan niet!"

Laws geeft mij het pistool. Dan doet hij Londell handboeien om, leest hem zijn rechten voor en draait hem ruw naar zich toe. Door die plotselinge bewegingen gaat de hond grommen. Dat is een angstaanjagend geluid. Ik zie haar adem op de ruit. Haar kaakspieren vormen vouwen en haar oren liggen plat tegen haar hoofd.

"Laat je die hond vechten, Londell?" vraagt Terry.

"Nooit! Ze is mijn mooie meisje. Ze is geen vechthond."

"Ik denk dat je liegt. Ik denk dat je haar laat vechten om geld te verdienen. Kijk, ze heeft een paar knauwen gehad."

"Ze heeft knauwen gehad omdat ze vroeger heeft gevochten. Sinds ik haar heb, heeft ze dat niet meer gedaan. Nooit."

"Ik wed dat je daarvoor ook met haar fokt. Om meer honden te krijgen waar je mee kunt vechten en meer geld te verdienen."

"Als ik ooit één dollar aan Delilah heb verdiend, moet je me die laten zien."

"Ik heb thuis een vechthond," zegt Terry. "Die heb ik uit de arena gered. Ik heb mensen zien doodschieten en doodsteken, maar weet je wat? Bijna al die mensen vroegen erom of verdienden het. Maar die hond van mij, die zo ongeveer uit elkaar werd gescheurd? Die had daar helemaal niet om gevraagd."

"Als je mij arresteert, wat gaat er dan met mijn hond gebeuren?"

"Jij verdient die hond niet."

"Agent, als het om Delilah gaat, kan ik heel kwaad worden. Daar moet je voor oppassen."

"Ik zal voor haar zorgen."

"Nee, man! Nee, dat doe je niet! Jij denkt dat ze een vechthond is en dat is ze niet. Laat Delilah met rust."

"Of wat, Londell?"

"Of ik schiet je in je blanke reet."

"Je hebt zojuist een ambtenaar in functie beledigd, Londell."

"Nou en of, meneer agent."

Laws trekt Dwayne bij de Nissan vandaan en naar de politiewagen toe. In Laws' grote handen lijkt de magere Londell net een strootje. Delilah ontbloot haar tanden. Haar lippen trillen en het enige geluid dat ze maakt is nu een zacht, schor gerommel. Ik hou het linkerachterportier van de politiewagen open en Laws duwt Londell naar binnen. Omdat Dwayne zijn armen niet kan bewegen, valt hij naar voren en komt met zijn hoofd tegen het stalen scherm. Als hij rechtop gaat zitten en ons aankijkt, zie ik aan zijn gezicht dat hij heel graag geweld zou willen gebruiken. Dat verrast me. Ik kan zien dat Dwayne iets heel graag wilde doen, wat het ook mocht zijn. Hij zou zich er helemaal aan overgeven.

Tien minuten later arriveert de arrestantenwagen en leiden twee agenten Londell van de politiewagen daarheen. En terwijl hij daar loopt, richt Dwayne een lange dodelijke blik op Laws. Aan elke arm heeft hij een agent. Hij zingt iets in zichzelf, schuifelt met zijn voeten, wankelt en beweegt zijn schouders als een bokser die de ring betreedt, maar zijn handen zitten nog achter zijn rug geklemd en zijn zwarte ogen blijven Terry aankijken. Ik was onder de indruk daarvan. Erg onder de indruk.'

'Maar waarom?' vraagt Bradley. 'Het is niet indrukwekkend om gek te zijn.'

'Omdat ik in mijn hele leven nooit echt kwaad op iemand ben geweest. Niet kwaad genoeg om te doen wat Londell wilde doen. Voor mij was woede altijd een primitieve emotie geweest, iets waardoor je werd afgeleid van andere dingen. Maar nu ik Londells ongebreidelde, wilde woede zag, kreeg ik respect voor de kracht ervan. En al die woede vanwege een hond!'

'Ik begrijp die woede,' zei Bradley. 'Het is een simpele reactie. Als rimpels in een vijver wanneer je er een steen in gooit.'

'Dan geloof je waarschijnlijk ook dat Terry door Londell is vermoord.'

'Natuurlijk heeft Londell het gedaan. Hij voldoet aan de beschrijving in de kranten. Tot en met de capuchontrui van de Tigers. Hij had een motief dat belangrijk genoeg was om indruk op jou te maken.'

Ik glimlach, steek mijn sigaar nog eens aan en geef een teken aan de serveerster. Ik bestel een fles Napa Valley Claret die ik al eens eerder heb gehad.

'Natuurlijk komt de diereneenheid, en die kerels zien geen kans de woedende pitbull uit de auto te halen. Delilah grauwt en hapt naar ze, honden wéten wie de ware vijand is als ze hem zien. Het zijn een zwarte en een blanke hondenvanger. Ze hebben een strop en een verdovingsgeweer. Blank zegt dat als een van hen een portier op een kier zet en probeert een raam te laten zakken voor de strop of het pistool, de hond zijn arm afbijt. Zwart zegt dat als ze een raam breken, de hond wegrent en door een auto wordt overreden of iemand bijt, of misschien beide. Blank zegt dat ze de auto naar de garage van het bureau kunnen meenemen. Dan kunnen ze de garagedeuren dichtdoen en de ruit breken, en dan kan de hond niet weglopen.

"Ik zorg wel voor de hond," zegt Laws.

"Hoe?" vraagt Zwart.

"Jullie maken haar alleen maar kwaad. Ga weg. Ik zorg wel voor dat beest."

"We hebben hier ons werk te doen," zegt Blank. "Daar zijn we voor opgeleid."

"Wegwezen," beveelt Laws. "Nu direct."

Als die malloten weg zijn, halen we Terry's pick-up van het hoofdbureau en rijden daarmee terug naar de Nissan van Londell. De hond zit op de bestuurdersplaats naar ons te kijken. We blijven op een meter afstand en wachten een tijdje, want Terry zegt dat Delilah een paar minuten nodig heeft om aan ons te wennen. Dan loopt Terry naar de auto en steekt zijn hand uit naar het portier aan de bestuurderskant. De hond springt naar de andere kant en gaat op de passagiersplaats zitten. Terry stapt in.

Hij maakt het portier dicht en praat met een diepe, kalme stem. Ik kan de woorden niet verstaan. Hij praat maar door, alsof hij de hond vertelt hoe een honkbalwedstrijd is verlopen of hoe de Dow Jones het doet. Even later stapt hij uit. Hij loopt een paar stappen terug, knielt neer en klapt een keer zachtjes in zijn handen. Dan zegt Laws: "Kom dan, schatje," en hij klapt weer in zijn handen en Delilah buigt haar kop, zwaait met haar staart en gaat op de bestuurdersplaats zitten, waarna ze als een echte dame in het zand stapt en naar Terry toe gaat. Hij raakt haar niet aan. Hij staat op en loopt naar de pick-uptruck met de hond achter zich aan, en hij maakt het portier open alsof ze zijn meisje is. Hij tikt op de voorbank en Delilah springt naar binnen.

Terry loopt naar de politiewagen toe en komt bij mij staan, en de hond kijkt naar hem. Een paar minuten later komt onze sleepwagen aanrijden. De bestuurder stapt uit om de Nissan te bekijken.

"Wat ga je met die hond doen, Terry?"

"Mee naar huis nemen."

"Ze zou naar het asiel moeten."

"Bij mij is ze beter af."

"En als haar wat overkomt terwijl jij op haar past? Londell heeft je bedreigd. Hij is gek genoeg om iets te doen."

"Maak je over Londell maar geen zorgen. Als hij gekalmeerd is, stelt hij dit op prijs."

"Áls hij kalmeert."

We leunen tegen onze wagen en zien de sleepwagenchauffeur de Nissan op de liggers trekken, waarna hij ze omhooghaalt en de auto achter op de sleepwagen zet. Ten slotte ronkt het hele gevaarte langzaam door Twentieth Street en zijn we alleen aan de donkere rand van de stad.

"Ik heb het gedaan, en het is voorbij, en ik voel me beter," zegt Terry.

"Wát heb je gedaan?"

"Ik heb de waarheid verteld. De hele waarheid."

"Ik vind het helemaal niet leuk om over die bekentenis te praten, Terry. Dat zit me hartstikke dwars."

"Een paar avonden geleden liep ik de heuvels in en vertelde het aan de hemel, Coleman. Dat is alles. Het moest gezegd worden."

"Heb je het opgenomen?"

"Nee."

"Was Laurel bij je?"

"Natuurlijk niet."

"Was er iemand anders bij je?"

"Ja. God zelf was er. Zijn Zoon was er, en de Heilige Geest ook. Het is goed, Coleman. De waarheid is verteld. Het verleden heeft geen macht meer over me. Ik ben vrij."

"Terry."

"Wat?"

"Niets."

"Ik zal nooit meer zoiets doen."

Een tijdlang bleven we daar staan, leunend tegen de politiewagen, ik met mijn armen over elkaar en Laws met zijn handen voor zich gevouwen. We keken allebei naar de sterren.

"De dienst zit er bijna op, Terry."

"Tot straks op het bureau, Cole."

Ik zie Laws' pick-up Twentieth Street op hobbelen. Ik voel me bedrogen, eenzaam en leeg. Ik loop een paar honderd meter de woestijn in, tot de straatlantaarns en de lichten van het winkelcentrum bijna niets meer te betekenen hebben, en vraag me af hoe de een naar de hemel en de sterren kan kijken en dan God ziet, terwijl de ander alleen hemel en sterren ziet.

Wie liet zich in de maling nemen, Terry of ik? Of allebei? Eigenlijk wist ik alleen maar dat ik Laws volkomen verkeerd had ingeschat. Hetzelfde stoere fatsoen dat Terry in staat had gesteld een geheim crimineel leven te leiden, was overgegaan in zwakheid, schaamte, schuldgevoel en een verlangen naar vergeving en boetedoening. Terry's zwakheid had hem naar God in plaats van de duivel geleid. Dat had me verrast. Ik had me vergist.'

'Verdomd als Terry me niet belt. Het is drie uur later en ik rij net Laguna Canyon Road op. Voordat hij iets zegt, weet ik al waarom hij belt. Ik weet wat hij gaat zeggen.

"Ze is gevlucht," zegt Laws.

"Natuurlijk is ze gevlucht, Laws. Dat doen bange honden."

"Het ging goed tot aan mijn huis. Ik parkeerde op het pad. Blanco zat binnen te blaffen. Delilah hoorde het en ze stoof op alsof ze in de arena was gegooid. Ze vloog op mijn arm af. Het deed verschrikkelijk pijn. Diepe wonden en de huid is al lichtpaars en groen. Ik kreeg haar van me af en ze rende meteen weg. De heuvels in. Laurel legde een vaatdoek om mijn arm en ik pakte mijn zaklantaarn en ging achter Delilah aan. Maar het is daar donker, man. Ik kon haar niet vinden. Ik hoorde de coyotes keffen. Als ze haar aanvallen, wordt het een gigantisch gevecht."

"Met veel alcohol over de wonden wrijven, Terry. Je moet ze goed schoonmaken."

"Laurel heeft erover geboend alsof ze vlekken uit een koffiekopje wreef. Verdomme, wat doet dat pijn."

"Oké, Terry, geen zorgen. We lossen het wel op."

"Ik maak me geen zorgen over Dwayne, maar wel over Delilah."

"Je moet je niet druk maken om Dwayne of Delilah."

"En Coleman, wat ik zei? Over wat ik een paar avonden geleden in de heuvels heb gedaan? Ik zal nooit meer zoiets doen."

"Je hebt al twee keer tegen me gezegd dat je het nooit meer zult doen. Waarom twee keer, Terry?"

"Het helpt me in mezelf te geloven."

Je ziet het, Bradley. Daar zit ik dan te praten met een collega die steeds hetzelfde moet zeggen om in zichzelf te geloven. Het is de collega die ik zelf heb uitgekozen. Ik heb een gevoel alsof ik duizend kilo roestig ijzer in mijn binnenste heb. Een ogenblik denk ik erover te cashen: al mijn bezit te verkopen en naar Fort Lauderdale, Dallas of Boulder te verdwijnen. Maar weet je wat? Ik ben in deze geweldige staat Californië geboren en ik wilde mijn territorium niet prijsgeven aan Terry Laws, of die verrotte El Tigre of wie dan ook. Ik hoor hier thuis. Hier ga ik leven en sterven.

"Wees voorzichtig met je arm, Terry."

"Ik denk dat ik deze vrijdag El Dorado maar oversla. Vanwege die beten. En misschien sla ik ook wat patrouillediensten over."

"Kom maar terug als je er klaar voor bent. Ik val wel voor je in aan de andere kant van de grens."

"Kun je twee of misschien drie vrijdagen voor me invallen?"

"Oké."

"En daarna ook de rest van de vrijdagen? Dan hoef je nooit meer met me te delen! Nee. Geintje. Dat zei ik niet zelf. Je weet hoe ik ben. Je weet hoe ik in elkaar zit, Cole."

"Ja, dat weet ik.'"

37

Die vrijdagavond – tijd om te gaan vissen, tijd om een droom op te bouwen – was het koel en viel de duisternis snel. Rond middernacht zou er een koude storm van de oceaan komen, en de lucht voelde al broos aan.

Hood volgde de M5 van Draper in oostelijke richting over Venice Boulevard naar de 10, de 5 en de 710. Ze volgden dezelfde route als de vorige keer naar het centrum van Cudahy en het voormalige rijk van Hector Avalos.

Hood parkeerde weer een eind bij het pakhuis vandaan, ging er eens goed voor zitten in zijn gehuurde Charger en keek naar de stilstaande, niet knipperende rode X op de laptopkaart. De avond ging zonder zonsondergang over in de nacht: opeens was het licht achter de oprukkende wolken verdwenen.

Anderhalf uur nadat hij daar was gaan staan, flikkerde de X weer en even later stak Drapers auto een straat verder de avenue over. Hood wachtte en volgde hem toen naar de Interstate 5, net als de vorige keer.

Op de weg naar Orange County was niet veel vrijdagavondverkeer. Doordat er deze keer geen ongeluk was gebeurd, reden ze zonder problemen door Santa Ana en naar Irvine en langs Laguna, onzichtbaar met elkaar verbonden. Draper nam de afrit bij de Avenida Palizada in San Clemente, net als hij de vorige keer had gedaan, en deed daar hetzelfde fastfoodrestaurant aan, misschien ook om hetzelfde te eten.

Toen ze met grote snelheid in het donker door Camp Pendleton reden, bleef Hood vijf auto's achter hem. Daarna liet hij zich wat zakken, om vervolgens weer een paar kilometer dicht bij hem te blijven. Hij keek naar de rode X. Hij keek naar de Stille Oceaan rechts van hem, zwart en glanzend als lavaglas. Hij dacht aan Ariel Reed.

Toen zwenkte de M5 opeens met een felle vonkenregen van de meest linkse baan af, dwars over drie andere rijbanen heen en de berm in.

Hood reed gewoon door en ging anderhalve kilometer ten zuiden van de plaats waar de M5 was gestopt, ook in de berm staan. Hij keek op het scherm. De X flikkerde niet en bewoog niet. Door de achterruit van de Charger zag hij de M5 met alarmlichten aan in de berm staan, dicht bij het hoogste punt van een lichte helling.

Hood dacht eerst aan een lekke band met vonken die van de velgen waren geslagen. Maar de M5 had niet gehobbeld. Hij had er normaal uitgezien, afgezien van de vonken die uit de achterkant sprongen. Toen dacht hij aan iets wat op de weg had gelegen: een knaldemper, wieldop of sierlijst, of iets anders van metaal wat van een auto was gevallen en onder Drapers auto terecht was gekomen. En als Draper onder de auto ging kijken of er iets was beschadigd of losgeraakt, dacht Hood, zou hij misschien de transponder zien zitten.

Hij stapte uit en keek terug langs de weg. De personenauto's en vrachtwagens denderden als een eindeloze, snelle rivier voorbij. Hij pakte de Night Hunter-kijker van de voorbank en richtte hem op het dak van de Charger. Eerst zag hij Draper niet, alleen de M5. Toen dook Draper op aan de bestuurderskant van zijn auto. Hij veegde geërgerd iets van de schouder van zijn leren pilotenjasje. Hij liep naar de andere kant en verdween weer uit het zicht. Even later ging hij rechtop staan met in zijn hand een lange sierstrip van een auto of zoiets. Het ding was krom, gedeukt en glanzend. Hood zag dat hij het in de berm gooide, in zijn handen wreef en weer instapte.

Toen gingen Drapers alarmlichten uit en zette de M5 zich weer in beweging op de berm, richting aangevend om in te voegen. Hood ging naar de meest rechtse baan en hield ongeveer een minuut lang een bedaard tempo van ongeveer tachtig kilometer per uur aan, waarbij hij op de X lette en in zijn spiegeltje keek. De X liep op hem in en Draper vloog over de meest linkse baan voorbij, snel en zonder vonken. Blijkbaar wilde hij de verloren tijd inhalen.

Er volgden dertig minuten waarin ze honderdtien kilometer per uur reden en er niets gebeurde. Ze kwamen in San Diego en naderden de grens. De X knipperde geruststellend. Hood geloofde niet dat Draper het volgapparaatje had gevonden. Hij had in het donker moeten werken, onder een lage auto, en er was een goede kans dat het ding hem was ontgaan. Aan de andere kant was het ook mogelijk dat Draper het wél had gevonden en de tegenwoordigheid van geest had bezeten het te laten zitten en zich normaal te gedragen terwijl hij een plan uitdacht.

Bij de stadsgrens van San Diego begon het te regenen. Het was een lichte, onregelmatige regen en de bomen langs de weg glansden en deinden in de wind.

Plotseling verbrak Draper het patroon. Hij verliet de 5 en reed over de Interstate 8 naar het oosten. Hood volgde hem langs de universiteit, La Mesa, El Cajon en Alpine. Toen hij de agglomeratie van steden achter zich liet, voegde de duisternis van het land zich bij die van de hemel. Er was ook minder verkeer en hij liet zich verder naar achteren zakken. Hij belde Warren om hem te vertellen dat Draper over een wrakstuk heen was gereden en later abrupt van route was veranderd. Warren zei dat het in Los Angeles stormde en stortregende. Vliegtuigen konden niet opstijgen en er lag overal rommel op de weg.

'Blijf een eind achter en zet hem niet onder druk,' zei Warren. 'Het noodweer komt jouw kant op. Wees voorzichtig.'

'Ik ben altijd voorzichtig.'

'Ik meen het, Charlie. Als je buiten mobiel bereik komt, ben je op jezelf aangewezen. Als Draper de transponder heeft gezien, ben je tegelijk de jager en de prooi.'

Hood volgde Draper naar het Cleveland National Forest, waar de heuvels zwart waren en de regen gestaag viel. Nu en dan twinkelde er een lichtje in een dal of hoog op een helling, maar die lichtjes waren heel klein in de immense duisternis. Hood dacht dat Draper op weg was naar de grensovergang bij Tecate. Toen dacht hij dat Draper naar Jacumba ging, zijn geboorteplaats. Hood bleef ruim een kilometer achter hem, met steeds drie auto's tussen hen in. Rechts van hem reden vrachtwagens kreunend de helling op, terwijl links een gele Corvette hem inhaalde met een snelheid van minstens honderdvijftig kilometer per uur. Hood dacht aan Allison Murrieta, die in een gele ZO6 had gereden op de avond dat hij haar wegens te hard rijden aan de kant had gezet, waarna hun levens en die van andere mensen voorgoed waren veranderd. Opnieuw vroeg hij zich af of hij haar nooit zou hebben gezien en ze misschien nog in leven zou zijn geweest als hij een blok meer naar het zuiden had gereden, of ergens koffie had gedronken, of die avond in een andere zone had gepatrouilleerd.

Een kilometer voor de afslag McCain Valley Road gaf Draper richting aan en nam hij de uitvoegstrook. Het was harder gaan regenen en het was moeilijker om zijn lichten te zien. Omdat Hood hem niet kon volgen zonder opgemerkt te worden, bleef hij waar hij was en reed hij de afrit voorbij. Toen hij uit het zicht was, remde hij, reed de middenstrook op en keerde langzaam en met een wijde bocht. Hij parkeerde, deed de lichten uit en keek naar de knipperende rode X. Draper reed over de Old Highway in zuidoostelijke richting naar Jacumba, de laatste Amerikaanse buitenpost op het scherm, in het zuiden begrensd door het zwarte, lege Mexico.

Hood vroeg zich af of Draper al die tijd al van plan was geweest de grens die avond illegaal over te steken bij Jacumba. Hij kende die omgeving immers als zijn broekzak. Hij zou de achterafweggetjes precies weten te vinden.

Of misschien was hij daar alleen maar gestopt om benzine te tanken, of langs zijn oude huis te rijden, of langs het restaurant dat vroeger van zijn familie was, en ging hij daarna de weg weer op om de grens legaal over te steken bij Tecate of Calexico.

Misschien wist hij dat hij gevolgd werd en stond hij op het punt de transponder te vernietigen, in de omgeving van zijn jongensjaren te verdwijnen, zijn schat te verbergen en over een dag, een week, een maand of nooit naar Los Angeles terug te keren.

De rode X bewoog zich langzaam in de richting van Jacumba. Hood keek in de richting van het stadje, dat voor hem niet meer was dan een vaag nest van licht in de donkere grensheuvels.

Hij keek op zijn mobiele telefoon, maar zo ver buiten de bewoonde wereld was er geen bereik. De regen trommelde op het dak van de auto. Hood wist dat het spel uit was als Draper de transponder had gevonden. Maar als hij hem niet had gevonden, was Hood nog steeds een geheime schaduw. Draper reed niet als iemand die op de vlucht was. Hood vroeg zich af of hij zich te druk maakte om een wrakstuk dat achter Drapers auto was blijven haken.

De X was na vijf minuten in Jacumba. Hood zag dat hij koers zette naar Railroad Street. Bij het kruispunt met Calipatria Street bleef hij staan. Hood herinnerde zich restaurant Amigos, ooit eigendom van de familie Draper. Vier minuten later kwam de X weer in beweging. Nu ging hij terug naar Railroad Street en vervolgens naar het noorden in de richting van het huis waar Draper als kind had gewoond, nu eigendom van zijn vriend Israel Castro.

Hood zat dertig minuten naar de rode X te kijken. Die knipperde niet en bewoog niet. Omdat hij het niet kon laten beter te gaan kijken, reed hij de Interstate op en nam McCain Valley Road naar Old Highway 80. Terwijl de Interstate zich in zijn spiegeltje terugtrok, lagen voor hem de vage, verspreide lichten van Jacumba te wachten.

Toen was hij er. Hij reed langzaam langs restaurant Amigos, keerde en reed er nog eens langs. Een ouder echtpaar liep haastig over het parkeerterrein met kranten boven hun hoofd. Een jonger stel met een paraplu ging naar binnen. Een jongeman met een witte strooien cowboyhoed stond bij de voordeur te roken. De regen viel met zilveren straaltjes van de luifel en het bord van Amigos schommelde in de wind. Binnen zag het er druk uit. Achter de muur van glazen bouwstenen zag Hood de silhouetten van gasten, met daarboven een knipperend snoer, waarschijnlijk van kerstverlichting.

Hij reed naar Drapers oude huis en parkeerde een eindje verderop in het donker. Mensen gingen altijd naar hun ouderlijk huis terug. Er brandde licht in het huis en in de garage. Tien minuten later ging de garagedeur omhoog. De M5 stond daar naast een zwarte Durango. Draper en een andere man stonden achter de BMW en keken in de open kofferbak. Hood herkende Israel Castro van een krantenfoto waarop hij de El Centro Rotary Club toesprak. Blijkbaar praatten ze over wat er in de kofferbak lag. Draper had de transponder niet gezien, dacht Hood: mooi zo.

Draper had een donkere honkbalpet opgezet. Vanaf de plaats waar Hood zat, hoorde hij alleen het geluid van de regen op het dak van de Charger. Toen sloot Draper de kofferbak en stapte in. Hij reed achteruit, en de garagedeur ging dicht en onttrok zijn vriend en de Durango aan het oog.

Draper reed helemaal achteruit tot aan het draadgazen hek, dat automatisch openging. Toen Draper langzaam aan de terugweg naar Railroad Street begon, hoorde Hood het rommelen van de M5 en zag hij het stof dwarrelen bij de achterlichten.

Maar toen hij naar de rode X keek, zag Hood dat Draper niet in noordelijke richting naar het stadje ging, maar South Railroad Street naar de grens nam. Hood gaf hem een paar minuten om een eind op hem uit te lopen, startte toen de Charger en volgde hem. Hij vroeg zich af of hij gevolgd of geleid werd.

Al gauw had hij de weinige verspreide lichten van de stad achter zich. Volgens zijn gps-ontvanger lag de M5 ruim een kilometer op hem voor, maar hij zag er niets van, geen achterlichten, geen glinstering van lak of weerspiegeling van glas, alleen de bandensporen die in de zachte modder van de weg waren achtergebleven. Hij zette zijn koplampen uit en vond zijn weg in het zwakke licht. Toen voelde hij een hobbel en werd de ruwe weg glad. Hij voelde asfalt onder zijn banden. Hood keek op de ontvangstkaart en zag dat ze nu ergens waren waar de wegen geen namen hadden, of ze nu verhard waren of niet.

Bij de bovenkant van een lichte helling stapte hij uit en trok hij een canvas jas met dekenvoering aan. Hij zette ook een oude cowboyhoed van oliegoed op tegen de regen. Toen liep hij over het hoogste punt en zag aan de andere kant een breed dal. De struiken waren donker en de rotsen waren bleek en dof van de regen, maar de kijker kon gebruikmaken van het weinige omgevingslicht en bood Hood een redelijk goed zicht. Regendruppels tikten op zijn hoed. Hij zag de M5 langzaam door het dal rijden, nu ook zonder lichtbundels uit koplampen: door het ruige land bewogen zich alleen nog de rode achterlichten en de stadslichten. De auto maakte een wijde bocht naar rechts en verdween.

Enkele minuten later stopte Hood op de plaats waar hij de M5 voor het laatst had gezien. De knipperende rode X kwam van nog geen kilometer afstand, maar hij kon Drapers auto niet zien. Het onderste derde deel van de monitor werd opgevuld door het grote zwarte mysterie van Mexico. Hood stapte weer uit en duwde het portier zachtjes dicht met zijn heup. Vanachter een rots keek hij naar beneden.

Onder in een brede kloof stond een metalen gebouw. Het zag eruit als een vliegtuighangar of een machinewerkplaats, met een roldeur die groot genoeg was voor auto's of vrachtwagens. Hood hoorde het geluid van een generator, en de regen die op het dak trommelde. Het gebouw was niet verlicht, totdat de M5 kwam aanrijden. Toen baadde het in een hard, fel licht.

Draper ging door een zijdeur het gebouw in. Binnen ging het licht aan. Even later hoorde Hood het brommen van een motor en het ratelen van de metalen deur die openging. Draper stond een ogenblik in de deuropening, met het licht achter hem. Hood zag een stoffige, oude auto achter hem, en een zwarte strandbuggy met dikke banden, en twee kleine mountainbikes. Langzaam liet hij de kijker zakken en legde hem op de rots voor zich. Hij wachtte op wat Draper ging doen.

Draper reed de M5 naar binnen en zette hem naast de strandbuggy. Toen stapte hij uit, maakte de kofferbak weer open met de afstandsbediening en haalde er twee koffers uit.

Hij gaat vannacht door de heuvels de grens over, dacht Hood. Geen controleposten, geen douane. Alleen bevriende gezichten en vertrouwde paden in een verregende nacht, met Mexico op niet veel meer dan een kilometer afstand.

Plotseling scheen er licht op de rots voor Hood. Hij kon de structuur van het gesteente zien.

'Draai je niet om. Als je mijn gezicht ziet, ben je dood. Breng langzaam je handen omhoog.'

Hood kende die stem niet. Het was een mannenstem, kalm en zelfverzekerd. Hij bracht zijn handen omhoog. Ver beneden hem zag hij Draper naar hem opkijken.

'Ik ben agent van de LASD,' zei Hood. 'Ik heb een insigne in mijn portefeuille. Denk na voor je iets doet.'

'Beweeg je niet.'

Hood hoorde snel naderende voetstappen en voelde toen dat de loop van een wapen tegen zijn rug werd gedrukt. De man trok het riempje van zijn holster los en haalde het pistool eruit. Hood hoorde het achter hem op de grond vallen. Draper leunde tegen de kofferbak van de M5. Hij keek nog steeds.

Toen de man achter hem zich bukte om met zijn hand over Hoods kuit te strijken, pakte Hood de kijker aan zijn riem op, draaide zich snel om en sloeg er zo hard als hij kon mee op het hoofd van de man. De zware kijker kwam zo hard aan als een trap van een muilezel. De man zakte in elkaar. Hood trok het pistool uit zijn slappe hand en zette zijn hoofdlamp uit. Toen rolde hij de man op zijn buik en deed hem plastic handboeien om. Hood verwachtte Israel Castro, maar deze man was ouder: in de veertig, donker haar en een donkere snor. Achter de Charger zag Hood een kleine strandbuggy, zwart en chroomloos, gemaakt om bijna onzichtbaar door zulke donkere nachten te rijden.

Toen hij weer naar het metalen gebouw keek, was Draper weg en rolde de elektrisch aangedreven deur weer dicht.

38

Hoods gevangene was buiten westen. De snee in zijn hoofd bloedde, maar niet erg. Hood gebruikte zijn hoofdlamp om zijn pistool te vinden en stopte daarna ook het wapen van zijn belager in de zak van zijn jasje.

Hij deed de Charger op slot en begon aan de afdaling door zijwaarts de helling af te stappen. Er groeiden daar schijf- en *cholla*cactussen, en de rotsen lagen los en waren glad van de regen.

Toen hij bij het gebouw aankwam, was de roldeur al dichtgedreund en waren de lichten uit. Van binnen kwam nog een streepje licht, nog net te zien onder de deur, en Hood hoorde het ruwe geluid van de generator die gas verbrandde om elektriciteit te maken.

Hij trok zijn pistool en legde zijn hand op de deurknop. Hij haalde diep adem, gooide toen de deur open en rende met zijn pistool in de aanslag naar binnen. Dicht bij de M5 dook hij neer en keek of hij ergens voeten op de betonnen vloer zag. Hij zag alleen een stoffige auto, een zwarte strandbuggy en twee kleine crossmotoren met modderige banden en uitlaten.

Draper was weg, en zijn koffers waren er ook niet meer. De regen viel op het metalen dak. In een hoek stond een generator geduldig te zwoegen. Met zijn pistool nog in de aanslag liep Hood een kleinere kamer in achter een deur. Er stonden daar een bureau, een stoel en een bank. Aan het plafond brandden lampen met kappen. Op de vloer tussen de bank en het bureau lag een geweven Mexicaanse deken met afbeeldingen van opspringende zwaardvissen. Hood knielde neer en zag modderige voetafdrukken op de vloer. De deken lag er slordig bij.

Hij liep naar een raam, keek naar buiten en zag niets. Toen liep hij naar het kleedje terug en schopte het op een hoop voor het bureau. Er lag een plaat multiplex onder die in een uitsparing in de betonnen vloer paste. De plaat was ongeveer een meter in het vierkant en had een zwarte, geëmailleerde handgreep aan elke zijkant. Hij koos een zijkant en trok de plaat omhoog.

Onder de plaat was een holte van ongeveer drie bij drie meter. Een ladder leidde naar beneden. Langs een van de wanden stond weer een generator, voorzien van een flexibele metalen buis langs het plafond van de tunnel. Er stonden twee blikken benzine bij. Langs het plafond van de tunnel liep een draad, waaraan ergens uit het zicht een gloeilamp hing. De tunnelwanden waren versterkt met balken, en de vloer bestond uit smalle planken.

Hoods training gaf hem in dat hij zijn onderzoek nu meteen moest stopzetten. Hij moest zich terugtrekken en bij daglicht met hulp terugkomen. Maar dan zou hij lang moeten wachten. Het spoor zou dan koud zijn, want Draper zou uren de tijd hebben gehad om te verdwijnen, bewijsmateriaal te verbergen en weer tevoorschijn te komen. Hood ging op de ladder staan, stak zijn hand omhoog, schoof het kleedje zo goed mogelijk over de opening en trok toen het houten luik op zijn plaats terug. Het viel met een stevige klap dicht. Er ging een rilling van angst over Hoods rug omhoog, tot over zijn hoofdhuid.

Toen hij in de holte was afgedaald, zette hij zijn hoofdlamp aan en liep de tunnel in.

Smokkeltunnels zijn niet lang. Het graven van een tunnel is een langdurig en moeizaam proces, en als de vijand hem eenmaal heeft gevonden, is hij niet meer te gebruiken. De gemiddelde lengte is zestig meter. Hood wist dat de Mexicaanse grens dichtbij was, maar hij wist niet hoe dichtbij.

Het licht was goed en de tunnel ging twintig stappen rechtdoor. Toen boog hij af naar rechts. De plafondlampen hingen zeven meter uit elkaar. Het was koud en Hood hoorde het gestage druppelen van water. Tussen de smalle planken van de vloer zag hij de olieblauwe weerspiegeling van licht op vloeistof.

De tunnel ging verder. Nog twee keer ging hij dertig graden naar rechts. Bij de vijftigste stap bleef Hood staan luisteren. Nog steeds hoorde hij het druppelen van water en het kreunen van de generator in de verte. De lampen flikkerden uit en gingen weer aan.

Hood voelde dat de angst even bij hem opkwam. Hij had een beetje last van claustrofobie en voelde de eerste flikkering van paniek diep in zijn binnenste, scherp en klein, als een vonk van vuursteen. Hij probeerde zich er niets van aan te trekken.

Bij de honderdste stap bleef hij weer staan. Hij geloofde dat hij nu op de helft was, maar hierbeneden kon je eigenlijk niet meer op je zintuigen vertrouwen. Bij de honderdnegentigste stap kwam Hood in een kleine kamer. Daar stond weer een generator, maar die was uit. Er was ook een ladder.

Hij klom naar boven en wachtte een hele tijd. Zo langzamerhand twijfelde hij aan zijn eigen beoordelingsvermogen. Er scheen geen licht langs de randen van het luik. Hij hoorde niets. Hij had het gevoel dat er een open ruimte aan de andere kant van het hout was, maar ook dat was niet meer dan een gevoel.

Hood drukte met de vingertoppen van beide handen tegen het multiplex. Het bewoog enigszins.

Het luik ging aan scharnieren open en de ruimte erboven was donker: geen sterren, geen wind, geen regen. Hij klom naar binnen, sloot het luik en zette de hoofdlamp aan. Hij bevond zich in een klein kamertje. Hij zag bezems, emmers, een brandblusser, twee gereedschapskisten en stapels wc-papier. Hij keek omlaag in het gat waaruit hij was gekomen en zag een groot rood-met-wit bord met de bekende bliksemschicht van elektriciteit, de geëlektrocuteerde man die de lucht in sprong en het woord PELIGROSO.

Hij duwde de deur open en zag rijen schoolbanken, met daarachter een tafel en een schoolbord. In een hoek stond een Mexicaanse vlag in een standaard, en in een andere hoek de vlag van Baja California. Daartussen was er een glazen schuifdeur, en daarachter zag Hood alleen maar duisternis. Regen op het dak. Door de druipnatte ramen links van hem keek Hood in het donker, en achter de ramen rechts flikkerden de lichtjes van het plaatsje Jacume.

De koffers uit Drapers auto stonden naast elkaar en met ingedrukte handgrepen bij de deur aan de andere kant van het schoollokaal.

Hood deed zijn hoofdlamp uit en bleef even staan. Hij probeerde door de ramen te kijken, maar zag alleen duisternis en regen. Er was net genoeg licht om langs de rijen schoolbanken zijn weg naar de koffers te vinden.

De koffers waren zwaar. Hij legde er een op zijn kant en maakte de rits los. Hij deed zijn hoofdlamp weer aan en zag kranten en stenen ter grootte van softballen in de koffer liggen. Geen bankbiljetten. De andere koffer zat vol met hetzelfde. De kranten waren recente nummers van de *Los Angeles Times* en de *San Diego Union-Tribune*. De stenen kon je overal in de uitgestrekte grenslanden tussen Californië en Mexico vinden. Hij deed de lamp weer uit en ging op zijn hurken naast de koffers zitten.

Hood besefte dat Draper in Orange County de transponder had gezien. Hij had snel nagedacht en Israel Castro gebeld; meer had hij niet hoeven te doen om het probleem op te lossen. Hood veronderstelde dat het geld nu met de zwarte Durango, bestuurd door Castro, op de terugweg van Jacumba naar Tijuana was. Ze hadden de koffers verwisseld in de garage van Israel Castro. Draper had hem het labyrint van Jacumba in gelokt en hem toen afgeschud als een vos die met een hond speelt. Hood begreep dat de man met het pistool hem bij Draper had moeten afleveren of in een ondiep graf in de grote woestijn had moeten leggen. Het drong tot hem door dat hij een kolossale fout had gemaakt.

Buiten startte een motor en schenen plotseling koplampen op een raam. Hij zag een grote suv, die tot dan toe onzichtbaar was geweest in de duisternis, door de regen op het schoollokaal af denderen. Toen kwamen er nog twee stellen koplampen tot leven in de duisternis aan de andere kant van het gebouw. De auto's kwamen door de nacht dichterbij.

Hood rende naar het kleine kamertje terug, gooide het luik open en ging de ladder af, maar al voordat hij beneden was, hoorde hij voetstappen snel door de tunnel naar hem toe komen. Hij stak zijn hand uit en rukte de elektrische draad los. De draad kwam omlaag te hangen, en door de kortsluiting vlogen de vonken in het rond. Toen was er niets dan zwartheid en het vloeken van mannen nog geen dertig meter bij hem vandaan.

Hood klauterde naar boven, liet het multiplex op zijn plaats terugvallen en sloot de kastdeur. De enige deur in het schoollokaal bevond zich aan de voorkant en Hood was achterin. Door de ramen rechts van hem zag hij de donkere suv tot stilstand komen en de portieren openzwaaien. Links van hem stopten de twee andere wagens.

Hood zag zijn kans. Hij trok de zware hoed van oliegoed diep omlaag, stak zijn pistool in de holster en trok de rits van zijn canvas jasje tot aan zijn kin dicht. Toen stak hij zijn handen diep in de zakken en rende naar de schuifdeur. Hij probeerde een gebed te bedenken, maar dat lukte niet.

Buiten laadde iemand een geweer door. De voordeur schudde doordat iemand ertegenaan schopte. Hood trok zijn schouders in en dook met zijn hoofd naar voren door de ruit.

Het was goedkoop, dun glas, en hij vloog er met een regen van scherven doorheen. Hij gleed uit en verloor bijna zijn evenwicht, maar hield zich overeind en zette het op een lopen de duisternis in waar ze hem niet konden zien. Hij tuimelde van een steile helling af en rolde, sloeg tegen rotsen en takken en viel languit in een bed van roestige blikken, flessen en andere troep op de bodem van het ravijn. Hij ademde zwaar toen hij een lange driehoek van glas uit zijn wang trok.

Toen sprong hij overeind en beklom de helling aan de andere kant. Hij hoorde stemmen achter zich en zag mannen en silhouetten van mannen in de lichtbundels van een SUV die in zijn richting denderde.

Hood kwam boven aan de helling, sprong aan de andere kant omlaag en rende in de richting van Jacume. Er was daar een smal pad, een wildspoor of misschien een pad voor motoren door het dichte struikgewas. Maar bijna meteen hoorde hij het rommelen van de SUV dicht achter hem en strekten de lichtbundels zich voor hem uit. Hij dook een ander ravijn in, waar de duisternis nog dieper was. Hij wist niet meer in welk land hij was. De stralen van de zaklantaarns liepen kriskras om hem heen, als de draden van een spinnenweb. Hij klauterde een helling op.

Het eerste schot kraakte en de kogel sloeg voor hem in de grond. Er volgde nog een schot. De SUV ronkte door de struiken en de lichtbundels kwamen steeds dichterbij.

Het salvo geweervuur kwam snel en kort als in de straatjes van Anbar. Een kogel trof hem laag in zijn rug, aan de zijkant. Het was een gevoel alsof hij een trap van een paard had gekregen. Hij viel naar voren en kwam op zijn knieën in de modder terecht. Het deed geen pijn, maar hij voelde wel een enorme teleurstelling. Hij trok zijn pistool, draaide zich om en schoot drie keer op de voorruit van de wagen. Het glas verbrijzelde en viel als een deken van diamanten. De SUV slingerde opzij en viel op zijn kant.

Hood stond op en rende weg, maar hij kon geen snelheid maken. Zijn zware canvas jasje was doorweekt met regenwater, en zijn hoed van oliegoed leek wel tien kilo te wegen. Plotseling voelde zijn zij aan alsof er een roodhete pook doorheen was gestoken. Hij haalde zijn hand ervandaan en die was zwart van het bloed. Hij kwam lucht tekort en opeens was hij ontzaglijk moe.

Het lukte hem een helling op te klauteren naar een rotspartij. Hij kroop tussen de rotsen weg, vond goede dekking en bracht zijn pistool in de aanslag. Hij dacht aan de honderden westerns die hij had gezien en de honderden rotsen waarachter mannen waren gestorven. Hij dacht eraan dat hij nog geen dertig jaar oud zou worden. En hij vond dat we in een grimmige wereld leven, waarin tien schurken één fatsoenlijke politieman konden opjagen en vermoorden, recht onder Gods neus. Het was niet eens iets persoonlijks.

Hij keek naar de zaklantaarns die flikkerend zijn kant op kwamen, en toen naar de SUV, die op zijn kant op een helling lag, de koplampen nog aan, de wielen nog draaiend. De mannen kwamen met kleine,

250

doelbewuste passen samen. Hood zag mist in de lichtbundels. Hij wist dat ze niet precies wisten waar hij was, alleen dat hij dichtbij en gewapend was. Hij was irrationeel blij dat ze geen honden hadden. Toen liet hij de kolf van zijn pistool op de ruwe rots steunen en wachtte tot er iemand binnen bereik kwam. Hij dacht aan Ariel Reed, en Allison Murrieta, zijn vader en moeder, zijn broers en zussen. Tot zijn afschuwelijke verbazing besefte hij dat zijn leven kort was geweest.

Toen werd de wereld voor hem wit. De mannen verstijfden in een sneeuwstorm en de lichtbundels van hun zaklantaarns verdwenen. Tegelijk was de SUV opeens ook wit van de sneeuw. Achter Hood stak wind op en hij dacht: o, dus zo gaat het, het licht komt en brengt de wind, en de wind tilt je uit je lichaam en je wordt de wind, je stijgt door de regen op naar het koninkrijk van de hemel.

Hood besefte nog iets anders: er is een ontzaglijk gebulder. Het komt plotseling en het is heel hard, en wordt dan nog harder. Het is ritmisch, monsterlijk en krachtig. Je vijanden stuiven uiteen.

En dan daalt het bulderend gevaarte uit de hemel neer. Het draait rond en zakt met zijn landingsgestel op de grond. Het is een officiële machine, Gods eigen machine, met een embleem op de zijkant en er springen engelen met geweren uit.

Dus je hijst jezelf overeind en strompelt, rolt of kruipt, of alle drie, de helling af om ze te begroeten.

39

Hij lag drie dagen in een ziekenhuis in San Diego. Hij at veel en kreeg veel bloed. Warren kwam de eerste dag en ondervroeg hem over zijn verzoek om een arrestatiebevel. Warren maakte een opname van het gesprek en maakte aantekeningen, en hij ging meteen weer weg.

Ariel kwam op bezoek. Ze zag er zorgelijk en mooi uit. Ze had haar zaak gewonnen. De jury had een schuldigverklaring uitgesproken en over twee weken deed de rechter uitspraak over de straf. In een andere zaak besliste de hoofdofficier van justitie zelf over het lot van Shay Eichrodt. Ariel zei tegen Hood dat ze hem had aanbevolen de zaak tegen Eichrodt te seponeren. Ze had ook de aanjager van haar dragster laten reviseren en een nieuw stel racebanden gekocht. Ze kon bijna niet wachten tot ze weer achter het stuur zat.

Marlon kwam naar binnen schuifelen en zei tegen Hood dat hij zich niet als een watje moest gedragen en gauw uit dat ziekenhuis weg moest zien te komen. Hij zei ook tegen Hood dat hij de volgende keer om assistentie moest vragen, in plaats van de idioot uit te hangen. En dat Laurel Laws naar de LASD had gebeld en Hood had willen spreken, iets over een hond. Hood belde haar meteen nadat Marlon was vertrokken, en inderdaad: Londell Dwaynes hond was drie weken nadat hij in de heuvels was verdwenen, naar hun huis teruggekeerd. Laurel wilde dat Hood haar kwam halen en naar Londell terugbracht.

Een uur voordat Hood uit het ziekenhuis werd ontslagen, kwam Warren om hem naar huis te brengen.

Toen ze op Highway 163 kwamen, was het een heldere, koele dag en ronkten de vliegtuigen laag over het land, op weg naar Miramar of net opgestegen. Hood had een verband op zijn zij om het wondvocht op te vangen uit de schotwond: een lelijk, ongehecht, vreselijk pijnlijk gat van achteren naar voren. Het vlees eromheen was zwart en ging geleidelijk over in purper en blauw. Hij had drie hechtingen van het stuk glas in zijn rechterwang. Hij had een plastic draagtas van het ziekenhuis met nog meer verband en tape, ontsmettingsmiddel, een grote fles antibiotica en een kleintje met Vicodin. Warren zei dat hij de geluksvogel van het korps was.

'De rechter heeft een arrestatiebevel uitgevaardigd voor Coleman Draper,' zei hij. 'Hij wordt verdacht van de smokkel van drugsgeld naar Mexico.'

'Maar laat me eens raden. Jullie kunnen hem niet vinden.'

'We hebben zijn huis en bedrijf in Venice in de gaten gehouden. Hij is in drie dagen niet komen opdagen.'

Hood dacht aan de adressen van Draper in Laguna en Azusa, en aan Juliet Brown en Alexia Rivas. 'Ik weet misschien wel waar hij te vinden is.'

'De volgende keer dat je een gevaarlijk idee krijgt, Hood, moet je op assistentie wachten.'

'Ik dacht: het is nu of nooit.'

'Onzin. Dat was Renegades-gedrag. Geloof me, Hood: het leven is veel beter als je niet dood bent.'

'Dat kan ik niet tegenspreken.'

'Ik stuur je op pad met Stekol. Jullie hebben maar één opdracht: Draper oppakken.'

Hood wist dat Brian Stekol de kale zwarte man in het vlotte pak was die op de avond van Terry Laws' dood achter het stuur van Warrens auto had gezeten. En dat Stekol in het scherpschuttersteam van de LASD zat en als judoka de zwarte band had.

'Van wie was die helikopter die mij te hulp kwam, inspecteur?'

'Een gezamenlijke eenheid.'

'Welke?'

'Dat wil niemand zeggen, want ze zijn op Mexicaanse bodem doorgedrongen om jou te redden.'

'Waarom deden ze dat voor mij?'

'Ze dachten dat je een kapitein van het Arellano-kartel was die door Herredia's gangsters werd achtervolgd. De eenheid had over een nieuwe tunnel gehoord, waarschijnlijk de tunnel die jij hebt gevonden. Als ze hadden geweten wie je werkelijk was, zou dit hier een Mexicaans mortuarium zijn en zou jij dood zijn.'

Hood dacht over die verontrustende waarheid na terwijl ze naar Los Angeles in het noorden reden.

Warren zei dat de gezamenlijke eenheid de nacht van Charlies schietpartij geen arrestaties had verricht en geen enkele verdachte had ondervraagd. Niet Draper, niet Castro, niemand. Ze hadden zich allemaal verspreid tussen de rotsen en in de ravijnen en tunnels aan de Mexicaanse kant, de verboden zone. De gekantelde SUV had Mexicaanse nummerborden en was twee jaar eerder in een straat in La Jolla gestolen.

Warren had ook echt nieuws: Londell Dwayne was de vorige dag op borgtocht vrijgelaten. Zijn alibi met Patrice in het motel in Palmdale bleek te kloppen en de moord op Terry Laws werd hem niet meer ten laste gelegd. Hij moest nog wel voorkomen voor het traangas, het machinegeweer en ontucht met een minderjarige, maar hij had genoeg geld gehad voor de borgsom.

Hood dommelde in terwijl de zon door het raam scheen. Zijn broek werd nat en hij diepte nieuw verband uit zijn tas met spullen op. Zo ving hij een glimp op van de ouderdom. Het leek hem beter dan het alternatief. Het deed pijn toen hij achter zich reikte om het nieuwe verband tegen zijn huid te drukken. Een kogelgat is een lelijk ding.

'Ik wil die klootzak hebben,' zei hij. 'Draper.'

'Als we met de DEA samenwerken, grijpen ze hem bij de grens als hij het opnieuw probeert.'

'Nee, ík wil hem. Voor ons.'

'Dat is rivaliteit tussen diensten, Hood. Dat is egoïstisch en contraproductief.'

'Ik weet wat het is. Maar de DEA interesseert zich niet voor Eichrodt, Vasquez en Lopes.'

'Ik wil hem ook voor ons,' zei Warren.

'Verdomme, wat doet dit pijn.'

'Rust wat uit. Neem een paar dagen vrij.'

Hood stond vroeg op en reed door de stad. Silver Lake lag in het fraaie licht van het eind van de winter. De Sunset Strip maakte in de vroege ochtend een bedaarde indruk, en zelfs de donkere straten van de binnenstad bezaten een vitaliteit die hij nooit eerder had gezien. Hij ontbeet ergens en reed toen naar de ranch van Terry Laws.

Delilah was een getijgerde pitbull, blijkbaar een vroegere vechthond. Ze begroette Hood met een rustige blik vanaf de keukenvloer, waar ze naast Terry's hond Blanco lag.

'Eerst wilden ze elkaar vermoorden, en toen snuffelden ze aan elkaar en werden ze vriendjes,' zei Laurel. 'Nu zijn ze onafscheidelijk. Honden hebben honden nodig.'

Hood stak zijn hand uit, de honden kwamen naar hem toe en hij kocht ze om met lekkernijen uit een dierenwinkel. Hij gaf ze nog wat meer. Hij leidde een lichte nylon band om Delilahs kop en was niet verbaasd toen ze rustig met hem meeliep naar de Camaro.

'Bedankt hiervoor,' zei Laurel. 'Terry hield veel van honden.'

'Graag gedaan.'

'Komt het wel goed met je? Ik hoorde het van Marlon.'

'Het geneest al.'

Ze schudde haar hoofd. 'Jullie krijgen niet genoeg betaald. Dat bedoel ik met alle respect.'

'Zo vat ik het ook op.'

Met Delilah naast zich op de passagiersstoel reed Hood in noordelijke richting naar Lancaster. Het groen van Los Angeles ging geleidelijk over in de fletse kleuren van de woestijn, en Hood zag de yucca's en de salie, en de papavers die tot bloei kwamen in de bermen van de weg. Hij zag de nieuwbouwwijken, sommige bewoond en andere nog in aanbouw, die zich over kilometers uitstrekten in de mooie, betaalbare woestijn. Hij reed langs het politiebureau en het park. Hij besefte dat hij alle dingen wilde zien die hij voorgoed had moeten missen als hij in Mexico was omgekomen.

Londell stond op het parkeerterrein van de metro op hem te wachten. Hood stapte uit en bracht Delilah mee, maar hij moest de lijn loslaten toen ze Londell in het oog kreeg. Hij rende op haar af en zwaaide haar van de grond. Hood bedacht nog dat Londell anders rende dan de man die Terry had vermoord. Hij leek op de dader, maar hij bewoog zich heel anders.

'Bedankt.'

'Blij dat ik kon helpen.'

Londell kuste de hond op haar snuit en liet haar in het rond zwieren als een danspartner. Toen zette hij haar neer. 'Ik heb die grote kerel niet vermoord.'

'Ik geloof dat ik je moet bedanken.'

'En ik word ook niet veroordeeld voor dat machinegeweer,' zei hij. 'Ik weet niet hoe het daar gekomen is. Ik weet niet eens hoe je met zo'n ding moet schieten. Er staan geen vingerafdrukken van mij op. Er zitten helemaal geen vingerafdrukken op, het is schoongeveegd. Ik denk dat de dader mij erin wilde luizen.'

'Dat is niet zo belachelijk als het klinkt.'

'Het is helemaal niet belachelijk. Weet je wat wel belachelijk is? Zo mooi als Delilah is. Word je niet gelukkig als je alleen maar naar haar kijkt?'

'Nou, ze is een goeie hond, Londell. Ze heeft me helemaal geen last bezorgd.'

'Tot kijk, Hood. Patrice en ik gaan trouwen zodra het van de wet mag. Tegen die tijd heb ik een vaste baan.'

Toen het die avond donker was, haalden Hood en Stekol een gedeukte Taurus uit de politiegarage en reden daarmee naar het Laguna Royale. In iets meer dan een uur waren ze in Laguna. Ze reden achter een bewoner aan het parkeerterrein op en maakten daar een rondje, maar er was geen M5 te zien.

Maar Juliet werkte weer in Del Mar.

'Hallo, Rick.'

'Ik heb dat veranderd in Charlie. Maar dit is echt Brian.'

Ze keek hem met geoefende twijfel aan. Ze droeg een zwarte, mouwloze jurk en een parelsnoer. 'Nog steeds in de beveiliging, of ben je ook van werk veranderd?'

'Het is zoiets als beveiliging.'

'Ik hoor van alles.' Ze schudde haar hoofd en liep met hen mee naar de bar.

'Je beweegt vanavond nogal traag, Charlie-Rick.'

'Ik heb me bezeerd.'

'Ik wil eigenlijk niet vragen hoe.'

'Coleman weet het.'

Hood klapte zijn portefeuille open en liet haar het insigne zien. Ze keek nu nog wat beter naar hem. 'Is hij dood?'

'Dat betwijfel ik.'

'Jij bent net als hij.'

'Niet echt.'

'Ik kan pas later praten.'

'Komt hij hier vanavond, Juliet? Ik moet het weten.'

'Er is een kans. Meestal belt hij eerst.'

'Vertel het me als hij dat doet. Het is nergens voor nodig dat we hier op je werk een scène maken.'

'Jij bent net als hij.'

Na Juliets werk gingen ze aan een hoektafel in de Marine Room zitten. Het was laat, het was een koele avond en het was rustig in de binnenstad van Laguna. Juliet had een jas met een zwarte kraag van imitatievossenbont aangetrokken, waarvan Hood vond dat hij haar opvallend goed stond.

Hij vertelde haar dat ze van Interne Zaken waren, en wat dat binnen hun korps betekende, en ook iets van wat hij wist over reserveagent Coleman Draper. Hij vertelde haar over Drapers huis en bedrijf in Venice, zijn waarschijnlijke betrokkenheid bij de dood van twee mannen in Los Angeles County, zijn kennelijke contacten met de kortgeleden vermoorde Hector Avalos en North Baja van Carlos Herredia. Hij vertelde haar dat Draper manipulatief was ingesteld en misschien gevaarlijk was. Hij vertelde haar niet over Alexia Rivas en het arrestatiebevel dat tegen Draper was uitgevaardigd.

Ze keek Stekol en hem met oprechte verbazing aan, maar zei niets toen Hood klaar was. Ze nam een slokje van haar wijn en keek uit het raam.

Toen richtte ze een sceptische, verwijtende blik op hem. 'Wat bedoel je met Colemans "waarschijnlijke betrokkenheid" bij de dood van twee mannen? Hebben jullie gezien dat hij hen vermoordde?'

'Nee.'

'Heeft iemand dat gezien?'

'We hebben bewijzen. We hebben geen getuige.'

'Ik kan me erg moeilijk voorstellen dat hij zoiets heeft gedaan. Wat bedoel je met "contacten"? Hebben jullie Coleman in het gezelschap van criminelen gezien?'

'In de buurt van hen. Ik heb hem erheen zien gaan en ervandaan zien komen.'

'Misschien werkte hij undercover voor een andere politiedienst dan die van jullie. Misschien zelfs voor iets van de staat, of federaal.'

Hood vermoedde dat Coleman dit zaadje zelf had geplant. 'Hij werkt niet voor een andere dienst, Juliet. Zijn collega en hij hebben geprobeerd iemand de moorden in de schoenen te schuiven. Ze sloegen hem bijna dood om een dubbele moord te camoufleren die ze zelf hadden gepleegd. Het is een van de wreedste dingen die ik ooit heb zien doen.'

'En jullie weten dat zeker?'

'Ik heb het voor een deel van de man zelf. De rest is half begraven, maar ik graaf het op.'

'Hoe kan iemand die zo wreed is ook zo teder zijn?'

'Om te krijgen wat hij wil.'

'Ik ken hem een jaar, en jij tien minuten. Je komt hierheen en beschuldigt hem van dingen, maar hij kan zich niet verdedigen. Je komt hierheen met vage verdenkingen. Ik wil feiten.'

Stekol boog zich naar haar toe, indrukwekkend in zijn pak. Zijn manchetknopen glinsterden. 'Ken je Alexia Rivas?' vroeg hij.

'Nee. Hoezo?'

'Je vriendje woont met haar samen als hij niet met jou samenwoont. Dat is een feit.'

Ze huiverde, kreeg een kleur en keek weer uit het raam.

'Hij bezit een huis in Azusa, net zoals hij jouw flat in eigendom heeft,' zei Hood. 'Alexia betaalt de rekeningen, net als jij hier in Laguna. Blijkbaar hebben ze een dochtertje.'

'Zou jij tegen me liegen om te krijgen wat je wilt?'

'Ik zal niet tegen je liegen,' zei hij.

'Jullie politiemensen doen niet anders.'

'We liegen minder dan je denkt.'

Ze nam een grote slok wijn, en toen nog een, en zette het glas op de tafel terug.

'Oké,' zei ze. 'Dan zal ik niet tegen jullie liegen. Ik heb nooit zeker geweten of Coleman was wie hij zei dat hij was. Ik heb een keer een pistool gezien. Ik denk dat hij wilde dat ik het zag. Hij zei dat hij voor een federale dienst werkte die geheimhouding vereiste. Hij zei niets over het soort werk dat hij deed, of over een ander huis. Natuurlijk wist ik dat hij ergens moest wonen als hij niet bij mij was. Het is een van de grondslagen van onze relatie dat ik geen vragen stel over zijn werk. Dat was onze eerste regel. Dat was ónze geheimhouding. En ik zal je nu meteen vertellen dat hij bij mij nooit een neiging tot geweld vertoonde. Hij was... is... bij mij een en al empathie. Hij luistert aandachtig en begrijpt me. Hij is een heer. Hij stelt vragen. Hij neemt niet. Hij is hoffelijk en edelmoedig. Hij is hartstochtelijk. Zijn betrokkenheid kent geen grenzen. Hij heeft zijn hele familie door een brand verloren toen hij vijftien was. Soms – vaak – als we zwijgen, of elkaar aanraken, of samen iets doen, is hij er gewoon niet bij. Ik denk dat hij dan weer bij zijn familie is.'

Hood dacht er even over na hoe iemand voor sommige mensen iets is en voor andere het tegenovergestelde daarvan. Of het nu door haar aard kwam, door haar ervaringen of uit noodzaak: Juliet was niet dom, maar had zich toch door Coleman Draper laten misleiden.

'Juliet,' zei hij. 'Coleman Draper leeft in zijn eentje in zijn eigen wereld. De rest van ons is er alleen maar om gebruikt te worden. Hij zou zelf andere woorden gebruiken om zichzelf te beschrijven, maar zo is het.'

Ze nam weer een grote slok wijn en hield haar glas omhoog voor de serveerster.

'Wanneer heb je hem voor het laatst gezien?' vroeg Hood.

'Hij was dinsdag en woensdag thuis.'

'Weet je wanneer hij weer bij je thuis komt?'

'Dat gaat niet volgens een vast plan. Er is geen plan.'

'Daar is zojuist verandering in gekomen,' zei Hood. 'We gaan een plan maken om hem te arresteren. Hij is gevaarlijk – voor jou, voor iedereen. Als je verstandig bent, raakt er niemand gewond. Wil je ons daarmee helpen?'

'Jullie beroven me van mijn illusies en breken mijn hart en willen dan dat ik me als een verantwoordelijke burger gedraag?'

'Zo is het,' zei Stekol glimlachend. 'Dat overkomt ons politiemensen elke dag als we op ons werk komen.'

De serveerster zette een glas wijn op de tafel. Juliet keek ernaar, maar dronk niet. 'Ik heb me afgevraagd of hij andere vrouwen had. Ik overtuigde mezelf ervan dat het er niet toe deed. Coleman en ik hebben een regeling. Ik viel er niet zomaar in. Ik spróng erin. Ik deed mijn ogen dicht en sprong.'

'Je bent hem niets schuldig,' zei Hood.

'Ik kan nog steeds niet geloven dat ik met een moordenaar heb geslapen. Ik voelde het soms echt bij hem: liefde.'

'Je bent niet de enige die door hem misleid is, Juliet,' zei Stekol. 'Hij heeft ons hele korps misleid. We zijn met vele honderden.'

'Kun je ons helpen?' vroeg Hood.

'Ik zal jullie helpen.'

'Nee,' zei hij. 'Kún je ons helpen? Kun je hem misleiden? Kun je overtuigend tegen hem liegen? Hij merkt het meteen als er iets veranderd is, want nu weet hij dat wij het weten.'

Ze nam weer een grote slok wijn. 'Ik ben nooit een goede leugenaar geweest.'

'Ik ga het makkelijk maken. Als hij tegen je zegt dat hij komt, bel je mij voordat hij er is. Als hij onaangekondigd komt, wacht dan tot het veilig is om mij te bellen. Wacht een uur. Of een dag.'

'En in die tijd moet ik me gedragen alsof alles nog hetzelfde is.'

'Hij weet al dat niets hetzelfde is. Dus je mag hem geen reden geven om jou te verdenken. Als je dit niet kunt, Juliet, moet je nee zeggen. Het is gevaarlijk, het kan aankomen op een woord, een moment, een blik. Ik zal je niet vragen het te doen en je hoeft het ook niet te doen.'

Juliet keek de mannen aan. Na alle verdachten die hij had ondervraagd en alle misdadigers met wie hij te maken had gehad, had Hood een scherp oor voor de leugen. Maar hij had ook een scherp oor voor de waarheid, en sommige mensen zijn gewoon niet in staat tot leugenachtigheid.

'Dit gesprek heeft nooit plaatsgevonden,' zei Stekol. 'Wis ons uit je gedachten. En zet Coleman er weer in. Zet hem erin zoals hij vroeger was – grappig, vol liefde voor jou, en met zoveel begrip voor je gevoelens.'

'Drijf niet de spot met me.'

'Dat doe ik niet,' zei hij. 'Als een vrouw zo goed voor mij was als Coleman voor jou, zou ik zoveel bij haar willen zijn als maar mogelijk was.'

Ze liet de wijn door haar glas walsen en keek er somber in. 'Hoe zeker zijn jullie ervan dat hij die dingen heeft gedaan?'

'Vier nachten geleden heb ik door hem een kogel in mijn rug gekregen,' zei Hood. 'Zo zeker ben ik ervan.'

'Maar als jullie je nu eens vergissen?'

'Dan komt hij vrij en procedeert hij tegen ons en heb ik nog steeds een mooi litteken om over te praten. En dan kunnen Coleman en jij bij elkaar blijven en gelukkig zijn en terugdenken aan die domme kerels van de politie.'

'Dat lijkt me niet onmogelijk.'

'Hij heeft je bedrogen,' zei Stekol.

Ze dronk haar glas leeg en zette het neer. Ze keek geen van beiden aan. 'Ik kan het.'

Stekol keek Hood aan. Op zijn gezicht stond te lezen: maar zúl je het ook doen?

40

Een week later liep Draper gebruind en fit zijn flat in Laguna Beach in. Hij zette zijn bagage in de hal, maar hield de doos onder zijn arm. Hij keek door de glazen schuifdeur naar de inham in het bleke maanlicht en de glinsterende, zwarte oceaan en dacht aan de glazen schuifdeur waardoor Hood in Jacume was ontkomen. En hij dacht aan de pech die hij had gehad: dat een Amerikaanse eenheid zijn achtervolging van de nederige agent Charlie Hood voor een kartelgevecht op hoog niveau had aangezien. Daarom leefde Hood nog, was de tunnel niet meer te gebruiken en had de politie nu extra aandacht voor Jacumba en Jacume. En daarom zou Draper nooit meer als reserveagent werken, in elk geval niet voor de LASD. Het was een schrale troost dat hij nog steeds zijn insigne en dienstpistool had.

Hij hoorde het zwakke geluid van de tv in de slaapkamer en zag de subtiele verandering in het licht dat tot de hal doordrong.

'Coleman?'

Draper ging in de deuropening van de slaapkamer staan. 'Wie komen hier 's nachts nog meer binnen?'

'Een heleboel mensen. Maar jou mis ik.'

Draper was het niet gewend serieus te worden begroet door Juliet, zelfs niet op een grappige manier. Dit was een Alexia-begroeting. Hij was meteen op zijn hoede, al had hij er genoeg van om op zijn hoede te zijn.

Ze zat rechtop in bed, omringd door kussens, een glas wijn op haar nachtkastje. Ze droeg een rode satijnen pyjama en een zwarte zijden ochtendjas met daarop een veelkleurige draak. Ze tikte naast zich op het laken en hij kwam binnen en ging daar zitten. Hij gaf haar de lange, goudkleurige doos.

'Er gingen wat dingen niet goed.'

'Ik heb je nummer geprobeerd.'

'Ik heb een nieuwe telefoon.'

Ze maakte de doos open, glimlachte en raakte een bloem aan. 'Mooi.'

Hij boog zich over de rozen en kuste haar bijna zonder haar mond aan te raken. Hij rook haar adem en beet zachtjes op haar lip. Hij zoog de koele Laguna-lucht en de geur van de rozen diep in zijn longen en blies zijn adem langzaam naar haar terug. Haar hand voelde warm aan op zijn wang.

'Een ramp, Juliet.'

'Is er iemand doodgegaan?'

'Nee, niet zo'n ramp. Het soort ramp dat zich vermenigvuldigt en steeds gecompliceerder wordt, net als een tumor.'

'Ik vind het heel erg, Coleman, maar je ziet er goed uit. Moet je naar Maui?'

Hij glimlachte. Ze zeiden altijd voor de grap tegen elkaar dat als de geheimzinnige wereldreiziger Coleman voor zijn werk naar Maui werd gestuurd, hij haar zou moeten meenemen. Ze was gek op de Grand Waialea. In werkelijkheid was hij met vervalste papieren naar Honolulu gevlucht en had hij zich daar zes dagen schuilgehouden tussen de toeristen in Waikiki. Ze trok zijn colbertje een beetje opzij om zich ervan te vergewissen dat het pistool er nog was.

'Juliet, ik wilde dat het Maui was geweest.'

'Laten we daar dan uit onszelf heen gaan.'

Hij keek haar aan. Instinctief wantrouwde hij haar gretigheid. Hij had haar niet gekozen om die eigenschap, maar om haar hardnekkige terughoudendheid, haar trots, haar geloof dat ze afstand met afstand kon bestrijden.

Hij stapte uit bed, liep naar de keuken en schonk een glas wijn in. De fles was halfvol, maar er lag een lege in de afvalbak onder de gootsteen, en toen hij de opening daarvan aanraakte, werden zijn duim en vinger vochtig. Ze dronk altijd meer als ze gespannen was. Dat was ze vanavond dus allemaal: emotioneel, gretig, gespannen. Hij keek naar het zinloze rijzen en dalen van de oceaan en de kleine golfjes die het strand op renden. Hij dacht dat alles misschien nog goed zou komen. Misschien was Juliet alleen blij hem te zien, en gespannen door haar werk, of doordat ze geen kinderen kon krijgen, of door het leven zelf. Of helemaal niet. Misschien zag hij spoken.

Hij was nog steeds niet helemaal bekomen van de schrik en vernedering die hij had gevoeld toen hij het gps-zendertje onder het chassis van de M5 zag zitten. Maar het was niet alleen schrik en vernedering. Zo langzamerhand trok hij alles aan zichzelf in twijfel. Het stond voor hem niet meer vast dat hij intelligent en bekwaam was, op alles voorbereid en met het geluk aan zijn zijde.

Hood: die klokkenluidende, rokkenjagende, slome boerenkinkel uit Bakersfield. Toen Draper de zender had gezien, en Hood zelf in de zwarte Charger in Jacumba – gefilmd met een bewakingscamera die in een boom verborgen zat – had hij voor het eerst in zijn leven het gevoel gehad dat een medemens zijn vijand was. Dat was een nieuwe emotie voor hem, of op zijn minst een aanscherping van oudere emoties, en van een heel andere orde van grootte. Voor het eerst in zijn leven wilde hij echt iemand doden, dus niet alleen omdat het de gemakkelijkste en meest praktische uitweg was. Het was wel vaker gebeurd dat iemand tussen hem en zijn verlangens in was gaan staan, maar Hood had zich ertussenin gewórpen. Hood had hem gezíén.

Ze kwam met haar glas wijn de keuken in, en nadat ze hem vluchtig had omhelsd, liep ze de huiskamer in en stak ze de gashaard aan. De vlam sprong tot leven achter de keramische houtblokken. Juliet ging op het leren tweezitsbankje zitten en sloeg haar benen onder een plaid over elkaar. Ze keek in de vlammen.

'Kom bij me zitten,' zei ze. 'Dan kijken we naar een strand zonder toeristen en vlammen zonder vuur. Ik masseer je rug.'

Draper kwam bij haar zitten, zette zijn glas op een bijzettafeltje en boog zich met zijn ellebogen op zijn knieën naar voren. Hij voelde haar handen op zijn samengetrokken nek en verkrampte schouders. Ze wist precies waar ze moest zijn. Haar vingers gingen regelrecht naar de pijnplekken en de gebundelde spanning. Hij had in de suv gezeten die was omgeslagen, en daarbij had hij zijn nek en schouder verrekt. De bestuurder had een van Hoods kogels door zijn hand en stukjes van de voorruit in zijn gezicht gekregen.

Draper haalde diep adem en liet de lucht ontsnappen. Juliets duimen vonden twee concentraties van pijn aan weerskanten van een halswervel en ze kneedde ze systematisch weg. Vanavond deed ze dat beter dan gewoonlijk. Ook iets wat hem zorgen baarde. Toen ze een halfuur later klaar was en hem naar hun bed leidde, had Draper sterk het gevoel dat er iets was gebeurd en wist hij ook vrij zeker wat het was.

Ze gaf zich minder tomeloos aan het liefdesspel over dan gewoonlijk; ze was grootmoediger en meer op hem afgestemd. Toen ze eindelijk klaar waren, hield ze haar gezicht tegen zijn kloppende hart en rook hij haar tranen voordat hij ze op zijn huid voelde.

'Vertel het me, Juliet.'

In plaats daarvan snikte ze.

'Als jij verdriet van iets hebt, heb ik ook verdriet,' zei hij. 'We kunnen niet op één avond een strand zonder toeristen, vlammen zonder vuur en ook nog tranen hebben zonder dat er een reden voor is, hè?'

'Ik probeerde je iets te vertellen.'

'Dat weet ik. Wat is het?'

'Ze hebben me gevraagd je te verraden. Hood en Stekol.'

De adrenaline ging met een schok door zijn aderen. Hij voelde dat zijn lichaam sterker werd en toen hij naar zijn holster keek, die naast zijn schoenen op de vloer lag, kon hij opeens veel scherper zien.

'En wat zei jij?'

'Ik zei ja. Ik zei dat ik zou bellen als je kwam.'

Zwijgend kleedde hij zich aan, liet zijn schoudertuig met holster over zich heen glijden en trok zijn jas aan. Hij ging naast het raam van de slaapkamer staan en keek langs de rand van de zonwering zonder iets aan te raken. Andere flats. Een straatlantaarn. Een klein stukje van Pacific Coast Highway. Koplampen, achterlichten en de glinsterende stoet van chroom, glas en lak.

'Kijken ze nu naar ons?'

'Nee. Het is de bedoeling dat ik bel.'

'Hoe weet je dat ze niet naar ons kijken, Juliet? Waarom zou je dat tegen me zeggen?'

'Ik kan dat niet zeker weten. Je moet me vertrouwen. Ik heb tegen ze gezegd dat ik zou bellen, Coleman. Ik heb ze bedrogen. Maar ik moet je een vraag stellen.'

Draper was blij met de duisternis in de kamer, want nu kon ze hem niet zien. Wat hij met Hood had willen doen, wilde hij nu met Juliet doen. Het verlangen was hevig, en daar was ze dan, nog geen anderhalve meter bij hem vandaan, volslagen weerloos.

Zijn stem was als een mamba in droog gras. 'Vráág het.'

'Heb je die mannen vermoord, zoals ze zeggen?'

Hij liep naar het bed en keek op haar neer. Hij ging naast haar liggen en hield haar hoofd weer tegen zijn hart. Hij streelde haar haar, nam haar slanke nek in zijn sterke rechterhand en drukte zijn lichaam helemaal tegen haar aan. 'Dat heb ik niet gedaan. Ik zweer je bij de god van stranden, vlammen en tranen dat ik in mijn hele leven nog nooit iemand heb vermoord.'

'Ik zou het weten als je dat had gedaan.'

'Je zou het weten als ik het had gedaan.'

'Ik heb tegen ze gezegd dat je het niet hebt gedaan.'

'Je hebt de waarheid gesproken.'

'Ze hebben me over Alexia verteld.'

'Alexia is getrouwd met mijn neef. Ze huren een huis van me in een plaatsje dat Azusa heet. Ze is niet interessant voor de politie en jij hoeft je geen zorgen over haar te maken, Juliet.'

Ze haalde haar gezicht bij het zijne vandaan om hem te zien, maar hij wist dat ze alleen een vaag beeld van hem kon hebben. Haar ogen waren als natte stenen in de duisternis.

'Ik heb tegen ze gezegd dat wij een regeling met elkaar hebben, maar dat is niet waar. Ik hou van je, Coleman. Met heel mijn grote, rommelige hart hou ik van je.'

'Ik hou van jou, Juliet. Ik zal je bellen en je vertellen wat je tegen ze moet zeggen. Ik zal je vertellen wat je moet doen.'

'Daar heb ik nu behoefte aan.'

Draper liet zich uit het bed glijden, keek weer door de spleet langs de zonwering en liep toen naar de huiskamer. Er zat niets in de koffers wat belastend voor hem was, en ook niets wat hij nodig had.

Als ze inderdaad naar hem keken, kon hij het beste wegkomen door de glazen schuifdeur: naar het strand, over de inham en over de rotsen, en dan door de zijstraten naar Coast Highway. Daar kon hij een taxi nemen naar Newport, en dan zag hij wel verder.

Hij ging naar de slaapkamer terug, kuste Juliet op haar wang en zei opnieuw dat hij van haar hield. Zijn vingers gleden over haar gezicht.

Toen maakte hij de schuifdeur open, glipte naar buiten en maakte hem zorgvuldig weer dicht. Hij was blij dat hij er niet dwars doorheen hoefde te springen, zoals Hood had gedaan.

Hij boog zich achterover en zakte de helling af, waarbij zijn schoenen zich met strandzand vulden. Toen hij op de steviger bodem van de inham kwam, bleef hij in de schaduw van de rotsen en liep met grote stappen naar het zuiden.

41

De zaterdagavond was sterreloos en vochtig, een avond voor geheimen en grote gevolgen.

Draper reed met de Touareg in zuidelijke richting over de Interstate 5 langs de energiecentrale en naar Pendleton. Hij keek naar de plaats waar hij was gestopt om het stuk chroom weg te halen dat onder het chassis van de M5 was blijven steken en herinnerde zich eraan dat het een vloek was geweest die nog steeds in een zegen kon veranderen.

'Dus dit is alles wat we doen?' vroeg Bradley. 'We rijden een paar uur en ik verdien vijfduizend dollar?'

'Dat is alles wat we doen.'

'Rocky vertrouwt me niet.'

'Je zult het bij Herredia beter moeten doen.'

'Hij staat er niet om bekend dat hij mensen gauw vertrouwt. Ik heb gehoord dat hij iemand van een ander kartel als aas heeft gebruikt op een van zijn vistochtjes. Hij sneed hem persoonlijk aan stukjes.'

Draper hoorde geen angst in de stem van de jongen. Bradley keek naar de oceaan, haalde zijn pistool uit de diepe zak van zijn lange jas, keek ernaar en stak het terug. Toen haalde hij een pakje kauwgom tevoorschijn, gaf Draper een stick en nam er zelf ook een.

'Ik heb de groene flits één keer gezien,' zei de jongen peinzend. 'Bij Trestles. Ik zat buiten te wachten tot de zon onderging. Het was november en toen de zon achter het water daar verdween, was er een groene rechthoek. Die stond even aan de hemel en was toen weg.'

'Ik heb vanaf Mallory Dock in Key West naar drie zonsondergangen achter elkaar gekeken,' zei Draper. 'Ik heb nooit een groene flits of zoiets gezien.'

Maar het was nu donker en de zon was al uren onder. Draper wees met zijn duim naar de doos op de achterbank. 'Wat is jouw geschenk voor El Tigre?'

'Je zult het zien. Veel indrukwekkender dan jouw verzameling visspulletjes.'

Draper genoot van de branie van de jongen en ergerde zich er tegelijk aan. Eerder, toen Bradley zijn doos op de achterbank had gezet, had Draper gezien dat die zwaar was. De jongen ging er voorzichtig mee om. Het was een vierkante kartonnen doos, groot genoeg voor een computer of misschien een kleine tv, afgesloten met doorzichtige tape.

'Nou,' zei Bradley. 'Waar we de koffers hebben opgehaald en het geld hebben gewogen, dat was niet de normale plaats, hè?'

'Waarom denk je dat?'

'Er hing onzekerheid in de lucht.'

'Het was meer dan onzekerheid.'

'Maar ik heb gelijk. Daar is het de andere keren niet gebeurd. Ik begrijp dat Hector Avalos de vertegenwoordiger in Los Angeles van Herredia was. Maar Hector is dood, en het geld was niet in Cudahy. En dus denk ik dat Rocky nu de man is. En jij.'

'De dingen veranderen, Bradley. Routine is de dood.'

'Voor Avalos wel.'

'Je moet opletten en je mond houden. Leren.'

'Ja. Voor vijfduizend dollar per week wil ik dat wel.'

Bradley zweeg een tijdje. Draper zag de lichten van Oceanside in het zuiden. Bij de grens herkende hij de Amerikaanse douanier niet die hen vlug liet doorrijden. De zaterdagploeg, dacht hij, niet de mensen van vrijdagavond die hij anders altijd zag.

De norse Mexicanen waren ook nieuw voor hem. Ze keken naar zijn identiteitsbewijs en politie-insigne en vroegen hem de ramen van de suv open te maken. In het witte schijnsel van hun felle zaklantaarns bestudeerden ze de plastic bakken met visgerei, de losse hengels, Bradleys doos en de koffers achterin.

Toen Draper Tijuana achter zich had gelaten en op de tolweg was gekomen, had hij weer het vertrouwde ontspannen gevoel, het geruststellende idee dat de Amerikaanse wet had plaatsgemaakt voor de duistere, flexibele vrijheden van Mexico.

Op het stoffige pad van het complex hield de oude Felipe zijn geweer op Bradley gericht, terwijl de jongen werd gefouilleerd door een *compañero*. Draper stond op het stoffige pad van het complex en zag Felipe verbaasd naar de jongen kijken. Bradley praatte intussen gewoon door in het Spaans. Draper zag de andere schutters die in de schaduw stonden; het waren er meer dan gewoonlijk. Hij wist dat het nieuws van zijn problemen in Jacumba via Herredia's netwerk naar het zuiden was verspreid. En het nieuws van een nieuwe compagnon die voor Terry Laws in de plaats zou komen, was door Rocky via zijn Eme-connecties doorgegeven. Draper had Rocky om een positief bericht gevraagd. Hij vond het erg belangrijk dat Bradley goed door de auditie kwam. Rocky had duidelijk een hekel aan de jongen gehad, maar de beslissing was aan Herredia. Draper herinnerde zich wat El Tigre eens over Laws had gezegd: de woestijn is ideaal voor geheimen. Draper hoopte vanavond niet weer zoiets te horen te krijgen. Hij was zich er terdege van bewust dat hij de beslissing over het lot van Bradley Jones zou moeten uitvoeren.

Ze kwamen in Herredia's heiligdom. Felipe ging voorop, gevolgd door Draper en Bradley met zijn doos, en ten slotte door een grote man en een magere man die naar de achterste hoeken van de kamer liepen. Twee andere mannen reden de koffers naar binnen, gingen naar buiten en deden de deur achter zich dicht, maar Draper hoorde ze niet weglopen. Hij keek weer naar Felipe, die op zijn gebruikelijke plaats bij de deur zat, het geweer op zijn schoot en zijn hand op de kolf. Zijn verweerde bruine wijsvinger tikte op de trekkerbeugel.

Herredia zat achter zijn grote metalen bureau. De kolossale Desert Eagle-revolver lag voor hem. Hij stond niet op om Draper te begroeten, of te glimlachen of zelfs te laten blijken dat hij hem zag. Al zijn duistere aandacht ging naar Bradley. Draper zag iets oerouds in Herredia's blik, en hij dacht aan leeuwen die welpen opvraten, en de farao en Mozes, en vroeg zich af of hij Bradley in een biezen mandje het water in moest duwen.

'Wat ben jij?' vroeg Herredia.

'Een vrijbuiter, door geboorte en uit keuze.'

'Wat is trouw?'

'Het grootste geschenk dat kan worden gegeven of ontvangen.'

'Wie ben je trouw?'

'Degenen die mij trouw zijn.'

'Kom één stap naar voren en zet de doos neer. Bij je voeten.'

Bradley ging een stap naar Herredia toe, hurkte neer en liet de doos op de vloer zakken. Vervolgens ging hij weer rechtop staan en vouwde hij zijn handen bescheiden achter zijn rug.

'Hoe belangrijk is je leven voor jou?' vroeg Herredia.

'Verdomd belangrijk. Voor zover ik kan zien is dit alles wat we krijgen. Wat ik met het hiernamaals doe, bekijk ik wel als ik zie dat het er is.'

'Heb je de man gedood die je moeder heeft doodgeschoten?'

'Ja.'

'Hoeveel anderen?'

'Verder niemand.'

'Ben je er trots op of schaam je je? Bracht het je dichter bij God of de duivel?'

'Trots. De duivel. Natuurlijk.'

Herredia pakte gedachteloos de revolver op en legde hem op het bureau terug, gericht op Bradley. Hij haalde zijn blik geen moment van hem af. 'Waarom zeg je "natuurlijk"?'

'Ik dacht dat u dat zou begrijpen.'

'Je beweert dat je begrijpt wat ik begrijp?'

'Ik vind gezelschap van de duivel niet erg, meneer Herredia. Ik ben maar een dief. Als u zich dichter bij God voelt, verontschuldig ik me heel oprecht bij u en bij Hem.'

Herredia keek Draper voor het eerst aan. Die zag geen herkenning in de zwarte ogen. Toen waren ze weer gericht op Bradley.

'Hoe oud ben je?' vroeg Herredia.

'Achttien.'

'Volgens je rijbewijs ben je zeventien.'

'Ik rond de kleine dingen een beetje naar boven af. Maar ik tel de grote dingen altijd heel zorgvuldig.'

'Zoals de dingen in de koffers.'

'Ja.'

'Maak de doos langzaam open. Felipe heeft een mes.'

Maar Bradley schudde zijn pols en een stiletto verscheen. Het mes sprong open. Draper zag de lichte verbazing op Herredia's gezicht. Bradley knielde neer en trok het mes over de dichtgeplakte naden in het midden en aan beide zijkanten. Vervolgens klapte hij het met één hand dicht en liet het in zijn zak glijden. Hij haalde een rood-groen-witte badhanddoek uit het ene eind van de doos en rolde hem tegelijk open. En toen nog een. De Mexicaanse kleuren, dacht Draper, die jongen durfde.

Bradley liet de tweede badhanddoek op de vloer vallen en keek in de doos. Draper zag alleen een glazen fles met water of zoiets. Er zat iets donkers in, maar het licht spiegelde op het oppervlak en Draper kon het niet nagaan.

Toen stak Bradley zijn hand in de doos en tilde de fles aan de onderkant op. Hij hield hem Herredia voor.

Draper zag het hoofd in de vloeistof drijven, met het lange zwarte haar net boven de bodem. Het was bleek. Hij kon de ogen of de uitdrukking van het gezicht niet zien.

'Dit is het hoofd van Joaquin Murrieta,' zei Bradley. 'Hij was mijn over-over-over-over-over-over-overgrootvader. Hij is de Joaquin Murrieta over wie u hebt gelezen, de legendarische paardendief, scherpschutter, gokker, verleider en weldoener van de armen.'

'Zet hem op mijn bureau.'

Bradley kwam naar voren en zette de pot voor Herredia neer.

Draper zag El Patrón in de pot kijken. Het hoofd hing schuin en bewoog langzaam in de vloeistof, alsof het een gesprek voerde.

'Ze zeggen dat zijn hoofd verloren is gegaan bij de aardbeving in San Francisco van 1906,' zei Herredia.

'Het was de dag daarvoor gestolen door zijn achterkleinzoon Ramon. Het is in de familie doorgegeven totdat mijn moeder, de vrijbuiter Allison Murrieta, het had.'

'Maar waar is de hand van Jack-met-drie-vingers?'

'Die heeft nooit bij Joaquin in de pot gezeten. Dat was een fout in de verhalen. Er zitten veel fouten in de verhalen over Joaquin.'

'*Fantástico*,' zei Herredia. '*Felipe*.'

De oude man kwam naar voren en bracht zijn ruige gezicht naar de pot. Hij fluisterde: '*Murrieta!*'

Nu draaide Bradley zich om en keek Draper aan, wiens aandacht verdeeld werd tussen het hoofd in de pot en de opgetogen Carlos Herredia.

Toen richtte Bradley zijn blik weer op El Patrón. Zijn stem klonk helder en kalm. 'Ik kan hem niet aan u geven, meneer. Hij is familie. Ik wilde dat hij u ontmoette. Ik wil dat u begrijpt dat ik degene ben die u nodig hebt.'

Herredia fronste zijn wenkbrauwen en snauwde iets tegen de mannen in de hoeken. Ze vlogen Draper voorbij en gingen om Bradley heen staan. Ze drukten een pistool tegen elk van zijn slapen, trokken zijn armen naar achteren en duwden hem hard tegen het metalenbureau.

'Hij is geen geschenk?' vroeg Herredia.

'Ik ben uw geschenk.'

Herredia stond op, bracht zijn ontzaglijke revolver omhoog en duwde het eind van de loop tegen Bradleys borst.

Draper maakte een inschatting van de vuurlijn dwars door Bradleys hart en ging een stapje naar links.

'Je brengt me Murrieta en probeert hem dan bij me weg te halen?'

'Ik ben Murrieta. Uitgerekend u, van alle mensen op aarde, begrijpt dat.'

Herredia snauwde een bevel en de mannen drukten Bradley op zijn knieën. Draper zag dat Herredia zich over het bureau boog, zich schrap zette met zijn linkerhand en de loop van de revolver tegen Bradleys voorhoofd drukte. Draper kneep zijn ogen halfdicht bij dat hachelijke tafereel.

Bradley zei niets. Hij boog zijn hoofd niet. Vanaf de plaats waar hij stond kon Draper het gezicht van de jongen niet zien, maar hij zag wel dat Herredia zich dreigend opstelde, en toen de hamer van de revolver weer op zijn plaats klikte, leek dat geluid uit alle hoeken van de kamer te komen – van boven en beneden, van voor en achter, van links en rechts.

'Ik mag jou niet,' zei Herredia.

'Ik wil dat u me wel mag.'

'Je beeft niet. Je kijkt met zorg maar zonder angst naar me op. Waar is je angst?'

'In plaats daarvan heb ik vertrouwen in u.'

'Waar komt dat vertrouwen in mij vandaan?'

'Van Draper. Hij heeft veel mensenkennis, en hij vreest u en houdt van u. Net als ik.'

Herredia keek Draper aan en die keek rustig terug. Herredia richtte zich op en legde zijn revolver weer op het bureau.

'Wat moet je eigenlijk met dat hoofd?' vroeg hij.

'Het is iets uit mijn familie, meneer Herredia. Als een oude kerstversiering die van generatie op generatie wordt doorgegeven. Of een stok die door een vooroulder is gesneden. Of de metalen scheerspiegel die mijn betovergrootvader mee naar huis nam uit de Eerste Wereldoorlog.'

Herredia maakte een gebaar en ging weer zitten. De mannen trokken Bradley overeind.

'*Gracias, hombres,*' zei Bradley. Hij haalde diep adem en liet de lucht langzaam ontsnappen. Toen rechtte hij zijn rug en schudde zijn hoofd alsof hij daar helderheid in wilde brengen.

Herredia bekeek hem van top tot teen en glimlachte. 'Wat is dit? Wat heeft de nieuwe Murrieta gedaan?'

'Ik hoopte dat u het niet zou zien.'

'Ik zie alles.'

Draper zag een beetje vocht op Bradleys linkerlaars, en ook een plasje op de vloer.

'Eigenlijk,' zei Bradley, 'was ik een klein beetje bang.'

'Bravo, Jones,' zei Herredia. 'Misschien ben je een beetje minder gek dan ik dacht. Coleman, breng hem naar zijn kamer terwijl we het geld wegen. Jullie blijven vannacht hier.'

271

Draper voelde Herredia's goedkeuring; die ging als een warme golf door hem heen. Hij kon zich niet herinneren wanneer de mogelijkheden voor het laatst zo groot hadden geleken.

Bradley maakte een diepe buiging voor Herredia, draaide zich om en volgde Draper de kamer uit.

Tegen het eind van de volgende morgen liet Draper zijn identiteitsbewijs en insigne aan de Amerikaanse grensbeambten zien en ze wierpen alleen een vluchtige tweede blik op de Touareg alvorens hem te laten doorrijden.

Toen ze over de Interstate 5 naar het noorden reden, bonkte Drapers hoofd nog van de afgelopen nacht. Herredia had met alle geweld een bacchanaal willen aanrichten, net als vroeger met Terry. Hij genoot ervan om Bradley te imponeren met zijn macht en rijkdom en zijn smaak als het op wijn, vrouwen en wapens aankwam. Draper keek naar Bradley, die onderuitgezakt en knikkebollend naast hem zat, een verweerde stetson diep over zijn ogen, zijn zonnebril op het puntje van zijn neus. Die jongen kon feestvieren; daarover was geen twijfel mogelijk.

'Wat voor gevoel is het om vijfduizend dollar belastingvrij in je broekzak te hebben?' vroeg Draper.

'Ik kan mijn broekzak niet voelen.'

'Elke week, maand na maand, jaar na jaar.'

'Ik ga niet elke week zoveel drinken.'

'Je moet leren je te beheersen.'

'Ik heb precies gedaan wat ik wilde doen.'

Draper reed in noordelijke richting door National City en keek naar de grote schepen die daar lagen, de geduchte gevaarten van de marine die voor reparaties en onderhoud naar de haven kwamen.

'Het is een geweldige baan, Coleman. Ik vraag me af waarom je voor mij hebt gekozen.'

'Dit is geen karwei voor één man.'

'Er zijn genoeg andere mannen. Waarom mij?'

'Omdat we op elkaar lijken.'

'Ja. Twee armen, twee benen en een kater.'

'En omdat ik jou begrijp. Ik keur goed wat je met Kick hebt gedaan. Twee mensen kunnen dingen bereiken waarvan één alleen maar kan dromen. We hebben een toekomst.'

Draper wist dat Bradley hem over de weggegleden zonnebril bestudeerde.

'Je denkt dat je me begrijpt,' zei Bradley.

Draper zei niets, maar hij wist dat hij Bradley beter begreep dan Bradley zichzelf. Bradley was nog een kind. Hij dacht dat hij alles verdiende wat hij had: zijn goede verstand, sterke lichaam en scherpe ogen, Erin, zijn vrienden, het geluk dat hij steeds weer had. Maar Draper zag ook dwaasheid in hem, en hij geloofde dat Bradley zijn eigen ware persoonlijkheid pas zou ontdekken als veel van wat hij had van hem was weggenomen. Draper kon hem daarmee helpen, vooral met Erin, als de tijd er rijp voor was – een lichtpuntje in de toekomst, iets om naar uit te kijken, een diamant in een donkere mijn.

Maar terwijl de kilometers achter hem weggleden, verduisterden Drapers gedachten. Hij dacht aan Hood en de beroerde situatie waarin de jonge agent hem had gebracht. Sinds de ramp in Jacumba had Draper in feite afstand moeten doen van zijn twee fraaie huizen, zijn twee mooie vrouwen, zijn kleine meisje, zijn autobedrijf en zijn positie van reserveagent bij de LASD. Van dat alles moest hij zich nu verre houden. Hij was niets meer dan een voortvluchtige. Met een vals identiteitsbewijs had hij een appartement in Culver City gehuurd van een huisbaas die maar al te graag geld aanpakte van iemand die geen kwitantie wilde. Draper voelde zich ontheemd, geïntimideerd, vernederd. Hij weigerde te vluchten: dit was zijn huis, zijn land, zijn volk. Hij moest zijn bezittingen terugkrijgen. Misschien niet het politie-insigne, maar wel al het andere. Al het andere! Maar voorlopig kon hij alleen maar onderduiken. Gelukkig had hij massa's geld, en zijn lucratieve wekelijkse klus voor Rocky en Herredia bracht voortdurend nog meer binnen.

Hij maakte zich steeds kwader op Hood, die hem dit alles had aangedaan.

'Ik heb je hulp bij iets nodig,' zei hij.

'Ik ga je niet mijn vijfduizend dollar lenen.'

'Ik wil dat je een ontmoeting met Hood regelt.'

Draper keek Bradley aan en zag de raderen in het hoofd van de jongen draaien.

'Waarom?'

'Ik moet hem spreken. Maar als hij weet dat ik erbij ben, neemt hij de cavalerie mee. Als hij denkt dat hij alleen met jou gaat praten, komt hij alleen. Op een onopvallende plaats. Ergens in het openbaar. Bijvoorbeeld de *boardwalk* in Venice. Jij hoeft niet eens te komen. Het is beter van niet.'

In de donkere ogen van de jongen zag Draper dat hij het begreep, zij het niet helemaal.

'Hood,' zei Bradley zachtjes.

'Bedenk wat hij je moeder heeft aangedaan,' zei Draper. 'Bedenk wat hij mij heeft aangedaan. Hij is de enige van hen die mij zelf heeft gezien. Hij is de enige getuige tegen me. En hij zal jou ook kwaad doen, als hij kan, Bradley. Hij vreet aan dingen.'

Drie kilometer lang zei Bradley niets. Toen draaide hij zich om en keek naar de doos met het hoofd van zijn beruchte voorvader, dat door Felipe in El Dorado liefdevol opnieuw was ingepakt. Bradley keek Draper ondoorgrondelijk aan.

'Ik zal erover nadenken,' zei Bradley. Vijf minuten later had hij zijn hoed op zijn schoot liggen en leunde hij met zijn hoofd tegen het raam.

42

Een week later reed Hood naar Venice Beach om met Bradley te gaan ontbijten. Het verbaasde hem dat de jongen hem wilde spreken. Op dit vroege uur was het geen probleem een goede parkeerplek bij Ocean Front te vinden. Hood wachtte voor de boekwinkel en keek naar de omslagen. Het was de eerste dag van het voorjaar, maar het was een grauwe, koude ochtend en het trottoir was nat en het zand van het strand was donker van de motregen.

Het was te vroeg voor de bodybuilders op Muscle Beach, en de boekwinkel was nog niet open, maar op het trottoir wemelde het van de joggers, skateboarders, rolschaatsers en fietsers.

Toen Bradley de vorige dag had gebeld om een afspraak voor het ontbijt te maken, had Hood kunnen horen dat de jongen dringend iets wilde bespreken. Hij meende vrij zeker te weten wat het was.

Een paar dagen eerder had Erin hem gebeld om te zeggen dat ze een contract bij een goede onafhankelijke platenmaatschappij had gekregen. Het leverde niet veel geld op, maar het was een begin. Ze was uitzinnig van geluk. Ze hadden het de volgende avond gevierd in de Bordello, waar ze een 'hele vrachtwagenlading' champagne hadden gedronken, en om zes uur 's morgens, toen ze de zon boven de Vasquez Rocks zagen opkomen, had Bradley haar gevraagd met hem te trouwen. Hij had zelfs een diamanten ring voor haar gekocht, een gouden ring met een grote steen. Het ding moest wel vijfduizend dollar hebben gekost, dacht ze. Bradley had tegen haar gezegd dat de diamant hen beiden zou overleven, maar dat hun liefde zelfs de diamant zou overleven. Ze had meteen ja gezegd. Ze zei dat ze zich in haar hele leven nog nooit zo vrij, sterk en gezegend had gevoeld. Ze zei ook tegen Hood dat hij moest doen alsof hij verrast was wanneer Bradley belde. Ze had het niet kunnen laten het zelf zo gauw mogelijk aan hem te vertellen, maar ze wilde het gras niet voor de voeten van Bradley wegmaaien.

Toen Bradley er na twintig minuten nog steeds niet was, liep Hood naar de pier. Hij keek een tijdje naar de vissers, zag hoe het aas in de donkergroene oceaan viel, zag makrelen spartelen in een rode emmer.

Hij belde Bradley, maar omdat er niet werd opgenomen, liep hij maar weer naar zijn auto terug.

Op Ocean Front was het nu drukker. Er waren veel mensen op het trottoir en er werden kramen ingericht. Een peloton mooie meisjes met wapperende haren vloog hem op rolschaatsen voorbij. Een stel reed voorbij op een tandem. Een groep joggers rende langs hem heen, kleurrijk en dicht opeen als een school vissen.

Hood keek naar de glazige, donkere oceaan en zag Bradley door het zand naar hem toe lopen. Hij droeg een bomberjack en een truckerspet en zijn lange zwarte haar golfde onder die pet in de wind.

Toen zag Hood vijftien meter voor hem uit op de boardwalk, waar de tandem in een groep snelwandelaars verdween, Londell Dwayne zijn kant op komen. Londell droeg zijn zwarte capuchontrui van de Detroit Tigers, een zwarte wollen muts die hij over zijn oren had getrokken en een zonnebril. Hij had zijn handen in de zak van het sweatshirt.

Hood verbaasde zich over Londells ongewone manier van lopen: niet het slungelige, arrogante schuifelen dat typerend was voor hem, maar een doelbewuste tred. Londell was een man met een missie.

Hood vroeg zich af waarom Delilah niet bij hem was.

En waarom Londell floot.

Hij vroeg zich ook af waarom Dwayne strak in zijn richting bleef kijken. Hood kon zien dat de man zich op maar één ding concentreerde: hem.

Hood keek vlug naar Bradley, die zijn handen in de zakken van zijn jas had en nog steeds door het zand naar hem toe sjokte, nu op vijfentwintig meter afstand.

Een skateboarder zigzagde tussen Londell en Hood door. Toen ze uit zijn zicht was verdwenen, had Londell zijn linkerhand, waaraan hij een handschoen droeg, uit de zak van zijn capuchontrui laten zakken. Zijn rechterhand bleef verborgen. Hij keek nog steeds strak naar Hood, die zijn jas met zijn elleboog naar achteren duwde, het holsterriempje losmaakte en zijn hand op de kolf van zijn wapen liet rusten.

Londell was tien meter bij hem vandaan toen twee joggers tussen hen door renden. Toen ze net voorbij waren, zag Hood dat Dwayne een pistool tevoorschijn haalde. Hood hoorde iemand 'Hij heeft een pistool!' roepen, en toen rende iedereen schreeuwend door elkaar, een en al chaos.

Mensen vlogen alle kanten op, alsof ze door een explosie waren gelanceerd. Een kleine jongen met oorknopjes die op een mondharmonica speelde liep tussen Londell en hem door; die had blijkbaar niet gemerkt wat er gebeurde. Hood pakte het jongetje bij zijn kraag en trok hem tegen de grond. Hij hoorde het sissende gezoem van een kogel die langs zijn gezicht vloog, maar zijn vuurlijn was plotseling vrij, en voor hem stond de wereld een volle seconde stil terwijl hij Londell twee keer recht in zijn borst trof. Dwayne viel dwars door de etalageruit van een winkel met badkleding en belandde languit tussen de etalagepoppen terwijl het glas op hem neer regende. Hood hoorde overal om hem heen geschreeuw, maar hij zag alleen Londell, die bedekt was met een laagje glasscherven en het pistool nog in zijn hand had. Met zijn wapen in twee handen rende Hood naar het raam. Hij stak zijn hand naar binnen en trok Londells wapen weg.

Hoods twee schoten waren op vijftien centimeter afstand van elkaar terechtgekomen, het ene schot net boven het hart en het andere er net onder. Londell haalde snel en ondiep adem. Uit zijn mond en neus liep bloed, dat een plas vormde aan de onderkant van zijn keel. Hood keek achter hem naar het strand, maar Bradley was weg.

Toen keek Hood weer naar Londell en zag hij eindelijk wie de man was. Hood trok de pet weg, zodat de lichtblonde lokken in de oceaanbries golfden.

Hood haalde de zonnebril ook weg en keek in de fletse, grijze ogen. Hij streek met een nagel over de wang van de man en zag de streep die de nagel in de zwarte schmink maakte.

'Ik ben niet bang,' fluisterde Draper. 'Nooit geweest. Nu ook niet.'

'Misschien had je dat wel moeten zijn.'

Draper keek hem aan en blies tussen zijn lippen door, alsof hij probeerde te fluiten.

'Terry en jij hebben Lopes en Vasquez doodgeschoten en daarna Eichrodt zo hard geslagen dat hij zijn verstand kwijtraakte.'

Draper hoestte bloed op en knikte. 'Ik ga dood.'

'Je hebt Terry vermoord toen hij te veel last van zijn geweten kreeg. En je liet mij in leven, want dan kon ik zeggen dat Londell het had gedaan.'

'Nooit bang. Niet één keer. Nu ook niet.'

'Jij hebt die brand in Jacumba gesticht, hè?'

Drapers hand kwam omhoog en bleef onzeker in de lucht hangen. Het leek net of hij Hood iets aanbood. Hood pakte de hand vast, wrikte hem open en haalde er een pistooltje en een stiletto uit. Het pistool zat ondersteboven in Drapers vuist en het mes was nog dicht. De wapens vielen op het glas, gevolgd door Drapers hand. Toen ging er een hevig gerochel door zijn keel. Zijn gezicht verzachtte en het leven trok uit zijn ogen weg.

Hood hoorde een sirene. Het ochtendlicht werd helemaal weggenomen door de menigte achter hem. De jongen met de oorknoppen en de mondharmonica kwam dicht achter Hood staan, draaide zich om en speelde voor publiek.

43

Drie dagen later werd Hood in de kamer van commissaris John Robles ontboden. Inspecteur Warren was er ook, evenals de lijkschouwer, Larry Pace.

Hood ging zitten.

'We komen meteen ter zake, Charlie,' zei Robles. Hij was een potig mannetje met een kop vol zilvergrijs haar en een brede, zwierige snor. 'Volgens je rapport over de schietpartij met Draper heb je twee keer geschoten. De technische recherche heeft twee hulzen gevonden die uit je dienstwapen kwamen, en twee kogels, een uit Drapers lichaam en een uit een muur in het gebouw. Maar Larry heeft sectie verricht en er zaten drie kogelgaten in Drapers lichaam. We zitten dus met een rekensom. Heb je ideeën?'

Hoods idee was Bradley. Hood had zich van alles over hem afgevraagd: waarom hij daar was, wat hij van plan was, wat hij had gedaan. Hood had niet gehoord of gezien dat er een ander wapen afging, iets wat niet ongewoon was als er door meer mensen tegelijk werd geschoten. Hij begreep dat Bradley hem met zijn uitnodiging voor een ontbijt in de val had laten lopen, maar voor de rest begreep hij er niet veel van. Hoe en waar hadden Bradley en Draper elkaar leren kennen? Had Bradley niet geweten dat Draper van plan was hem te vermoorden? Had Bradley toen geprobeerd Hood te redden? Had Bradley precies geweten wat Draper van plan was en had hij pas op het laatste moment de kant van Hood gekozen?

Hood vertelde hun over zijn afspraak met Bradley, en dat hij hem over het strand zag lopen. Hij vertelde hun dat Bradley de zoon van Allison Murrieta was en dat hij sinds haar dood min of meer met de jongen in contact was gebleven. Hij zei dat Bradley en hij een wantrouwige, competitieve, onzekere band met elkaar hadden. Hij vertelde hun dat Bradley intelligent en sterk was en gaf toe dat hij de jongen sympathiek vond en een zekere verantwoordelijkheid voor hem voelde.

De mannen keken elkaar aan.

'De LAPD heeft Jones ondervraagd over die schietpartij op Skid Row,' zei Warren. 'Kick, dat bendelid dat zijn moeder had doodgeschoten. Er is geen arrestatie verricht. Wat denk jij daarvan, Charlie?'

'Hij ontkent het. Hij heeft een vrij goed alibi.'

'Ik vroeg wat jíj daarvan denkt.'

'Ik denk dat hij het heeft gedaan.'

'Nou,' zei Robles, 'dan moesten we maar eens met de jonge Bradley Jones gaan praten.'

Twee dagen later slenterde Bradley de kamer in. Hij droeg nieuwe Lucchese-schoenen en een lange leren jas. Hij was tien minuten te laat. Hij knikte Hood toe, stelde zich voor aan Warren, Robles en Pace en gaf hun een hand. Hij trok de lange jas uit en gooide hem op een bank. Toen ging hij op de stoel recht tegenover het bureau van de commissaris zitten. Hij sloeg zijn benen over elkaar en leunde achterover.

'Nou, ik ben helemaal in de top terechtgekomen,' zei hij met een blik op de commissaris. 'Bijna.'

'Vertel ons over Kick,' zei Robles.

'Ik zal u hetzelfde vertellen als wat ik de politie van Los Angeles heb verteld. Ik was thuis toen hij werd doodgeschoten. Ik was daar honderd kilometer vandaan. Ik heb daar vijf getuigen voor. Natuurlijk zoekt de politie van Los Angeles de dader ergens anders. Het had iets met bendes te maken, denk ik. Kick heeft mijn moeder vermoord en ik ben blij dat hij dood is, maar verder kan ik er niets over zeggen.'

'We willen graag de namen en telefoonnummers van je vijf vrienden,' zei Robles.

'Bent u niet een beetje buiten uw ambtsgebied? Maar goed, dat wil ik wel voor u doen.'

'Vertel ons over Draper.'

'Ja, dát is een interessant verhaal. Een paar weken geleden probeerde hij me op een banenbeurs op de universiteit voor de LASD te rekruteren. Hij herkende me van wat er met mijn moeder is gebeurd. Ik zei tegen hem dat ik me niet voor de politie interesseerde en hij zei dat hij het niet alleen over de politie had. Later dronken we wat met elkaar. Hij zei dat ik bij jullie moest solliciteren. Met hem als reserveagent en mij als gewoon agent, zei hij, zouden we goede dingen kunnen doen. Hij gaf geen bijzonderheden. Aan het eind van het gesprek zei hij dat Hood en hij elkaar goed kenden, maar dat ik Hood niet moest vertellen dat we met elkaar hadden gepraat. Ik dacht dat hij me helemaal in zijn eentje wilde rekruteren, zonder de hulp van een andere agent. Later, toen hij problemen had gehad in Mexico, vroeg Draper me of ik een ontmoeting met Charlie kon regelen. Charlie deed verkeerde dingen, zei Draper, en Charlie kon niet weten dat Draper daar zou zijn. Een openbare gelegenheid, zei hij, de boardwalk in Venice. Ik ging akkoord, maar het stond me niet aan. Ik moet niet veel van jou hebben, Hood, maar ik wil ook niet dat jou iets ergs overkomt. En dus besloot ik voor alle zekerheid zelf ook naar die ontmoeting te gaan. Ik wist niet precies wat er zou gaan gebeuren. Ik wist pas wat er aan de hand was toen die zwarte kerel zijn pistool op Charlie richtte en Charlie hem overhoopschoot. Pas de volgende dag hoorde ik dat het die verrekte Draper was.'

'Heb jij geschoten?'

'Waarmee geschoten? Ik was niet eens gewapend.'

'Waarom ging je ervandoor?'

'Ik zag dat Charlie niets mankeerde. Ik wist dat de politie gauw zou komen. Ik kan best wat problemen hebben, maar ik vind het niet nodig er recht op af te rennen.'

'Draper is drie keer geraakt,' zei Pace.

'Goed schietwerk, Charlie,' zei Bradley.

'Hij heeft maar twee keer geschoten,' zei Robles.

'Héél goed schietwerk, Charlie.'

In de stilte keek Bradley eerst Hood en toen Warren en Pace en ten slotte de commissaris aan. Hij glimlachte, en toen lachte hij. 'Nee,' zei hij. 'Nee, jongens. Sorry. Ik was het niet.'

'Wie was het dan wel?' vroeg Warren.

Bradley keek de mannen weer een voor een aan. 'Nou, waarschijnlijk dacht Charlie dat hij twee keer schoot, maar schoot hij drie keer. Je hebt een semiautomatisch wapen, Hood. Ik durf te wedden dat je de trekker heel fijn hebt afgesteld. Dan los je in de opwinding van een gevecht gauw een extra schot.'

Hood had zich dat ook afgevraagd. Het was mogelijk. Het was ook waar dat iemand die met een pistool op iemand anders heeft geschoten precies weet hoe vaak hij de trekker heeft overgehaald. Je onthoudt dat. Je hoort en ziet het keer op keer.

Bradley keek hem aan. 'Denk dan eens logisch na. Hoeveel hulzen heb je opgeraapt, Charlie?'

'Alleen de twee die ik heb afgevuurd,' zei hij.

'Welk kaliber had de fantoomkogel?' vroeg hij.

Er volgde een korte stilte. 'We konden hem niet vinden,' zei Robles. 'Hij ging dwars door Draper en de winkel heen, een achterraam uit en de buurt in.'

Bradley keek naar elk van hen en lachte toen opnieuw. 'Hoe kunnen jullie van mij verwachten dat ik een verklaring geef voor een kogel die jullie niet eens kunnen vinden?'

'Er was een derde ingangswond dichter bij de hals,' zei Pace. 'Mijn ballistische experts zeiden dat de uitgangswond consistent was met het gat in het raam.'

'En twee getuigen zeiden dat ze een man in een bomberjack en met een pet op zagen toen Draper werd neergeschoten.'

Bradley schudde zijn hoofd. Hij haalde diep adem. 'Nou, heeft Bomberjack geschoten of niet?'

'Daar waren ze niet zeker van. Er heerste verwarring. Angst.'

'Dus de getuigen weten niet wie een kogel heeft afgeschoten die jullie niet hebben. Heren, ik heb nadere uitleg nodig. Wat wilt u van mij?'

Toen stond Bradley op. Hij stak zijn duimen achter de band van zijn spijkerbroek en keek elk van de mannen weer aan. 'Ik ben hier onder meer gekomen om antwoord te geven op uw vragen, in een informele sfeer, zoals Charlie zei. Ik wil niet eigenwijs zijn, maar als ik er valselijk van word beschuldigd dat ik op iemand heb geschoten, vind ik het wel nodig om met een duidelijk verweer te komen.

Ik ben hier ook gekomen omdat ik een paar dingen wilde vertellen. Ten eerste had Coleman Draper een bijverdienste die hem tien-, twaalf-, veertienduizend dollar per week opleverde. Per wéék. Het had te maken met een stel Mexicaanse gangsters van het North Baja-kartel en met Eme-connecties hier in Los Angeles. Ten tweede ging daar iets mis mee en werd Terry Laws toen vermoord. Draper heeft me nooit verteld dat Laws erbij betrokken was, maar dat denk ik. Ik denk dat Draper en Laws het samen deden. En Draper heeft Terry vermoord, al weet ik niet waarom.'

De mannen keken elkaar aan, en toen leunde Robles achterover in zijn leren bureaustoel. 'Vertel eens: heeft Draper gezegd dat zijn positie als reserveagent iets met die profijtelijke bijverdienste te maken had?'

'Toen hij me rekruteerde, zei hij dat het insigne en het pistool deuren voor me zouden openen waarvan ik niet eens had geweten dat ze bestonden. Hij liet doorschemeren dat hij het niet over legitieme deuren binnen het politieapparaat had.'

'Waarom denk je dat Laws erbij betrokken was?'

'Draper had het vaak over hem. Weet u hoe hij klonk als hij het over Terry Laws had? Spijtig. Alsof hij spijt had van wat Terry was overkomen, maar alsof het op de een of andere manier noodzakelijk was. Ik kreeg het heel vreemde gevoel dat hij mij bij het korps rekruteerde om Terry te vervangen. Misschien zit ik er ver naast, maar dat gevoel had ik bij Draper.'

In de stilte die nu volgde, kreeg Hood meer waardering voor Bradley Jones' intelligentie en houding, maar geloofde hij steeds minder van zijn verhalen.

'Heren, ik wil u nog één ding vertellen. Ik kon dit nooit tegen Coleman Draper zeggen, want ik heb hem nooit helemaal vertrouwd. Maar ik kan dit tegen u allen zeggen: ik wil bij dit politiekorps. Ik wil erbij. Ik kan pas over ongeveer een jaar solliciteren en ik ga in die tijd de vooropleiding van de politie volgen. Ik heb scherpe ogen, ik kan de honderd meter net zo hard lopen als iedereen in het korps, ik kan gewichten opdrukken en ik heb zo'n hoog IQ dat het bijna gênant is, al geneer ik me niet. De beslissing is aan u. Stelt u me maar op de proef.'

Weer een stilte. Toen boog Robles zich naar voren en schudde zijn hoofd. 'Het is niet aan ons om te beslissen of u tot de opleiding wordt toegelaten of niet. Dat is gebaseerd op capaciteiten.'

'Goed,' zei Bradley. 'Dat begrijp ik. Maar ik wil één ding duidelijk maken: ik wil wat u hebt. Ik ben verloofd met een mooie vrouw die ik niet verdien. Ik ga haar het leven geven dat zíj verdient. Ik ga haar liefde, trouw en kinderen geven. Ik weet dat sommigen van u denken dat ik wraak heb genomen op Kick, maar dat heb ik niet gedaan en dat heb ik bewezen. En wat dat idee betreft dat iemand anders dan Hood op Coleman Draper heeft geschoten: nou, u hebt de verkeerde voor u. Ik kan het niet uitleggen en ik ga dat ook niet proberen.'

Bradley pakte zijn lange leren jas van de bank en trok hem aan.

44

Hood nam 's morgens de weg die door het Antelope Valley California Poppy Preserve naar het noorden leidde. De natte winter was een week voorbij en de heuvels waren bedekt met een tapijt van bloemen, kilometers en kilometers ver, oogverblindend kleurrijk, golvend in de bries.

Ariel Reed zat naast hem in de Camaro en klungelde met de cd-speler. Ze had inmiddels twee keer naar een van Erin McKenna's nachtclubopnames geluisterd, en Hood verwachtte dat ze hem opnieuw zou draaien. Hij had gemerkt dat Ariel de neiging had dingen keer op keer te doen. En inderdaad: toen ze daar tussen de bloemen door reden, kwam het eerste nummer weer stampend tot leven.

Later parkeerden ze en haalde Hood de mand en de plaid uit de kofferbak. Ze liepen een heuvel op, daalden aan de andere kant af en liepen langs een droge bedding naar een dal dat door twee langgerekte heuvels werd gevormd en waarvan de flanken huiverden van de oranje papavers.

Ze liepen tot ze een heel eind bij de weg vandaan waren. Plotseling kwam hun een verrassende stilte tegemoet. Hood voelde zich klein, maar niet onbeduidend. Hij legde de plaid op een stukje veld zonder bloemen en ze gingen onder een hemel zitten die zo blauw was dat het bijna niet te geloven was.

Hood schonk twee kleine, maar krachtige margarita's met ijs in. Ze toostten en Ariel dronk haar glas in één teug leeg, zette het in de mand terug en schopte haar sandalen uit. Ze ging op haar rug liggen en trok haar jurk omhoog om de zon op haar benen te laten schijnen. Haar ene arm strekte ze over de deken uit en met de andere schermde ze haar ogen af.

'Ik voel me net een hagedis.'

'In een gele jurk.'

'In de natuur heeft kleur een doel. Misschien trek ik een partner aan.'

'Dat heb je al gedaan.'

'Kun je wat push-ups voor me doen?'

In plaats van push-ups trok Hood zijn overhemd uit en ging op zijn rug naast haar liggen, maar niet te dichtbij. Hij liet het glas met de margarita boven zijn navel balanceren. Hij dacht aan Bradley, aan de keuzes die hij de komende jaren zou moeten maken, en welke kant de jongen op zou gaan. Hij vroeg zich af of de Buldogs hem terug zouden nemen of dat hij met Warren bij Interne Zaken moest blijven. Toen dreef hij af. Hij dacht dat geen enkel gevoel te vergelijken was met de zon op je huid. Zelfs door zijn dichte oogleden heen was het licht.

Hood dacht even aan de honden die hij als jongen had gehad. Toen aan paardrijden en tennissen. Dat hele verleden leek vanzelf en nood-zakelijkerwijs in één lijn door te lopen naar het hier en nu. Voor hem waren het goede herinneringen aan goede dingen. Hij keek opzij naar Ariel, die nonchalant naast hem op de deken lag. Hij kon bijna niet geloven dat hij het geluk had gehad haar hier te krijgen, al had hij het alleen maar hoeven te vragen. Ze had hem eens verteld dat ze zo ge-spannen was als een springveer en Hood had geconstateerd dat ze daar gelijk in had. Haar hersenen werkten zo snel dat haar mond het bijna niet kon bijhouden. Hij had haar nauwelijks begrepen toen ze zei dat de officier van justitie de zaak tegen Eichrodt had geseponeerd, hij had alleen een waterval van woorden gehoord. Maar nu had die versie van Ariel plaatsgemaakt voor iemand die zo ontspannen en soepel als een reptiel was.

'Ik weet dat je naar me kijkt,' zei ze.

'Dat kan ik niet laten.'

'Stilte is iets wezenlijks, niet de afwezigheid van iets.'

'Nog een margarita en je gaat er helemaal in op.'

'Ik heb geen zonnebrandolie gebruikt. Mijn huid is warm op een andere manier. Er vliegen donkere vlekjes voor mijn ogen langs; het is of ze uit zichzelf bewegen.'

'Mijn zus noemde ze springertjes. Als een...'

'Geef me een kus zoals die in de heuvels.'

Hood dronk het glas leeg, gooide het opzij en steunde op een elle-boog. Hij keek in haar ogen en zag een glorieus vreemd wezen. De kogelwond deed pijn, maar zijn hart voelde gezond aan. De plaid was groot genoeg om hen te bevatten en de wereld buiten te sluiten.

Dankbetuiging

Ik dank het team van Trident Media, voortreffelijke agenten, de beste bondgenoten die een schrijver maar kan hebben. Mijn grote dank gaat ook naar Gary Shimer voor de auto's, Dave Bridgman voor de wapens, Sherry Merryman voor de research en Gary Backe voor Antelope Valley. *You rock my casbah*, jullie allemaal.

T. Jefferson Parker

Blijft u graag op de hoogte van de nieuwste spannende boeken?

Kijk dan op

www.awbruna.nl

en geef u op voor de spanningsnieuwsbrief.

Op deze manier krijgt u steeds als eerste alle informatie over nieuwe boeken en kunt u gebruikmaken van aantrekkelijke kortingen en andere lezersacties.